MEMORIAS DE IDHÚN

La Resistencia

Libro II: Revelación

LAURA GALLEGO GARCÍA

sm

Primera edición: septiembre 2009
Tercera edición: noviembre 2010

Dirección editorial: Elsa Aguiar
Coordinación editorial: Gabriel Brandariz

Impresores, 2
Urbanización Prado del Espino
28660 Boadilla del Monte (Madrid)
www.grupo-sm.com

ATENCIÓN AL CLIENTE
Tel.: 902 121 323
Fax: 902 241 222
e-mail: clientes@grupo-sm.com

ISBN: 978-84-675-3594-5
Depósito legal: M-9640-2010
Impreso en la UE / *Printed in EU*

Para Andrés,
el primero que se atrevió
a cruzar la Puerta conmigo,
y que escuchó esta historia
bajo la luz de las tres lunas.

No importa lo que haga, cada persona en la Tierra está siempre representando el papel principal de la Historia del mundo. Y normalmente no lo sabe.

PAULO COELHO, *El Alquimista*

Dos años después...

I
Reencuentros

Era una cálida mañana de finales de agosto, y la mayoría de la gente de los apartamentos se había marchado ya a la playa. En la pista de tenis que había junto al bar, un joven de veintipocos años acababa de derrotar a su hermano mayor.

–Bah, me rindo –dijo este–. Hace demasiado calor para jugar. Me voy a la piscina.

–Venga, un poco más –protestó el ganador–. Todavía tenemos tiempo antes de que empiece a calentar de verdad.

–Ni hablar, que yo ya estoy mayor para estas cosas.

El más joven suspiró y se dispuso a abandonar la cancha tras su hermano.

–Yo puedo jugar un rato contigo, si quieres –dijo una voz junto a él, en un italiano vacilante y de acento extraño.

El muchacho se volvió, y vio tras él al chico del bar. Lo conocía solo de vista, porque no hablaba mucho, pero estaba claro que era extranjero, nórdico tal vez, y que trabajaba como camarero en el bar para poder costearse las vacaciones en Italia. Tendría unos dieciséis años, pero su mirada era demasiado seria para un chico de su edad.

–¿No tienes que trabajar en el bar?

–Ahora no. Hoy tengo la mañana libre.

–¿Sabes jugar al tenis? –le preguntó.

–Hace mucho que no juego –repuso el camarero–, pero puedo intentarlo –hizo una pausa antes de añadir–: Lo echo de menos.

El joven le dirigió una mirada evaluadora. Después sonrió.

–Hecho –dijo–. ¿Cómo te llamas?

El chico sonrió a su vez. Sus ojos verdes se iluminaron con un destello cálido.

–Jack –dijo–. Me llamo Jack.

La partida fue breve, pero intensa. El joven italiano estaba mejor entrenado y tenía más estilo, pero los golpes de Jack eran imparables. Costaba entender cómo un muchacho de su edad podía tener tanta fuerza.

Costaba entenderlo, a no ser que se supiera que aquel chico rubio llevaba dos años practicando esgrima todos los días con una espada legendaria.

Finalmente, el italiano se dejó caer sobre la cancha, riendo y sudando a mares.

–¡Vale, vale, de acuerdo! Tú ganas. Nunca he visto a nadie coger la raqueta como tú ni darle a la pelota con tanta rabia, Jack, pero no cabe duda de que es efectivo.

Pero Jack no lo estaba escuchando. Se había quedado mirando a alguien que lo observaba desde el camino, más allá de la verja de la cancha. A pesar de que estaba demasiado lejos para ver sus rasgos, a pesar de que no era exactamente como lo recordaba, su figura era inconfundible.

Al muchacho le dio un vuelco el corazón. Soltó la raqueta y echó a correr fuera de la cancha, sin mirar atrás.

–Hasta luego –dijo el italiano, perplejo.

Jack trepó por el talud de hierba hasta llegar al camino. Cuando lo alcanzó, se quedó allí, parado, a unos pocos metros de la persona que lo había estado observando, pero sin atreverse a acercarse más.

Los dos se miraron en silencio.

Finalmente, Jack habló.

–Alsan –dijo.

Él sonrió de manera siniestra.

–¿De verdad crees que soy Alsan?

Jack titubeó. No lo había visto desde que él había huido de Limbhad transformado en un ser semibestial, pero recordaba muy bien al orgulloso y valiente príncipe de Vanissar. Y aquel joven que tenía ante sí era él, pero no era él.

Vestía ropas terráqueas y, por primera vez desde que lo conocía, parecía cómodo con ellas. Llevaba vaqueros y, a pesar del calor, una camiseta de color negro. El Alsan que él recordaba nunca llevaba ropa de color negro. Y Jack, desde que había conocido a Kirtash, tampoco.

Su porte seguía siendo sereno y altivo, pero ahora había algo preocupante en él, una tensión contenida que Alsan, siempre tan seguro de sí mismo, jamás había mostrado.

Y su rostro...

Su rostro seguía siendo de piedra, pero las penalidades habían cincelado su huella en él, y las marcas de expresión de sus facciones eran mucho más profundas. Su gesto era sombrío, y en sus ojos había un cierto brillo amenazador que no inspiraba confianza.

Con todo, lo que más llamó la atención de Jack fue su pelo.

El cabello castaño de Alsan se había vuelto completamente gris, gris como la piedra, o como la ceniza, o como las nubes que anuncian lluvia. Y aquello contrastaba vivamente con su rostro juvenil; quizá era ese contraste lo que le daba un aspecto tan inquietante.

Jack respiró hondo. Multitud de emociones contradictorias se agolpaban en su interior; había pasado dos años buscando a Alsan y, ahora que ya había perdido toda esperanza de encontrarlo, de repente él se presentaba allí, en aquella pequeña localidad italiana, como surgido de la nada. No estaba seguro de cómo reaccionar y, por otro lado, tenía un molesto nudo en la garganta que amenazaba con impedirle hablar. Y tenía mucho que decir, muchas preguntas que hacer, mucho que contar. Tragó saliva y consiguió responder, aunque le temblaba un poco la voz:

–Has cambiado, pero te pareces más al Alsan que conozco que la criatura a la que rescaté en Alemania.

–Me alegro de que veas las cosas por el lado bueno.

El nudo seguía ahí, y Jack tuvo que tragar saliva otra vez.

–Te he buscado por media Europa –le reprochó–. ¿Dónde has estado todo este tiempo?

–Es una larga historia. Si quieres...

–¿Por qué te marchaste? –cortó Jack.

De repente, el nudo de su garganta se deshizo y, por alguna razón, se transformó en lágrimas que acudieron a sus ojos. Jack parpadeó para retenerlas, pero no pudo callar por más tiempo las amargas palabras que brotaban de su corazón:

–Te he buscado por todas partes durante dos años... ¡dos años! ¿Por qué no has dado señales de vida hasta ahora? ¿Por qué te fuiste? Nos dejaste solos a Victoria y a mí... abandonaste a la Resistencia, después de todo lo que me enseñaste... ¿Por qué no confiaste en nosotros? Eras... ¡maldita sea, eras todo lo que me quedaba! –se le quebró la voz, y parpadeó para contener las lágrimas. No llegó a llorar, pero bajó la cabeza para que Alsan no viera sus ojos húmedos. Sintió que su amigo se acercaba, y una parte de sí mismo le gritó que debía correr, que no debía acercarse a él, que no era el mismo Alsan de siempre... Pero Jack apretó los puños y se quedó donde estaba. Aunque su instinto le decía que la bestia aún latía en el interior de su amigo, el muchacho llevaba demasiado tiempo solo.

Alsan colocó una mano sobre el hombro de Jack.

–Jack, lo siento –dijo–. No quería poneros en peligro. Estaba... fuera de control, y...

Se interrumpió, porque Jack, de pronto, se abrazó a él con fuerza, aún temblando, como si temiera que volviera a marcharse en cualquier momento. Alsan parpadeó, perplejo, pero entonces intuyó, de alguna manera, lo duros que habían sido para Jack aquellos dos años. Casi pudo sentir su soledad, su desesperación, su miedo. Y también él se preguntó dónde había estado Jack durante todo aquel tiempo, qué había hecho... y por qué no estaba en Limbhad, con Victoria.

–Ya pasó, chico –murmuró, dándole unas palmaditas en la espalda, tratando de calmarlo–. Ya estoy aquí, ¿de acuerdo? No voy a marcharme otra vez. Ya no estás solo. No volverás a estarlo nunca más. Te lo prometo.

Jack pareció recobrar la compostura. Se separó de él, desvió la mirada y dijo, intentando justificarse:

–Sí, bueno... es que me han pasado muchas cosas desde que te fuiste. Además, ha sido... demasiado tiempo sin saber nada de nadie.

El joven lo miró y esbozó una sonrisa que recordó a las del Alsan de antes.

–Estás sudando y asfixiado de calor, chico –dijo–. Mejor vámonos a la sombra, te invito a una coca-cola y hablamos con calma, ¿hace?

Jack aceptó, agradecido. Nunca había soportado el calor. En verano, para poder dormir, necesitaba ducharse todas las noches con agua fría antes de acostarse. Todavía se preguntaba cómo había permitido que la estación estival lo sorprendiera en Italia, en lugar de haberse marchado a algún país del norte al final de la primavera.

Se dirigieron a la cafetería más cercana. Había un perro tumbado frente a la puerta, un pastor alemán, que alzó la cabeza y gruñó a Alsan con cara de pocos amigos. El joven se limitó a dirigirle una breve mirada, y el perro agachó las orejas, se levantó y fue a esconderse bajo una mesa, gimiendo de miedo, con el rabo entre las piernas. Jack tragó saliva, incómodo.

Entraron en el local; al pasar junto a una de las mesas, sus ocupantes miraron a Alsan con cierta desconfianza, y los más cercanos a él apartaron sus sillas. Pero él esbozó una sonrisa siniestra, y todos miraron hacia otra parte.

–¿Por qué han hecho eso? –preguntó Jack cuando ambos se sentaron en una mesa junto a la ventana–. No te conocen de nada.

–Instinto –respondió Alsan, sonriendo de nuevo de aquella manera tan inquietante–. Inconscientemente, la gente reconoce a un depredador cuando lo tiene cerca.

Jack se estremeció. Quiso preguntar algo, pero entonces llegó el camarero. Jack pidió un refresco de limón, con mucho hielo. Alsan no pidió nada.

–Al principio vagué de aquí para allá –empezó a contar el joven–, y debo confesar que causé muchos destrozos. De lo cual no me siento orgulloso.

–Lo sé –dijo Jack en voz baja–. Como el Alma no nos daba ninguna pista acerca de ti, decidí buscarte por mi cuenta. Investigué en los periódicos y en internet... buscando artículos que hablasen de algún tipo de bes... mons... –se interrumpió, azorado.

–Bestia o monstruo –lo ayudó Alsan–. Puedes decirlo tranquilamente. Es lo que era, y lo que todavía soy, de vez en cuando.

–Bueno, yo fui primero a Londres –dijo Jack–. Tengo conocidos allí, unos amigos de mis padres. Como hace mucho tiempo que perdimos el contacto con ellos, supuse que no sabrían nada de lo que les pasó, y tenía razón. Pero solo me quedé con ellos unos días, lo justo para saber dónde empezar a buscarte. Vi en internet noticias sobre algunas personas que decían haber visto en el bosque una extraña bestia, un *loup-garou* –lo miró fijamente–. ¿Por qué Francia?

–No lo sé, no fue premeditado. Cuando el Alma me preguntó adónde quería ir, no pude pensar en nada más que en irme lo más lejos posible de la civilización y del lugar donde vivía Victoria. Pero en el fondo no quería alejarme mucho ni perderos de vista. Supongo que por eso no llegué muy lejos.

»Avancé hacia el este, hacia los Alpes, llegué hasta Suiza, luego el norte de Italia, Austria... siempre por zonas boscosas o montañosas, evitando el contacto con los humanos. Pero era inevitable que de vez en cuando me viera alguien, que trataran de darme caza, de matarme o capturarme... con consecuencias fatales para ellos, en la mayoría de los casos.

–Yo te seguí la pista por media Europa –musitó Jack–, haciendo autostop o cogiendo algún tren o algún autobús, cuando podía. Lo cierto es que no tenía mucho dinero –confesó–, y he vivido casi como un vagabundo todo este tiempo. A veces he conseguido sacarme algunos euros haciendo recados y chapucillas, pero no mucho, la verdad, solo lo bastante para comer, continuar mi viaje y, de vez en cuando, poder dormir en algún albergue en lugar de tener que hacerlo al raso. A mí también han intentado cogerme muchas veces para meterme en algún orfanato o reformatorio, pero no les he dejado.

Le temblaba la voz otra vez. Alsan se imaginó a Jack solo, recorriendo Europa a pie, sin dinero, sin ningún lugar a donde ir, pasando frío en las noches de invierno, y empezó a comprender lo dura que había sido la búsqueda del muchacho. Jack captó su mirada y añadió, tratando de restarle importancia:

–En el fondo, ha sido divertido. Iba a donde quería, sin ataduras, sin límites. Nunca me había sentido tan libre.

Sonrió, y Alsan sonrió también.

–Deberías haberte quedado en Limbhad –le dijo, sin embargo–. Si Kirtash hubiera llegado a encontrarte...

–No lo ha hecho. Y, aunque así hubiera sido, estoy preparado –vaciló antes de confesar–: Me llevé conmigo la espada, Domivat, cuando abandoné Limbhad. Así he podido entrenar todos los días, repitiendo los movimientos una y otra vez, Alsan, para no olvidar nada de lo que tú me enseñaste.

Alsan lo miró, emocionado, pero no dijo nada. Jack siguió hablando.

–Pero te perdí la pista –dijo–. En el sur de Austria. Dejé de encontrar noticias acerca de la bestia semihumana, y ya no supe qué pensar. No me quedó más remedio que establecerme allí, buscar un trabajillo... Pero no pude quedarme mucho tiempo, así que seguí dando tumbos de un lado para otro, hasta que llegué aquí, a Chiavari. No me preguntes cómo ni por qué estoy aquí, porque, la verdad, llevo mucho tiempo perdido. Hace un año que no sé nada de ti, y no podía volver a contactar con Victoria. Sabes que yo solo no puedo volver a Limbhad, y tampoco sé dónde vive ella exactamente, ni su teléfono, ni nada. Me marché de allí con tanta precipitación que no se me ocurrió pedírselo.

Titubeó un momento; estuvo a punto de hablarle de su discusión, del daño que le habían hecho las palabras de Victoria («No te necesito... Márchate y no vuelvas por aquí»), pero el tiempo había curado las heridas, y en aquellos momentos se sentía muy estúpido por haberse dejado arrastrar por una rabieta que ahora le parecía infantil y absurda. Ahora veía las cosas de otra manera; tal vez, si no se hubiera precipitado tanto a la hora de marcharse, habría podido organizar mejor la búsqueda de Alsan, y no habría tenido tantos problemas. Pero se había ido sin tener ningún modo de contactar con Victoria; y, cuando en las frías noches de invierno había tenido que dormir al raso, había echado de menos la cálida casa de Limbhad, y había maldecido mil veces su poca cabeza.

–Llegué a pensar que nunca más volvería a saber de vosotros –concluyó en voz baja.

Calló y desvió la mirada, oprimiendo con fuerza la cadena con el amuleto del hexágono que Victoria le había dado tiempo atrás, el día de su llegada a Limbhad, y que todavía conservaba.

La había echado de menos muy a menudo. Muchísimo. Su suave sonrisa, la luz de sus ojos, todos los momentos que habían pasado juntos... todo aquello había acudido a su memoria, una y otra vez. Y muchas veces, su mente volvía atrás en el tiempo, hasta aquel instante en el que había pensado que no debía marcharse. Se imaginaba a sí mismo diciendo en voz alta las palabras que no había llegado a pronunciar. Interiormente, le había pedido perdón de mil formas distintas. Se había visto abrazándola y prometiéndole que seguirían juntos... pasara lo que pasase.

Pero eso no había ocurrido. Y ya no había vuelta atrás. Nada iba a devolverle los dos años que había pasado lejos de su mejor amiga. Incluso había llegado a pensar que ya nunca tendría ocasión de decirle en persona todo lo que sentía.

Alsan lo observó durante unos breves instantes.

–¿Cuántos años tienes, Jack? –le preguntó.

–Quince –respondió el chico, un poco sorprendido por la pregunta–. Cumpliré dieciséis en abril. Pero parezco mayor, y con dieciséis ya se puede trabajar, así que últimamente estoy encontrando las cosas un poco más fáciles.

–Quince –repitió Alsan–. Y parece que fue ayer cuando te salvé de Kirtash y te llevé a Limbhad. Entonces eras solo un chiquillo asustado. Ahora eres todo un hombre.

Jack sonrió, incómodo.

–No soy un hombre aún. Tal vez en tu mundo los chicos de quince años sean hombres, pero aquí seguimos siendo chavales.

–Tú, no. Mírate, Jack. Has crecido, y no me refiero a la altura. Eres mucho más maduro, y no me cabe duda de que sabrías arreglártelas en casi cualquier situación. Estoy orgulloso de ti.

Jack desvió la mirada.

–Todavía no me has dicho por qué te fuiste –dijo en voz baja.

–Porque la mía era una lucha que debía librar yo solo –Alsan clavó en él la mirada de sus inquietantes ojos–. Pero desde el principio supe que había muchas posibilidades de que no saliera vencedor, y por eso debía alejarme de vosotros cuanto antes.

»Y tenía razón. El espíritu de la bestia era mucho más fuerte, mucho más salvaje que mi alma humana. En uno de mis escasos momentos de lucidez, decidí quitarme la vida.

»Un hombre me salvó. No recuerdo su nombre ni su rostro, pero estuvo hablándome durante mucho rato, mientras yo me recuperaba de mis heridas en un pueblo del que ni siquiera recuerdo el nombre. Es extraño, porque, a pesar de no conocer su idioma, lo comprendí a la perfección. Y cuando aquel hombre desapareció de mi vida y volví a quedarme solo, supe con exactitud qué era lo que debía hacer, y adónde debía dirigirme.

Miró a Jack, sonriendo.

–He pasado estos últimos meses en el Tíbet, en un monasterio budista.

–¡Venga ya! –soltó Jack, riendo–. ¿Te rapaste el pelo?

–No voy a contestar a eso –rió Alsan; se puso repentinamente serio–. He aprendido muchas cosas en todo este tiempo. Disciplina, autocontrol... pero, sobre todo, he encontrado la paz que necesitaba para mantener a raya a la bestia.

–Entonces, lo has conseguido...

–No del todo. No soy el mismo de antes, y ya nunca lo seré. Todavía me transformo a veces, cuando una fuerza superior a la mía controla mis instintos de lobo. Pero, al menos... puedo volver a ser un hombre la mayor parte del tiempo.

Jack comprendió. Abrió la boca para preguntar algo, pero no se atrevió.

–En cualquier caso –prosiguió su amigo–, he dejado de ser Alsan, príncipe de Vanissar. Eso se acabó para mí. Y, como mi nueva condición ya no me hace digno de seguir ostentando ese nombre y esa estirpe, he tenido que buscarme un nombre nuevo, un nombre de aquí, de la Tierra. Ahora... ahora me llamo Alexander.

–Alexander –repitió Jack–. No suena mal, y, además, no sé por qué, te sienta bien. Te llamaré así, si lo prefieres, aunque no entiendo muy bien por qué crees que no eres digno de ser lo que eres.

Alexander esbozó una sonrisa.

–Porque ya no soy lo que era, Jack.

Había amargura en sus palabras, y el muchacho decidió cambiar de tema.

–Y... ¿cómo has conseguido encontrarme? –quiso saber.

–Tuve un sueño... Soñé contigo, soñé que estabas aquí, en Italia. Me di cuenta de que debía de ser una señal que me indicaba que ya estaba preparado para reencontrarme con vosotros otra vez. Así que vine a buscarte... y, una vez aquí, seguí mi instinto.

–Ojalá me hubiera pasado a mí algo así mientras te buscaba –gruñó Jack, impresionado a su pesar–. Y... ¿qué piensas hacer ahora que me has encontrado?

–Por lo pronto, reunir de nuevo a la Resistencia en Limbhad.

–¿Para seguir buscando al dragón y al unicornio? ¿Cómo sabes que no es demasiado tarde?

–Porque Kirtash sigue aquí, en la Tierra, y eso quiere decir que no los ha encontrado todavía.

Los puños de Jack se crisparon ante la mención de su enemigo.

–¿Cómo sabes eso?

–Lo sé. Yo estoy preparado para volver a la acción, Jack. ¿Lo estás tú?

Jack vaciló.

–Eso pensaba, pero ahora ya no estoy tan seguro. Quiero decir... que antes teníamos más medios, estaba Shail, y mira cómo acabamos. ¿Qué crees que vamos a conseguir ahora? ¿Por qué piensas que será diferente?

–Por muchos motivos. Primero, porque vamos a cambiar de estrategia. Segundo, porque, aunque hemos perdido a Shail, te hemos ganado a ti –lo miró con fijeza–, un nuevo guerrero para la causa, un guerrero que es capaz de empuñar una espada legendaria, que puede blandir a Domivat sin abrasarse en llamas, que ha triunfado donde cayeron otros más fuertes, más viejos y más hábiles.

Jack enrojeció. No había tenido ocasión de hablar con su amigo sobre ello, pero era cierto: Domivat, la espada forjada con fuego de dragón, que nadie había logrado empuñar hasta entonces, estaba ahora a su servicio, y, pensándolo bien, no entendía cómo ni por qué.

–Y hay otra razón, Jack –prosiguió Alexander–. Sí, hemos perdido a Shail. Tú me contaste cómo sucedió mientras estaba encerrado en Limbhad. Y ahora te pregunto: ¿crees que debemos dejar las cosas así? Shail murió por rescatarme a mí y por salvar la vida de Victoria. Sería un insulto a su memoria que abandonáramos ahora.

Multitud de imágenes cruzaron por la mente de Jack; imágenes de Shail, el joven mago de la Resistencia, siempre agradable y jovial, siempre dispuesto a aprender cosas nuevas y a echar una mano donde hiciera falta. Shail, que había liderado el rescate de Alsan en Alemania y que había muerto protegiendo a Victoria en aquella desastrosa expedición. Y el fuego de la venganza, que se había debilitado en aquellos meses, ardió de nuevo con fuerza en su corazón.

–Sí –dijo en voz baja–. Sería un insulto a su memoria.

Alexander asintió.

–Entonces, recoge tus cosas. Saldremos para Madrid en cuanto estés listo.

El corazón de Jack se aceleró.

–¿Vamos a ir a ver a Victoria?

–Por supuesto.

–Pero yo no sé dónde vive –objetó el chico–, ni cómo contactar con ella.

Alexander le dirigió una breve mirada.

–Me he dado cuenta –dijo–. Espero por tu bien que la encontremos sana y salva, porque te recuerdo que Kirtash tenía una ligera idea de dónde vivía, su casa no era del todo segura y a ti no se te ocurrió otra cosa que dejarla sola para venir a buscarme.

El sentimiento de culpa se hizo aún más intenso. Por un momento, Jack imaginó a Kirtash encontrando a Victoria, Kirtash secuestrando a Victoria, Kirtash... haciéndole daño a Victoria. El chico sintió que le hervía la sangre en las venas.

Alexander malinterpretó su gesto sombrío.

–En fin, hablaremos de ello en otro momento. Por suerte para ti, yo sí sé dónde vive Victoria. Hasta ahora no he estado en condiciones de ir a buscarla pero, ahora que vuelvo a ser humano la mayor parte del tiempo, no voy a perder un minuto más. Y te arrastraré de la oreja si es necesario para que vayas a disculparte.

–No hará falta ser tan agresivo, tranquilo –replicó Jack, molesto–. Sabré disculparme yo solo.

En el fondo, llevaba mucho tiempo deseando hacerlo.

El timbre sonó, como todas las tardes, indicando el final de las clases. Hubo revuelo en las aulas, mientras las alumnas recogían sus cosas y salían de las clases con las mochilas al hombro.

Victoria salió sola, como de costumbre. Cuando franqueó la puerta del edificio y cruzó el patio hacia la salida, se detuvo un momento y dejó que el sol acariciara su rostro. Era un sol suave, de mediados de septiembre, y su moribunda calidez era muy agradable. Pero a Victoria no le gustaba ver cómo, un año más, acababa el verano y llegaba el otoño... y, con él, el aniversario de la muerte de Shail.

Sacudió la cabeza para apartar de ella aquellos pensamientos, y se agachó cerca de la salida para atarse el cordón del zapato. Próximas a ella, un grupo de chicas de su clase hablaban en susurros y soltaban risitas mal disimuladas.

–¿Lo has visto?

–Sí, tía, tienes razón, ¡está como un queso!

–¿A quién esperará?

–No lo sé, pero, desde luego, esa tiene una suerte...

Victoria no les prestó atención. Los chicos no eran algo que le quitara el sueño. Tenía cosas más importantes en qué pensar, mucho trabajo por hacer y, ante todo, una misión que cumplir.

Por eso, cuando se incorporó y cruzó el portón del colegio, estuvo a punto de pasar de largo ante el muchacho que la esperaba, un chico rubio que vestía vaqueros y una camisa de cuadros por fuera de los pantalones, y que aguardaba en actitud despreocupada, con las manos en los bolsillos y la espalda apoyada en un árbol, sin ser consciente de los cuchicheos, las miradas mal disimuladas y las risitas que provocaba su presencia allí.

Victoria habría pasado de largo de no ser porque, por alguna razón, el corazón le dio un vuelco, y no pudo evitar volverse para mirarlo. El muchacho se enderezó y la miró también. El corazón de Victoria se olvidó de latir por un breve instante. Sus labios formaron el nombre de él, pero no llegó a pronunciarlo. El chico sonrió, algo incómodo.

–Hola, Victoria –dijo.

Ella casi no lo oyó. De pronto, su corazón volvía a latir, y lo hacía con demasiada fuerza. Tragó saliva. Había soñado tantas veces con aquel momento que tenía la sensación de que aquello no era real, que en cualquier momento despertaría... y que allí, frente a ella, no habría nadie.

Pero el muchacho seguía allí, mirándola. No se había desvanecido en el aire, como una ilusión, como un espejismo, como un hermoso sueño. Era de verdad.

–Jack –pudo decir ella.

Jack ladeó la cabeza y desvió la mirada, sin saber qué decir. Tampoco Victoria se sentía especialmente lúcida. Ambos habían ensayado miles de veces las palabras que dirían si aquel encuentro llegaba a producirse, pero había llegado el momento y los dos se habían quedado completamente en blanco.

Jack sabía desde hacía semanas que iban a volver a encontrarse, y había tenido más tiempo para hacerse a la idea, de modo que tenía ventaja. Alzó la cabeza, resuelto, y la miró a los ojos.

–Me alegro de volver a verte.

–Yo también... me alegro de verte a ti –dijo ella, y se dio cuenta de que era verdad.

–Has cambiado –dijo Jack.

No le pareció algo muy ocurrente, pero era lo que estaba pensando. Victoria tenía ya catorce años, casi quince, y no era la niña que había conocido. Había crecido... en todos los sentidos. Pero, obviamente, no pensaba decírselo, así que solo comentó:

–Ya no llevas el pelo tan largo.

Victoria jugueteó con uno de sus mechones de pelo castaño oscuro, azorada.

–Me lo corté hace unos meses, pero ya me ha crecido un poco. Y mira, me ha quedado así, como con bucles. Ya no lo tengo tan liso.

–Te queda bien –dijo él, y se sintió estúpido; después de tanto tiempo sin verse, solo se le ocurría hablar del pelo de Victoria.

Y el caso era que tenía muchísimas cosas que decirle. Podría contarle cómo había hablado con ella en sus noches a solas, podría decirle que su bloc de dibujo estaba lleno de bocetos de ella, de su rostro, de sus grandes ojos castaños, que lo habían contemplado tantas noches desde las estrellas; podría confesarle que había escuchado su voz en el viento cientos de veces, que la había recordado en todos y cada uno de los lugares más hermosos que había visitado... que la había echado de menos, intensa, dolorosa y desesperadamente.

Pero la chica que estaba ante él no era la niña que él recordaba, aunque tuviera sus mismos ojos, que todavía irradiaban aquella luz que a Jack le parecía tan especial. El tiempo parecía haber creado una distancia insalvable entre los dos. El chico comprendió que la memoria que tenía de ella tal vez ya no se correspondiera con lo que Victoria era ahora; y también supo que aquellos dos años podían haber enfriado los sentimientos de su amiga. Tal vez ella no lo había perdonado, tal vez lo había olvidado. Quizá incluso tuviera ya novio. ¿Por qué no?

–Tú también has cambiado –dijo entonces Victoria, enrojeciendo un poco.

–¿Sí? –Jack sonrió; tal vez su comentario no había sido tan estúpido, al fin y al cabo–. ¿En qué sentido?

–Bueno, has crecido, y estás más moreno... y... y...

«... y más guapo», pensó, pero no lo dijo.

Reprimió un suspiro. Tiempo atrás había estado enamorada de aquel chico, pero pronto había comprendido que, obviamente, él no la correspondía; de lo contrario, no se habría marchado con tantas prisas. Apenas había empezado a descubrir aquel sentimiento cuando Jack había abandonado Limbhad para ir a buscar a Alsan. Había sido doloroso entender lo que sentía por él justo cuando Jack ya no estaba, y durante mucho tiempo su corazón había latido con fuerza cada vez que veía una cabeza rubia entre la multitud. Pero nunca se trataba de él. Y ahora, cuando ya creía que lo había superado, Jack entraba de nuevo en su vida...

Pero no en sus sentimientos, se prometió Victoria. No, no estaba dispuesta a sufrir otra vez. En aquel tiempo había protegido su corazón tras una alta muralla, para que nadie volviera a entrar en él, para que no le hicieran daño otra vez. No había vuelto a enamorarse. Dolía demasiado.

Se preguntó, sin embargo, si aquella muralla estaba hecha a prueba de Jack. Procuró no pensar en ello. Había pasado demasiado tiempo; si él había sentido algo por ella, seguramente ya lo habría olvidado. Y Victoria no pensaba tropezar dos veces con la misma piedra.

Percibió que, algo más lejos, algunas chicas los espiaban con mal disimulada envidia, y sonrió para sus adentros. Miró a Jack y se dio cuenta de que él no se había percatado del revuelo que había ocasionado entre sus compañeras. Bueno, si él no era consciente de que era guapo, ella, desde luego, no se lo iba a decir.

–... y te has dejado el pelo un poco más largo –concluyó casi riéndose.

Alzó la mano para apartarle un mechón rubio de la frente. Sabía que sus compañeras se morían de envidia, y disfrutó del momento con un travieso placer.

–¿Lo ves? Necesitas un buen corte de pelo.

–Tu pelo es más corto, y mi pelo es más largo. Brillante conclusión.

Los dos se echaron a reír. Por un momento, la distancia que los separaba ya no pareció tan grande.

–Bueno –dijo él, poniéndose serio–. Sé que soy un estúpido y que no merezco que me escuches después de lo que pasó, pero... en fin, he venido a pedirte... por decirlo de alguna manera... que me des asilo político.

Victoria descubrió entonces la bolsa de viaje que descansaba en el suelo, a sus pies.

–¿No tienes adónde ir?

Jack desvió la mirada.

–Nunca he tenido adónde ir, en realidad. No he vuelto a Dinamarca, aunque me queda familia allí. Pero Kirtash... él debe de ser ya consciente de eso. Así que decidí no volver a Silkeborg, para no ponerlos en peligro.

A Victoria se le hacía raro volver a hablar de Kirtash, volver a hablar con Jack, después de todo aquel tiempo.

–¿Dónde has estado hasta ahora, entonces? ¿Encontraste a Alsan?

–En realidad, fue él quien me encontró a mí. Es una larga historia.

–¿Ha venido contigo?

–Sí, pero se ha quedado en la ciudad porque tenía que hacer un par de cosas. Dijo que te llamaría esta tarde por teléfono para quedar contigo y que lo llevaras a Limbhad. Pero me ha enviado a mí por delante.

No le contó que él mismo le había pedido a Alexander que le permitiera encontrarse a solas con Victoria, antes de que se reunieran los tres. Tenía muchas cosas que hablar con ella.

–¿Quieres... volver a Limbhad? –preguntó la chica.

–Por favor –dijo Jack, y Victoria lo miró a los ojos, y vio que había sufrido, y que también había madurado. Estuvo tentada de recordarle: «Te lo dije», pero ni siquiera ella era tan cruel–. Si me llevases... te lo agradecería mucho.

Los dos se quedaron callados un momento. Fue una mirada intensa, en la que se dijeron mucho de lo que no se atrevían a decir de palabra. Fue un instante mágico, que ninguno de los dos se habría atrevido a romper, por nada del mundo.

Pero ninguno de los dos se arriesgó tampoco a dar el primer paso, a hablar, a abrazarse con fuerza, pese a que lo estaban deseando con tanta intensidad que les dolía el corazón solo de pensarlo.

Había pasado demasiado tiempo. Y ellos ya no eran unos niños. Las cosas ya no eran tan sencillas.

–¿Te parece que nos vayamos ya? –propuso ella entonces.

El rostro de su amigo se iluminó con una amplia sonrisa.

–Tengo ganas de volver a ver la Casa en la Frontera –confesó con sencillez.

Victoria sonrió también.

–Entonces, ¿por qué esperar?

Se alejaron de la entrada del colegio, y del autobús escolar, y doblaron la esquina para quedar fuera del campo de visión de las otras chicas. Una vez a solas, se cogieron de las manos. Al menos, ahora tenían una excusa para hacerlo. Jack quiso estrechar con fuerza las manos de Victoria, pero no se atrevió. Y la muchacha, por su parte, descubrió, con pánico, una grieta en su muralla que, por lo visto, no estaba hecha a prueba de Jack. De manera que se apresuró a cerrar los ojos un momento y a llamar al Alma; y la conciencia de Limbhad acudió, feliz de reencontrarse con una vieja amiga. Y, aún tomados de las manos, los dos desaparecieron de allí, de vuelta a la Casa en la Frontera.

–No está muy acogedor –se disculpó Victoria–, porque ya no vengo mucho por aquí. Estaba todo tan solitario...

Jack no contestó enseguida. Pasó una mano por una de las estanterías de su cuarto, sin importarle que estuviera cubierta de polvo. Había dejado su bolsa sobre la cama y había recuperado su guitarra del interior del armario. Pulsó algunas cuerdas y se dio cuenta de que estaba desafinada. Sonrió.

–No pasa nada –dijo–. Estoy de vuelta, y eso es lo que importa.

Ella sonrió también.

–Sí –dijo en voz baja–. Eso es lo que importa.

Dio media vuelta para marcharse y dejar a Jack a solas en su recién recuperada habitación. Jack alzó la cabeza, dejó la guitarra y salió tras ella.

No iba a dejar pasar la oportunidad. Esta vez, no.

–Espera –dijo, cogiéndola del brazo.

Victoria se detuvo y se volvió hacia él. Jack la miró a los ojos, respiró hondo y le dijo algo que llevaba mucho tiempo queriendo decirle:

–Lo siento. Siento haberte dejado sola, siento todo lo que te dije. No debería haberlo hecho.

Victoria titubeó. La muralla seguía resquebrajándose.

–También yo lo siento –dijo por fin–. Sabes... cuando te dije que no volvieras nunca más... no lo decía en serio.

Jack sonrió. Su corazón se aligeró un poco más.

–Lo suponía –le tendió una mano–. ¿Amigos?

No era eso lo que quería decirle, en realidad. Pero antes de empezar a construir algo nuevo, pensó, habría que reconstruir la amistad que habían roto tiempo atrás.

Sin embargo, Victoria se lo pensó. Ladeó la cabeza y lo miró, con cierta dureza.

–Volverás a marcharte, ¿verdad? A la primera de cambio. En cuanto te canses de estar aquí.

No lo sentía en realidad. Solo estaba intentando reparar su muralla. Pero Jack no podía saberlo.

–¿Qué? ¡Claro que no! Ya te he dicho que Alsan... quiero decir, Alexander...

–Sí, ya me has dicho que ha vuelto. Y tú vas donde él va. Me he dado cuenta.

–¿Pero qué te pasa ahora? –protestó Jack, molesto–. ¡Ya te he pedido perdón!

Victoria lo miró, sacudió la cabeza y dio media vuelta para marcharse.

–¡Espera!

Jack la agarró del brazo, pero ella se liberó con una fuerza y una habilidad que sorprendieron al muchacho.

–No creas que vas a poder hacer conmigo lo que quieras, Jack –le advirtió–. Ya no soy la misma de antes. He aprendido cosas, ¿sabes? Me he estado entrenando. Sé pelear. No estoy indefensa. Y no te necesito. Ya no.

Jack fue a responder, ofendido, pero se lo pensó mejor y se tragó las palabras hirientes. No iba a rendirse tan pronto. No, después de todas las veces que había soñado con aquel reencuentro.

Y le dijo aquello que tenía que haberle dicho dos años atrás y no había dicho:

–Yo sí te necesito, Victoria.

La muchacha se volvió hacia él, sorprendida. Jack respiró hondo, sintiéndose muy ridículo. Pero ya estaba dicho. La cosa ya no tenía remedio.

–¿Quieres que me vaya otra vez? –le preguntó, muy serio.

Victoria abrió la boca, pero no fue capaz de decir nada. Se había puesto a la defensiva y había estado preparada para devolverle una réplica cortante, pero no para responder a aquella pregunta. Los ojos verdes de Jack estaban llenos de emoción contenida, y Victoria supo que, con aquella mirada, su amigo había asestado un golpe mortal a la muralla que ella seguía tratando de levantar entre los dos.

«Pero para él soy solo una amiga», se recordó a sí misma, por enésima vez.

Para no tropezar dos veces con la misma piedra.

Y, sin embargo, no podía negar lo evidente, de forma que dijo en voz baja:

–No. No quiero que te vayas.

Se miraron otra vez.

Y esta vez, los sentimientos los desbordaron, por encima de la timidez, de las dudas, de la distancia. Se abrazaron con fuerza. Jack era consciente de que la había echado muchísimo de menos; cerró los ojos y, simplemente, disfrutó del momento. Victoria, por su parte, deseó que aquel abrazo no terminara nunca. De nuevo, la calidez de Jack derretía el hielo de su corazón. Y descubrió, con horror, que de su alta muralla ya no quedaban más que unas tristes ruinas. Se estremeció en brazos de Jack y soñó, por un glorioso instante... que él la quería, y que la había querido siempre.

Pero sabía que eso no era verdad.

–No quiero que te vayas –repitió.

–No me iré –prometió él–. Y... bueno, nunca debí marcharme.

Llevo mucho tiempo queriendo decirte que, en el fondo... no quería marcharme. Perdóname por haberte dejado sola.

Se sintió mucho mejor después de haberlo dicho.

–No, perdóname tú a mí –susurró ella–. No lo dije en serio entonces, ¿sabes? Sí que te necesitaba. Eras mi mejor amigo. Mi mundo no ha sido el mismo desde que te marchaste.

Jack tragó saliva. Sus sentimientos se estaban descontrolando, e intentó ponerlos en orden. Habían sido muy buenos amigos, pero nada más, que él supiera. Debía mantener la cabeza fría. Alexander siempre le había dicho que no era bueno precipitarse.

Era imposible que su amistad se hubiera convertido en algo más en aquel tiempo que llevaban separados. Aquellas cosas surgían del roce, y no de la distancia.

Además, Victoria había hablado en pasado. Nada indicaba que siguiera necesitándolo como entonces.

Y había hablado de amistad. Solo de amistad.

Jack se dio cuenta de que necesitaría tiempo para intentar entender sus propios sentimientos... y los de Victoria. Y no quería asustarla tan pronto. Hacía mucho que no se veían; no era el mejor momento para hablarle de lo que sentía por ella porque, entre otras cosas, tampoco estaba seguro de tenerlo claro.

Ni estaba preparado para leer el rechazo en los ojos de ella.

–Me gustaría volver a ser tu mejor amigo, entonces –le dijo–. Si... todavía te interesa, claro.

Como aún seguían abrazados, Jack no vio la sombra de dolor que pasaba por los ojos de Victoria. Y tampoco percibió que la chica volvía a reconstruir su muralla en torno a su corazón.

A toda velocidad.

–Claro –dijo Victoria, separándose de él con decisión–. Pero no quiero entretenerte más. Querrás descansar, ¿no? Ponte cómodo, date una ducha si quieres. Renovaré la magia de Limbhad, podré hacerlo si uso el báculo, y funcionarán las luces y el agua caliente...

–No uso agua caliente –le recordó él, y enseguida se sintió estúpido por haberlo dicho. No era importante. Nada era importante, comparado con ellos dos. Pero Victoria siguió hablando, y Jack comprendió que el momento había pasado.

–Ah, sí, lo olvidaba. Siempre te duchas con agua fría. Bueno, ya sabes que dentro de un rato funcionará todo. Relájate, descansa hasta la hora de la cena. Yo tengo que volver a casa con mi abuela; se preocupará si tardo. Además, probablemente ya haya llamado Alsan. Cuando todos se hayan ido a dormir en mi casa, podré volver aquí, y entonces nos reuniremos y decidiremos qué hacer.

–¿Qué hacer? ¿Sobre qué?

Victoria le dirigió una breve mirada.

–Sobre la Resistencia. Sobre nuestra misión. Porque supongo que Alsan y tú no habréis venido solamente para hacer una visita de cortesía, ¿no?

Jack abrió la boca para responder, pero no se le ocurrió nada inteligente que decir. Habría ido a verla mucho antes, con o sin Resistencia, si hubiera sabido cómo llegar hasta ella. Pero sabía que eso no era excusa. Al fin y al cabo, se había marchado sin pedirle ni siquiera su número de teléfono. Era lógico que ella pensara que no le importaba. Jack respiró hondo y se dio cuenta de que cualquier cosa que pudiera decir estaba fuera de lugar. Tendría que demostrarle a Victoria que sí era importante para él... pero tendría que demostrárselo con hechos, y no con palabras.

De modo que permaneció callado.

–Me lo imaginaba –dijo ella con cierta brusquedad–. Nos vemos luego, pues.

Jack asintió y dio media vuelta en dirección a su cuarto. Pero Victoria lo llamó de nuevo. El chico se volvió hacia ella, interrogante. Ella sonrió.

–Bienvenido a casa –dijo solamente.

Había cariño en sus ojos, pero no amor. Cualquier tipo de sentimiento más allá de la amistad había quedado oculto tras la muralla con la que Victoria protegía su corazón.

Pero eso Jack no podía saberlo.

II

Una nueva estrategia

Deeva estaba sentada sobre el muelle, con los pies descalzos metidos en el agua, cuando su sexto sentido le dijo que había problemas.

Se volvió rápidamente hacia todos los lados. El muelle estaba vacío. Solo se oía el susurro del viento y de las olas, y los silbidos de Tom, el viejo pescador, desde el malecón. Deeva distinguió su figura un poco más allá.

Trató de relajarse. Tal vez fuera una falsa alarma. No era probable que la hubiesen seguido hasta allí, hasta aquel pueblo de la costa australiana... hasta aquel mundo. No era posible que alguien hubiese descubierto su verdadera identidad.

No era posible...

–Hola, Deeva –susurró una voz junto a ella.

Un espantoso escalofrío recorrió toda su espina dorsal. Se volvió y vio junto a ella a un muchacho vestido de negro. Dio un respingo y lo miró con desconfianza. No le había oído llegar. De hecho, pensó inquieta, ahora ni siquiera se oía silbar a Tom desde el malecón.

El joven no tendría más de diecisiete años, pero se alzaba sereno y tranquilo, y aparentemente muy seguro de sí mismo. La brisa revolvía su fino cabello de color castaño claro, y sus fríos ojos azules estaban prendidos en algún punto en el horizonte.

–Te has equivocado de persona –susurró ella–. Me llamo Dianne.

Él se acuclilló junto a Deeva y la miró a los ojos. Ella sintió de pronto una fuerte sacudida psíquica. Los ojos de aquel muchacho se clavaban en los suyos como un puñal de hielo. No había odio en ellos, ni desprecio. Simplemente... una indiferencia total, absoluta... inhumana.

–No –murmuró Deeva, horrorizada.

El chico no dijo nada. Su mirada había paralizado a Deeva por completo.

Fue muy breve. De pronto, los ojos de ella se apagaron, y se deslizó hasta el suelo, inerte. El joven de negro se apartó un poco y la contempló con frialdad. Estaba muerta.

Él no pareció sorprenderse tampoco cuando el cuerpo de la mujer se convulsionó y comenzó a cambiar; su piel adquirió un tinte azulado y una textura escamosa, su cabello desapareció por completo, sus labios y ojos se agrandaron, su nariz se acható y sus orejas fueron sustituidas por dos branquias a ambos lados de la cabeza. Sus manos y sus pies se habían alargado, y entre sus dedos habían aparecido membranas natatorias.

La mujer del muelle se había transformado en una extraña criatura anfibia.

Kirtash sonrió levemente y asintió para sí mismo.

Una hechicera varu. Los renegados varu eran los más difíciles de localizar en la Tierra, porque tenían todo un océano para perderse en él. Un océano que, en el caso de aquel mundo, era demasiado amplio como para que la mirada de Kirtash pudiera abarcarlo en su totalidad.

Por suerte para él, aunque los varu fueran criaturas acuáticas, también necesitaban salir a la superficie de vez en cuando, y la mayoría no solía alejarse de la costa. Algo que a Deeva le había costado la vida.

Kirtash colocó entonces una mano sobre la frente de ella, sin llegar a rozarla, y entrecerró los ojos.

Hubo un brevísimo destello de luz.

Después, el cuerpo anfibio desapareció del muelle, como si jamás hubiese existido.

Kirtash se incorporó con tranquilidad y volvió a clavar su mirada en el horizonte. Su actitud seguía siendo calmosa.

Permaneció un momento allí, en silencio. Entonces dio media vuelta y se alejó hacia la playa, sin hacer ruido, deslizándose como una sombra sobre el muelle.

Todavía quedaba mucho por hacer.

Victoria hizo un giro de cadera y disparó una patada lateral con toda su potencia. Después saltó hacia adelante y encadenó una patada frontal con una de gancho. El chico que llevaba el guante que era el blanco de los golpes retrocedió con cada paso que avanzaba ella, en un movimiento perfectamente sincronizado.

–Caray, estás en forma hoy –comentó él cuando terminaron el ejercicio, quitándose el guante y frotándose la mano–. ¿Qué has desayunado?

Victoria sonrió, pero no dijo nada. Cogió ella misma el guante y ocupó la posición de su compañero.

Apenas hablaba con nadie en las clases de taekwondo; era como si hubiera levantado un muro invisible entre ella y el resto del mundo. Lo que para otros era un *hobby*, para ella parecía una obsesión. Era la primera en llegar a los entrenamientos y la última en marcharse, y había ido subiendo de nivel con sorprendente rapidez. Estaba ya preparándose para presentarse al examen de cinturón negro. Y solo hacía dos años que había comenzado a practicar artes marciales.

Claro que ella entrenaba todos los días, y se había matriculado en dos grupos, el de los martes y jueves, y el de los lunes y miércoles, y desde el curso anterior se las había arreglado para que le permitieran acoplarse también a las clases para adultos que se impartían los viernes. No fallaba un solo día, y se tomaba los entrenamientos con tanta seriedad como si le fuera la vida en ello. Sus compañeros siempre la habían visto sola, y por eso más de uno no pudo evitar observar con curiosidad, aunque de reojo, al joven que había entrado aquella tarde con ella, y que se había quedado de pie al borde del tatami para ver la clase. Al principio, algunos habían pensado que se trataba del padre de Victoria porque tenía el cabello de color gris, pero al mirarlo de cerca se habían percatado de que el tipo en cuestión tendría como mucho unos veintidós o veintitrés años. Era serio y algo siniestro, pero no cabía duda de que él y Victoria se conocían bastante bien.

Tal vez fuera porque él la estaba observando, o tal vez porque, simplemente, aquel día necesitaba desahogarse; pero el caso es que ella demostró a lo largo de aquella clase que estaba en su mejor momento, esforzándose al máximo, como si quisiera probar hasta dónde era capaz de llegar y cuánto había aprendido. De vez en cuando se volvía hacia el joven que la observaba, como si esperara su aprobación.

Al final de la clase, la profesora indicó que se pusieran por parejas para hacer un combate; era solo un combate de entrenamiento, pero Victoria dio lo mejor de sí misma y peleó con toda su fuerza. Cuando una de sus patadas alcanzó el estómago de su pareja, al chico se le escapó un gemido de dolor y le indicó que parara. Victoria tardó un poco en reaccionar y se detuvo cuando su pie estaba a escasos centímetros del cuerpo de su compañero. Volvió a la realidad.

–¿Te he hecho daño? ¡Lo siento mucho!

–Podrías haber avisado de que ibas en serio; me habría puesto los protectores.

La expresión de ella se endureció.

–Yo siempre voy en serio.

–Ya, pues ¿sabes una cosa? Yo, no. Y llevo ya tiempo entrenando contigo y nunca te había visto con tanta mala leche, Victoria.

Ella se relajó.

–Sí. Sí, tienes razón. Lo siento.

Iba a añadir algo más, pero en aquel momento la profesora señaló el final de la clase.

Victoria no tardó ni diez minutos en salir del vestuario, ya duchada y vestida con ropa de calle. Alexander la esperaba fuera del gimnasio. La chica se reunió con él, y ambos caminaron en silencio durante unos minutos.

–¿Qué te ha parecido? –preguntó ella al cabo de un rato.

–Es una curiosa forma de pelear. Con los pies. No lo había visto nunca. ¿Cómo dices que se llama?

–Taekwondo. También nos entrenan para dar golpes con las manos, pero los utilizamos menos. ¿Sabes por qué elegí esta disciplina? Por el báculo. No puedo pelear con las manos si he de sostener el báculo.

–Tiene sentido –asintió Alexander.

–También hice el verano pasado un curso intensivo de kendo. Te enseñan a luchar con una espada de madera, y pensé que sería útil aprender a manejar el báculo como si fuera un arma, para parar golpes y estocadas. Antes lo hacía un poco por instinto, pero ahora ya tengo una técnica.

–Lo que más me gusta de todo esto –comentó Alexander– es que has estado entrenando, eres más fuerte, más rápida, más resistente. Independientemente de que vayas a utilizar la magia del báculo para luchar, es bueno que seas capaz de correr rápido y golpear fuerte, si es necesario.

–Lo sé –asintió Victoria; hizo una pausa antes de continuar, en voz baja–: Ahora que Shail no está para enseñarme a perfeccionar mi magia, tengo que aprender otra manera de defenderme.

–Haces bien.

Nuevo silencio. Entonces, Alexander dijo:

–Quiero preguntarte algo, Victoria. ¿Has vuelto a saber algo de Kirtash en todo este tiempo?

El nombre atravesó el alma de Victoria como un soplo de aire frío. Todavía recordaba con total claridad la mirada del joven asesino, sus palabras, el contacto de su piel cuando le había tomado la mano. Sabía que él había explorado su mente y que ya debía de estar al tanto de quién era ella y dónde vivía. Pero no había vuelto a verlo.

Y, sin embargo, *sabía* que él andaba cerca. A veces había sentido ese estremecimiento, como si una corriente de aire helado recorriese su nuca; había percibido la mirada de hielo de Kirtash desde las sombras, pero, al volverse, no lo había visto por ninguna parte. En una ocasión lo había sentido vigilándola desde la oscuridad cuando atravesaba un parque solitario y sombrío, y se había dado la vuelta y le había gritado a la noche:

–¡Basta ya! ¡Déjate ver y pelea de una vez!

Pero solo había obtenido el silencio por respuesta.

Ignoraba por qué él se comportaba de aquella forma, y muchas veces había llegado a dudar de su percepción, pensando que aquellas intuiciones eran solo fruto de su imaginación. A veces temía que Kirtash se cansase de aquel juego y decidiese que había llegado el momento de matarla, y se estremecía de miedo. En otras ocasiones, soñaba con que llegara aquel encuentro, para plantar cara y pelear, y matarle o morir luchando. Y otras veces, muchas más de las que habría admitido, ni siquiera ante sí misma, deseaba que él regresara para tenderle la mano otra vez y volviera a susurrarle: «Ven conmigo...».

Eran sentimientos confusos y contradictorios y, por tal motivo, a Victoria no le gustaba pensar en Kirtash. Sacudió la cabeza.

–No he vuelto a verlo –dijo–. Pero él debe de saber ya dónde vivo yo, Alexander. Si no ha venido por mí es porque no ha querido. Pero... –lo miró–, aunque haya decidido dejarme en paz, eso no os excluye a vosotros de sus planes. Quizá sería mejor que ni Jack ni tú volvierais a aparecer por aquí.

–No es una buena idea que nos sorprenda, eso es cierto. Pero no porque debamos seguir escondiéndonos de él, sino porque, en esta ocasión, vamos a golpear nosotros primero. Y seremos más efectivos si no nos ve venir.

Victoria lo miró sin comprender.

–Llévame a Limbhad –pidió él–. Esta noche tendremos reunión.

Jack salió de la ducha silbando, de buen humor. Aquella tarde, Alexander había ido a ver a Victoria a su entrenamiento de taekwondo, pero, al regresar, los dos jóvenes habían estado practicando esgrima, como en los viejos tiempos. Habituado a blandir a Domivat, la espada de entrenamiento le pareció mucho más fácil de manejar, y sus propios movimientos eran más rápidos y ligeros. Con todo, llevaba demasiado tiempo entrenando solo, y le costaría volver a acostumbrarse a reaccionar ante los movimientos del rival, y, sobre todo, a anticiparse a ellos.

Había disfrutado con la práctica. De nuevo en Limbhad, como antes. Alexander ya no era el Alsan que había conocido, eso era cierto, pero lo había recuperado de todas formas.

Pasó por delante de la habitación de Victoria y recordó de pronto que ella no volvería a ver a Shail. Se detuvo, indeciso, sintiéndose un poco culpable por estar tan contento cuando sabía que a Victoria le faltaba algo.

La puerta estaba cerrada. Al otro lado sonaba una música que a Jack le pareció desagradable, sin saber por qué. O tal vez no era la música, sino la voz del cantante... En cualquier caso, no le gustaba.

Suspiró, y llamó a la puerta con suavidad.

–Pasa –dijo Victoria desde dentro.

Jack entró. La muchacha estaba sentada ante su escritorio, forrando sus libros de texto sin mucho interés. Había una huella de profunda nostalgia y melancolía en su mirada, que trató de borrar cuando alzó la cabeza para saludarlo con una sonrisa.

–Hola. ¿Qué tal tu entrenamiento?

–He perdido algo de práctica, pero no tardaré en ponerme al día. ¿Y tú? Me ha dicho Alexander que peleas muy bien.

Ella se encogió de hombros.

–Hago lo que puedo.

Jack miró a su alrededor. El cuarto de Victoria había cambiado un poco en todo aquel tiempo. La novedad más destacable eran los unicornios. Había unicornios por todas partes: las paredes estaban forradas de pósteres que mostraban imágenes de unicornios, las estanterías estaban salpicadas de figurillas de unicornios y los títulos de los libros que había tras ellas eran significativos: *Leyendas del unicornio*, *El último unicornio*, *De historia et veritate unicornis...*

Jack no hizo ningún comentario. La búsqueda del unicornio, de Lunnaris en concreto, había sido la misión vital de Shail, y parecía claro que Victoria estaba dispuesta a continuarla.

Sobre una de las estanterías reposaba un largo cuerno en forma de espiral. Jack lo contempló con respeto.

–No será un cuerno de unicornio, ¿verdad?

–No, qué cosas dices –replicó ella, horrorizada–. Es un colmillo de narval, un tipo de ballena que tiene un diente como ese. En la Edad Media, la gente comerciaba con ellos, los vendían haciéndolos pasar por cuernos de unicornio auténticos.

–¿Y de dónde lo has sacado?

Victoria no contestó enseguida.

–Era de Shail –dijo por fin, en voz baja.

Jack no insistió. Siguió mirando a su alrededor y le llamó la atención un mapamundi que colgaba de una de las paredes, pinchado con múltiples chinchetas de colores.

–¿Y eso? –preguntó, señalándolo con la cabeza.

Victoria tardó un poco en reaccionar. Jack se dio cuenta de que sus ojos tenían un brillo nostálgico, y su rostro mostraba una extraña expresión distante. El chico se preguntó a qué se debería.

–También era de Shail –dijo Victoria por fin, esforzándose por volver a la realidad–. Mientras estuvo aquí, fue marcando en el mapa todos los lugares relacionados con las historias o leyendas que encontraba acerca de los unicornios. Yo he seguido haciéndolo, incluso he visitado personalmente algunos de esos sitios. Pero todas las noticias y leyendas son antiguas, ninguna reciente. Es como si nadie hubiera visto un unicornio desde hace siglos.

Jack movió la cabeza con desaprobación.

–¿Has seguido investigando por tu cuenta... tú sola? ¿Y si te hubieras topado con Kirtash?

Victoria no respondió. La sola mención del nombre del asesino hizo que se estremeciera; pero, como tantas otras veces, no estaba segura de si aquel escalofrío era producido por el miedo... o por el recuerdo de su voz, de su mirada, de su contacto. Volvió la cabeza con brusquedad. Aquellos pensamientos la confundían.

Jack la cogió por los hombros para mirarla a los ojos. La Lágrima de Unicornio, el colgante que Shail le había regalado a Victoria dos años atrás, por su cumpleaños, centelleó sobre su pecho, herido por la luz de la lámpara.

–Ya entiendo –dijo él, muy serio–. Estás intentando provocar un encuentro, ¿verdad?

Victoria lo miró, asustada. No era posible que él hubiera adivinado lo que pasaba por su mente... o por su corazón.

–Escúchame, Victoria, no vale la pena, ¿entiendes? Sé que todavía estás furiosa por lo de Shail, pero no debes intentar enfrentarte a Kirtash tú sola. Si peleamos todos juntos, tal vez tengamos alguna oportunidad de acabar con él.

Victoria respiró, aliviada. No quería ni pensar en lo que dirían sus amigos si supieran que Kirtash provocaba en su interior sentimientos distintos al odio que ella, como miembro de la Resistencia, debía experimentar hacia él.

–Mira quién fue a hablar –dijo, sin embargo–. ¿Por qué crees que tuve que seguir yo sola?

Jack no se molestó. Al contrario, sonrió, aceptando el reproche.

–Vale, no he dicho nada. Ahora que lo pienso –añadió, cambiando de tema–, no he visto a la Dama por ninguna parte. ¿Qué ha sido de ella?

–Como dejé de venir a Limbhad, la llevé a casa de mi abuela para no dejarla sola –respondió Victoria, encogiéndose de hombros–. No veas lo que me costó convencerla para que me dejara tenerla en casa. Y al maldito animal no se le ocurrió otra cosa que escaparse a las primeras de cambio. No hemos vuelto a saber de ella desde entonces.

A Jack le sorprendió el tono indiferente de su amiga. Según recordaba, Victoria le había tenido mucho cariño a su gata. Se preguntó si aquel talante duro y combativo que mostraba ahora era un verdadero reflejo de su corazón... o simplemente una fachada.

Sacudió la cabeza. La música estaba empezando a ponerle nervioso, y preguntó:

–¿Qué estás escuchando?

Victoria le dirigió una amplia sonrisa, y de nuevo apareció aquel brillo soñador en su mirada. Jack comprendió que era aquella música la que la transportaba lejos... tan lejos de él. Al muchacho, sin embargo, le resultaba extraña y desagradable, y se dio cuenta de que, aunque ambos tuvieran muchas cosas en común, desde luego, sus gustos musicales no eran una de ellas.

–Es *Beyond*, el disco de Chris Tara –explicó Victoria; y añadió, al ver el gesto de extrañeza de Jack–: No me digas que no has oído hablar de él.

–No, no me suena. De todas formas, es una música muy... rara. Me pone los pelos de punta.

Ella pareció ofendida, pero se esforzó por sonreír.

–A mí me gusta –dijo con suavidad–. Esta canción, en concreto, habla de lo que se siente cuando crees que vives en un mundo que no es el tuyo. Cuando te sientes... encerrado en una cárcel de la que nunca vas a poder escapar. Y desearías volar, volar muy alto, o muy lejos, pero no sabes qué te espera al otro lado –suspiró–. Sé que es una música extraña, pero cada vez tiene más fans.

–Porque será un guaperas –se le escapó a Jack–. Veamos qué aspecto tiene.

Cogió la carátula del CD, pero se llevó una decepción. No había ninguna fotografía del cantante. Solo había una especie de símbolo tribal con la forma de una serpiente.

–Qué asco –murmuró Jack, pero Victoria no lo oyó; de todas formas, ella conocía perfectamente su aversión hacia las serpientes.

–No sé qué aspecto tiene –estaba diciendo la chica–. Y además, me da lo mismo. Me gusta su música, no él.

–Ya, eso decís todas –sonrió Jack.

Victoria se volvió hacia él, muy seria.

–Es mi cantante favorito –dijo–. Si has venido aquí para meterte con la música que me gusta, ya sabes dónde está la puerta.

Jack se dijo a sí mismo que si lo que pretendía era recuperar la antigua amistad y confianza que lo había unido a ella, desde luego no lo estaba haciendo nada bien. De todas formas, pensó, Victoria estaba más susceptible de lo que él recordaba.

–Lo siento, no pretendía ofenderte –dijo enseguida–. No sé qué me pasa últimamente; siempre meto la pata hasta el fondo cuando hablo contigo.

Parecía compungido de verdad, y Victoria sonrió.

–No pasa nada. Mejor será que vayamos a la biblioteca. Alexander debe de estar esperándonos.

Alexander miró a los dos chicos, que estaban pendientes de él y de sus palabras. Los vio más maduros, más adultos, y se dio cuenta de que, a pesar de las adversidades, o quizá precisamente a causa de ellas, ambos habían crecido, por fuera y por dentro. Ya no vio a dos chiquillos indefensos, sino a dos jóvenes guerreros de la Resistencia, y se sintió muy orgulloso de ellos. No pudo evitar pensar en Shail, sin embargo. «Ojalá estuvieras aquí para verlos, amigo mío», dijo en silencio.

–Bien, escuchad –empezó–. Han pasado dos años, pero hemos vuelto a reunir a la Resistencia en Limbhad. Sé que no estamos todos –Victoria desvió la mirada–, pero debemos seguir luchando, porque mientras existan en este planeta un dragón y un unicornio, habrá esperanza para Idhún, y el sacrificio de Shail no habrá sido en vano.

»Llevo un tiempo preguntándome qué estamos haciendo mal. Los unicornios son criaturas esquivas por naturaleza, y no me extraña que el nuestro haya conseguido ocultarse sin problemas de la mirada de los humanos. En cambio, un dragón llama bastante más la atención, y el mío en concreto ya no debe de ser precisamente ninguna cría.

Jack sonrió para sus adentros al oír a Alexander decir «el mío». Tiempo atrás, Shail les había contado que Alexander había salvado de la muerte al dragón que estaban buscando cuando solo era una cría; pero el joven nunca hablaba de ello, y Jack se prometió a sí mismo que algún día le pediría que le contara la historia de aquel encuentro.

–He estado pensando –prosiguió Alexander– que tal vez ellos tengan alguna manera de ocultarse de todo el mundo, algo que se nos ha pasado por alto. Y sé por qué se ocultan.

Victoria lo supo también:

–¿Por Kirtash? –preguntó en voz baja.

Alexander asintió.

–Exacto. Por tanto, he llegado a la conclusión de que, si acabamos con Kirtash, si nos deshacemos de su amenaza, el dragón y el unicornio acabarán por manifestarse, tarde o temprano.

–Y, aunque no lo hicieran –apuntó Jack, ceñudo–, no cabe duda de que el mundo se libraría de una plaga, y nosotros trabajaríamos más tranquilos.

–Yo no quería decirlo así –comentó Alexander–, pero sí; básicamente, esa es la idea.

–A ver si lo he entendido bien –dijo Victoria–. ¿Estás proponiendo que dejemos de buscar al dragón y al unicornio y de tratar de adelantarnos a Kirtash para ir directamente a por él? ¿Para matarlo antes de que nos mate?

–Pasar de la defensa al ataque –comprendió Jack, asintiendo–. Me parece bien.

–¿Estáis hablando de tenderle una trampa, o algo así? Pero ¿cómo sabremos dónde encontrarlo?

–No es difícil de localizar –informó Alexander–. Jack lo hizo una vez, y yo acabo de volver a hacerlo, a través del Alma.

–¿Qué? –saltó Jack–. ¿Después de la bronca que me echaste entonces, vas y haces tú lo mismo ahora?

–Con precaución –especificó Alexander–. Sin acercarme demasiado. Sin que llegue a percibirme. Así es como se hacen las cosas, chico.

–Sí, vale –replicó Jack, enfurruñado–. Resumiendo, que lo has visto a través del Alma. ¿Y qué hace, si puede saberse?

Alexander ignoró el tono impertinente del muchacho.

–Sigue buscando idhunitas exiliados –dijo a media voz–. Y cazándolos uno a uno, como ha hecho siempre. Solo que ahora trabaja en solitario. Que es lo que siempre ha querido, supongo.

Victoria recordó, como si acabara de vivirlo, el momento en el que Kirtash había asesinado a su aliado, el mago Elrion, inmediatamente después de la muerte de Shail. ¿Lo habría hecho para castigarlo por haber matado a Shail? ¿O solo porque estaba deseando hacerlo, y Elrion le había proporcionado la excusa perfecta?

–Pero parece haberse adaptado bastante bien a la vida en la Tierra –prosiguió Alexander–. Vive en una gran ciudad, en Estados Unidos, y se hace pasar por un terráqueo más. Tiene trabajo y parece ser que hasta gana bastante dinero.

–No me sorprende –dijo Jack, asqueado–. No sé cómo se las arregla, pero haga lo que haga, todo le sale bien.

Victoria no hizo ningún comentario, pero se mordió el labio inferior, pensativa. Se preguntó cómo sería Kirtash ahora, y si habría cambiado mucho.

Por lo visto, Jack estaba pensando lo mismo.

–Habrá crecido, como nosotros –dijo a media voz.

–Los años también pasan por él –asintió Alexander–. Tendrá ahora dieciséis o diecisiete, si no me equivoco.

«Siempre será mayor que yo», pensó Jack, desalentado. No importaba cuánto entrenase con la espada, Kirtash siempre lo ganaría en experiencia.

Hubo un tenso silencio en la biblioteca.

–Bueno, y entonces, ¿cuál es tu plan? –preguntó entonces Victoria.

–He pensado que, si vamos por él cuando esté trabajando, lo pillaremos desprevenido. Por otro lado, si hay mucha más gente alrededor, le costará más detectarnos. He visto lo que sabéis hacer, y creo que ya estamos preparados para entrar en acción.

–¿Qué? –se le escapó a Victoria–. ¿Ahora?

–No, ahora no. Sé dónde va a estar Kirtash dentro de ocho horas. Será el momento perfecto para atacar.

Victoria miró su reloj. En su casa eran solo las ocho y media de la tarde. Hizo un rápido cálculo mental.

–Es decir, a las cuatro y media de la madrugada, hora de Madrid.

–Las siete y media de la tarde, hora de Seattle –respondió Alexander, sonriendo.

–¿Nos vas a llevar a Seattle? –preguntó Jack, animado.

–Sea lo que sea –suspiró Victoria–, espero que no dure más de dos horas, porque yo empiezo el colegio a las ocho, y a las siete como muy tarde he de estar de vuelta en mi cama...

Se interrumpió al sentir las miradas de reproche que le dirigieron sus amigos.

–Bueno, vale, no iré a clase si la misión se alarga. Pero ya veréis como se entere mi abuela. Me la voy a cargar.

III
MÁS ALLÁ

EXPLÍCAME otra vez qué demonios hacemos aquí –dijo Jack, irritado.

–Cazar a Kirtash –fue la respuesta de Alexander.

–¿Y cómo vamos a verlo en medio de tanta gente? –protestó el muchacho.

El pabellón Key Arena de Seattle estaba a rebosar de jóvenes y adolescentes que gritaban, cantaban y alborotaban en general. Los dos se sentían incómodos, pero el único que no lo disimulaba era Jack.

No les había costado trabajo entrar allí. Era cierto que no tenían entradas, pero Victoria había aprendido a utilizar el camuflaje mágico en cualquier situación, y los hechizos que años antes era incapaz de realizar resultaban ahora mucho más sencillos gracias al poder del báculo. Jack no las tenía todas consigo cuando ella entregó tres papeles en blanco en la entrada del pabellón, sonriendo al revisor con aplomo. El hombre había mirado los papeles y la magia había hecho el resto.

–¿Cómo lo has hecho? –había preguntado Jack, perplejo, una vez dentro del recinto.

–Era solo una ilusión. Igual que la que nos oculta ahora mismo.

Él asintió, comprendiendo. Victoria llevaba ropa deportiva y el báculo sujeto a la espalda, y tanto Jack como Alexander portaban al cinto sus respectivas espadas legendarias, pero cualquiera que los mirara no vería en ellos otra cosa que tres jóvenes que iban a disfrutar de un concierto.

A pesar de las facilidades que habían encontrado para entrar, Jack no estaba seguro de que aquello hubiera sido una buena idea, y Alexander parecía bastante perplejo también. Suya había sido la idea de tender una emboscada a Kirtash en aquel lugar, pero solo ahora empezaba a comprender todos los significados e implicaciones del concepto terráqueo «concierto de rock».

Jack se sentía especialmente molesto. Se preguntaba, una y otra vez, por qué ese tal Chris Tara había elegido como símbolo, de entre todos los animales posibles, precisamente una serpiente. Ahora las veía por todas partes: todo el mundo llevaba camisetas, sudaderas, brazaletes, pendientes o tatuajes con forma de serpiente en honor a su ídolo. El muchacho estaba empezando a marearse. Para él, que tenía fobia a aquellos reptiles, aquel era un ambiente claramente hostil.

Solo Victoria sonreía de oreja a oreja y parecía estar flotando sobre una nube.

–¿Seguro que hemos venido en una misión? –preguntó por enésima vez–. ¿No me habéis traído aquí para darme una sorpresa?

Pero Alexander no ponía cara de haber ido al Key Arena a divertirse, y Jack supuso que aquello, por absurdo que pareciera, iba en serio.

–Créetelo, Victoria: a Kirtash le gusta la misma música que a ti. A no ser, claro, que haya venido aquí buscando a alguien. Así que deja de sonreír de esa forma y abre los ojos, a ver si lo ves, ¿vale?

–Bueno, pero no hace falta ser grosero –se defendió ella–. Me traéis a un concierto en directo de mi cantante favorito, ¿qué queréis que piense?

Jack respiró hondo e intentó olvidar a las serpientes. Pensó en Victoria, en lo mucho que le importaba recuperar lo que le había unido a ella, y trató de arreglarlo:

–Supongo que no hay nada malo en que disfrutes de la música –dijo, sonriendo y oprimiéndole el brazo con cariño–. No me hagas caso; sabes que no me gustan mucho las canciones de ese tipejo, y la perspectiva de tener que escucharlo en directo no me hace mucha ilusión. Pero no es nada personal.

–Supongo que no –murmuró Victoria, no muy convencida.

–Además –intentó explicarle Jack–, está el hecho de que aquí la serpiente parece ser el emblema oficial. Mire a donde mire veo serpientes, por todas partes. Comprende que no me sienta cómodo.

–Lo entiendo –dijo Victoria tras un breve silencio–. Es verdad que te vuelves más agresivo cuando ves serpientes.

–¿Agresivo? No, en realidad, yo...

–Estad alerta –avisó entonces Alexander–. Esto está a punto de empezar.

Estaban en uno de los pasillos superiores, a la derecha del escenario; habían subido allí para poder tener una visión general del pabellón, pero había demasiada gente, y Jack se preguntó, una vez más, cómo esperaba Alexander encontrar a Kirtash en medio de aquel maremágnum. Se volvió hacia Victoria para comentárselo, pero ella se había sujetado a la barandilla y tenía la mirada clavada en el escenario. Los ojos le brillaban con ilusión, y sus mejillas se habían teñido de color. Jack la miró con cariño y pensó que, al fin y al cabo, no había nada de malo en que la muchacha se divirtiera un poco. Después de todo era joven, y la responsabilidad que Shail había descargado sobre sus hombros, aun de forma involuntaria, era demasiado pesada.

–¡Alexander! –exclamó, para hacerse oír por encima de los fans que voceaban el nombre de Chris Tara–. ¿Cómo sabes que Kirtash estará aquí?

–Estaba en el programa del concierto –respondió Alexander en el mismo tono–. Bajo su otro nombre, claro.

–¿Bajo su otro nombre? –repitió Jack–. ¿Qué quieres decir?

Pero empezaba a sospecharlo, y volvió la cabeza, como movido por un resorte, hacia el escenario, que se había iluminado con una fría luz verde-azulada, mientras el resto de luces que bañaban el interior del Key Arena se amortiguaban hasta apagarse por completo.

Chris Tara salió al escenario, aclamado por miles de fans. Tendría unos diecisiete años, vestía de negro, era ligero y esbelto, y se movía con la sutilidad de un felino. Y algo parecido a un soplo de hielo oprimió el corazón de Jack cuando lo reconoció.

El joven se plantó en mitad del escenario, ante sus seguidores, y levantó un brazo en alto. El pabellón entero pareció venirse abajo. Miles de personas corearon el nombre de Chris Tara, enfervorecidos, y las serpientes que adornaban sus ropas y sus cuerpos parecieron ondularse bajo la fría luz de los focos. Jack se sintió por un momento como si estuviera en mitad de un oscuro ritual de adoración a una especie de dios de las serpientes, y tuvo que cogerse con fuerza a la barandilla porque le temblaban las piernas. No había imaginado nada así ni en sus peores pesadillas.

–Decidme que estoy soñando –murmuró, pero las voces enardecidas de los fans, que aclamaban a su ídolo, ahogaron sus palabras, y nadie lo oyó. Vio que Victoria se había puesto pálida y susurraba algo, pero tampoco pudo oír lo que decía.

Poco a poco, la música fue adueñándose del pabellón, por encima de las ovaciones. Y Chris Tara empezó a cantar. Su música era magnética, hipnótica, fascinante, como venida de otro mundo. Su voz, suave, acariciadora, sugerente.

Jack sintió que se le ponía la piel de gallina. Se inclinó junto a Victoria, todavía desconcertado, y le dijo al oído:

–¿Ves lo mismo que yo veo? ¿Ese es Chris Tara?

Victoria lo miró y asintió, con los ojos muy abiertos.

–¿No le oyes cantar? Es él.

Jack sacudió la cabeza, atónito. Aquella situación era cada vez más extraña y él se sentía cada vez más agobiado por aquel ambiente opresivo, de modo que habló con más dureza de la que habría pretendido:

–¿Me estás diciendo que tu cantante favorito es Kirtash? ¿Te has vuelto loca?

–¡Yo no sabía que era él! –se defendió ella–. ¡Ya te he dicho que no lo he visto nunca! No sale en las revistas de música ni concede entrevistas, solo se le puede ver en los conciertos.

–¡No me lo puedo creer! –estalló Jack–. ¡Con razón no me gustaba su música!

Alexander se inclinó hacia ellos y les dijo, mirando al escenario:

–Explicadme qué está haciendo exactamente.

–Lo que está haciendo no tiene ni pies ni cabeza –pudo decir Jack, todavía enfadado–. Es un cantante de pop-rock, ¿entiendes? Simplemente canta, y la gente viene a oírle cantar. Y, como ves, tiene mucho éxito. Se ha vuelto famoso. No puedo creerlo –repitió, irritado, sacudiendo la cabeza.

–¡Ya te he dicho que yo no lo sabía! –insistió Victoria, entre confusa, avergonzada y enfadada.

–No, no, tiene que haber una explicación –dijo Jack, cada vez más mareado–. Seguro que los está hipnotizando, o algo parecido... Tiene poderes telepáticos, ¿no?

–¡Yo no estoy hipnotizada! –se rebeló Victoria–. Sé muy bien lo que estoy haciendo.

–¿Escuchando la música de Kirtash?

Victoria enrojeció, pero no bajó la mirada cuando le dijo:

–¿Y qué pasa si me gusta? ¿Eh?

–Escuchad –dijo Alexander–. Sean cuales sean sus motivos, ahora está distraído. Es el momento de acabar con él.

–¿Qué? –saltó Victoria–. ¿Delante de toda esta gente? ¿No podemos esperar a que termine el concierto?

–¿Y qué vas a hacer entonces? –hizo notar Jack–. Si ya es prácticamente imposible llegar hasta cualquier estrella después de un concierto, ¿cómo piensas sorprender a Kirtash?

–Pero no desde aquí, no hay un buen ángulo –dijo Alexander–. Deberíamos acercarnos más.

–¿Me estáis pidiendo que le lance un rayo mágico desde aquí, a traición? –protestó Victoria.

–¿Por qué no? –replicó Jack, molesto–. ¿Acaso se merece algo mejor?

–¿Cuánto durará esto? –intervino Alexander.

–Unas dos horas, supongo.

–Perfecto. Tenemos tiempo para buscar un lugar mejor desde el que intentar acertarle. Victoria, espera aquí –le dijo a la chica–, y ve concentrando energía, o lo que quiera que hagas cuando usas el báculo. Nosotros intentaremos acercarnos más y encontrar un lugar desde el que puedas acertarle con más facilidad, pero lo bastante alejado como para que no llegue a descubrirnos. Si lo encontramos, enviaré a Jack a buscarte. Si no, en menos de quince minutos nos tendrás aquí otra vez.

–Pero... –quiso protestar Victoria; pero los dos chicos ya se habían puesto en pie, y Jack le dirigió una torva mirada.

–Que disfrutes del concierto –dijo con cierto sarcasmo.

Los dos se perdieron entre la multitud, y Victoria se quedó sola.

Se sentía muy confusa. Jack estaba enfadado, y con razón, y Alexander no terminaba de entender qué estaba sucediendo. Tampoco ella, de todas formas. Las mejillas le ardían, y apoyó la cara contra uno de los barrotes de la barandilla, aturdida. No pudo evitar fijar la mirada en Kirtash, Chris Tara, que cantaba sobre el escenario una de aquellas canciones que ella conocía tan bien, porque la había escuchado docenas de veces y podría haberla tarareado en cualquier lugar, en cualquier situación. Era él, sin duda. Sus gestos, sus movimientos...

Victoria supo que, si estuviese más cerca, llegaría a sentir, una vez más, la mirada de aquellos ojos azules que quemaban como el hielo.

En aquel momento, Kirtash comenzaba a cantar *Beyond*, la canción que daba nombre a su disco, y sus seguidores lo aclamaron una vez más. Victoria cerró los ojos y se dejó llevar por la música, seductora, fascinante y evocadora, de aquella canción que la había cautivado desde el primer día. Y por la voz de Kirtash... acariciadora, insinuante...

This is not your home, not your world,
not the place where you should be.
And you understand, deep in your heart,
though you didn't want to believe.
Now you feel so lost in the crowd
wondering if this is all,
if there's something beyond.

Beyond these people, beyond this noise,
beyond night and day, beyond heaven and hell.
Beyond you and me.
Just let it be,
just take my hand and come with me,
come with me...

And run, fly away, don't look back,
they don't understand you at all,
they left you alone in the dark
where nobody could see your light.
Do you dare to cross the door?
Do you dare to come with me
to the place where we belong?

Beyond this smoke, beyond this planet,
beyond lies and truths, beyond life and death.
Beyond you and me.
Just let it be,
just take my hand and come with me,
come with me...[1]

Los ojos de Victoria se llenaron de lágrimas.

Come with me...

«Ven conmigo», había dicho Kirtash. Aquella voz suave y susurrante... ¿cómo no la había reconocido antes? ¿Tal vez porque era tan absurdo encontrar a Kirtash también en la radio que no se lo había planteado siquiera?

¿Cómo era posible? La música de Chris Tara la había tocado muy hondo, se había sentido identificada con aquellas canciones, con aquellas letras, como si hubiesen sido escritas para ella. Y la idea de que fuera Kirtash quien las hubiese creado resultaba muy inquietante... porque eso quería decir que él, de alguna manera, conocía sus sentimientos, sus más íntimos anhelos, y les había dado forma de canción. Y eso significaba que, hasta el momento, solo Kirtash había encontrado el modo de llegar hasta el fondo de su corazón.

No era un pensamiento agradable.

Victoria abrió los ojos y contempló al joven sobre el escenario. No parecía haberse dado cuenta de su presencia. Alexander estaba en lo cierto: con tanta gente, no le resultaría fácil detectarlos. La muchacha lo observó, consciente de que los papeles se habían invertido, de que, por primera vez, era ella quien lo estudiaba desde las sombras, y no al revés. Trató de encontrar una explicación a la pregunta de qué hacía él allí, un asesino idhunita, sobre un escenario, ofreciendo su misteriosa música a miles de jóvenes terráqueos, y se preguntó si Jack tendría razón, y era una manera de sugestionarlos a todos. Pero... ¿para qué?

Victoria siguió observando a Kirtash, y le sorprendió descubrir que, aparentemente, estaba disfrutando con lo que hacía. No parecía

---

[1] Este no es tu hogar, no es tu mundo, / no es el lugar donde deberías estar. / Y tú lo sabes, en el fondo de tu corazón, / aunque no quisiste creerlo. / Ahora te sientes perdida entre la multitud / preguntándote si esto es todo, / si hay algo más allá. // Más allá de toda esta gente, más allá de todo este ruido, / más allá del día y de la noche, más allá del cielo y del infierno. / Más allá de ti y de mí. / Deja que ocurra, / tan solo toma mi mano y ven conmigo, / ven conmigo... // Y corre, escapa, no mires atrás, / ellos no te entienden, / te dejaron sola en la oscuridad / donde nadie puede ver tu luz. / ¿Te atreves a traspasar la puerta? / ¿Te atreves a acompañarme / al lugar al que pertenecemos? // Más allá de este humo, más allá de este planeta, / más allá de mentiras y de verdades, más allá de la vida y de la muerte. / Más allá de ti y de mí. / Deja que ocurra, / tan solo toma mi mano y ven conmigo, / ven conmigo...

fijarse en las personas que lo aclamaban, se limitaba a cantar, a expresarse... a expresar, ¿el qué?, se preguntó Victoria. ¿Sus sentimientos? ¿Qué sentimientos?

«Porque tú y yo no somos tan diferentes», le había dicho él. «Y no tardarás en darte cuenta».

¿Sería verdad? ¿Eran tan parecidos que sentían las mismas cosas, y por eso a ella le gustaba tanto su música?

Victoria dio una mirada circular y vio a miles de personas extasiadas con la música de Chris Tara, la música de Kirtash. Algo en su interior se rebeló ante la idea de que todos ellos sintieran lo mismo que ella al escuchar aquellas canciones. No, no era que Kirtash hubiese llegado hasta sus más íntimos pensamientos; era que Jack estaba en lo cierto, y aquella música tenía algo magnético, sugestivo, que los sumergía a todos en aquel estado hipnótico. Y aquello no podía ser bueno.

Se obligó a sí misma a recordar que más allá de Chris Tara, más allá de aquella música que la subyugaba, no había otra cosa que el rostro de Kirtash... el rostro de un asesino.

Victoria se sintió furiosa y humillada de pronto. Kirtash la había engañado una vez más, y ella se había dejado seducir, como una tonta, como una niña. Pero ya no era una niña. Tiempo atrás había jurado que él no volvería a hacerla sentir indefensa, y ya era hora de hacer algo al respecto.

El aire en el interior del pabellón Key Arena estaba cargado de energía vibrante, chispeante, generada por aquellos miles de personas que electrizaban el ambiente con su entusiasmo. Victoria extrajo el báculo de la funda que llevaba ajustada a la espalda, lo sostuvo con ambas manos y le ordenó en silencio que recogiera aquella energía.

La pequeña bola de cristal que remataba el Báculo de Ayshel se iluminó como un lucero, pero nadie la vio, porque el hechizo de camuflaje seguía funcionando. Sin embargo, Victoria sabía que Kirtash no tardaría en percibir su poder. No disponía de mucho tiempo.

Kirtash había empezado a cantar otro tema, un tema lleno de fuerza, duro, desgarrador y hasta cierto punto desagradable. Victoria lo conocía. Era el que menos le gustaba del disco, porque removía algo en su interior y la turbaba profundamente. Si no conociera a Kirtash, habría llegado a asegurar que aquella canción estaba teñida de rabia, amargura y desesperación.

Pero aquello no era posible, porque Kirtash no sentía aquellas cosas.

–Me da igual lo que hagas, o por qué lo hagas –musitó Victoria, con los ojos llenos de lágrimas de odio, mientras el báculo chisporroteaba por encima de su cabeza, henchido de energía que exigía ser liberada–. Te mataré, y dejaré de tener miedo y dudas por tu culpa.

Alzó el báculo.

En aquel momento regresaba Jack. No lo vio, pero lo percibió, corriendo hacia ella para detenerla.

Demasiado tarde.

Beyond lies and truths, beyond life and death, recordó Victoria, *Beyond you and me. Just let it be, just take my hand and come with me...*

Come with me...

«Ven conmigo...».

–Nunca más –juró Victoria, y volteó el báculo con violencia.

Toda aquella energía salió disparada hacia el escenario. Kirtash, cogido por sorpresa, pudo saltar a un lado en el último momento. El suelo estalló en llamas a un metro escaso de él.

Hubo confusión, consternación, gritos, pánico. Kirtash volvió la cabeza hacia ella, y Victoria pudo ver, con satisfacción, que por primera vez desde que lo conocía, él parecía sorprendido y confuso.

–Victoria, ¡has fallado! –pudo decir Jack a su lado, horrorizado.

Pero enseguida se dio cuenta de que ella lo había hecho a propósito.

La joven estaba de pie, sosteniendo con firmeza el báculo, que relucía en la oscuridad iluminando su semblante serio, decidido y desafiante. Era una imagen temible y turbadora, y los espectadores de aquel sector se apartaron de ella, aterrorizados y confusos. Pronto, Victoria se vio sola, con su báculo, en aquel pasillo, en la parte superior de las gradas, mirando a Kirtash fijamente.

Él se había recuperado ya de la sorpresa y, desde el escenario, había alzado la mirada hacia ella, con los músculos en tensión, pero manteniendo en todo momento el dominio sobre sí mismo.

–¿Qué estás haciendo? –oyó Victoria la voz de Alexander, que acababa de llegar.

Ella no hizo caso. Sabía que Kirtash la había visto, que la estaba mirando. Sabía que podía haberlo matado si hubiese querido. Y sabía que él lo sabía también.

Victoria vio a Kirtash asentir con la cabeza. Entonces, silencioso como una sombra, el joven asesino se deslizó hacia el fondo del escenario y desapareció.

Victoria se sintió muy débil de pronto, y tuvo que apoyarse en el báculo para no caerse. Jack la agarró por el brazo.

–Vámonos de aquí –le dijo–. Vienen los de seguridad.

–¿Pero quiénes eran esos locos? –estalló el representante de Chris Tara–. ¿Y por qué la policía no ha podido echarles el guante?

Kirtash podía haber respondido a ambas preguntas, pero permaneció en silencio, sentado en una silla en un rincón, con el aire engañosamente calmoso que lo caracterizaba.

–Bueno, lo importante es que Chris está bien –dijo el productor–. Miradlo por el lado bueno: esto supondrá publicidad extra para la promoción del disco.

–¿De qué me estás hablando? Eso ha sido un intento de asesinato, Justin, no tiene nada de bueno. Podría haber más. Tenemos que averiguar quiénes eran esos tres y qué querían, y cómo diablos consiguieron colar ese... lo que sea... dentro del pabellón.

El productor respondió, pero Kirtash no le prestó atención. Se levantó y se dirigió a la puerta sin una sola palabra.

–¿Se puede saber adónde vas, Chris? –exigió saber su representante–. La escolta especial que hemos pedido todavía no ha llegado.

Kirtash se volvió hacia él.

–Hicimos un trato, Philip –dijo con suavidad–. Yo cumplo con mis compromisos. Y tú, a cambio...

El hombre palideció.

–Nada de entrevistas –musitó, como si se lo hubiera aprendido de memoria–. Nada de fotografías. Nada de comparecencias públicas, excepto los conciertos. Nada de preguntas. Nada de control. Libertad total.

–Así me gusta –sonrió Kirtash.

La puerta se cerró tras él.

–Pero ¿quién te has creído que eres? –casi gritó el productor–. ¡Phil! ¡Dile que...!

Pero el otro lo detuvo con un gesto.

–Déjalo marchar –murmuró–. Te aseguro que sabe lo que hace.

–Pero... ¡ahí fuera está todo lleno de gente y...!

–No lo verán si él no quiere dejarse ver, créeme. Déjalo, Justin. Si quieres a Chris Tara, tendrá que ser bajo sus propias condiciones.

El productor no dijo nada, pero sacudió la cabeza, perplejo.

Eran ya las doce de la noche cuando todo quedó despejado. La policía se retiró también, después de haber registrado el Key Arena y todo el Seattle Center sin haber encontrado a los tres maníacos que habían interrumpido el concierto de Chris Tara.

Los maníacos en cuestión no se habían movido de la puerta del pabellón, pero nadie los había visto. El hechizo de camuflaje mágico, basado en crear ilusiones, tenía muchas variantes. La percepción de un idhunita, más habituado a la magia, no podía ser engañada fácilmente, y por ello había que crear un «disfraz», la imagen de otra persona, para pasar inadvertido. Pero con los terráqueos, más incrédulos y, por tanto, más incautos, el hechizo funcionaba mucho mejor. Si era necesario, podía convencerlos de que alguien *no* se encontraba allí.

Jack, Victoria y Alexander esperaron junto a la entrada del Key Arena a que se marcharan todos y cerraran el pabellón. Eran ya las nueve de la mañana en Madrid, pero Victoria parecía haberse olvidado por completo de la hora, y permanecía pálida y callada, aferrada al báculo, escudriñando las sombras. Jack estaba sentado a su lado, muy pegado a ella. Los dos intuían que se avecinaba un momento importante y, de manera inconsciente, se acercaban el uno al otro todo lo que podían, como si quisieran darse ánimos mutuamente. Jack rodeó con el brazo los hombros de Victoria y ella se recostó contra él, olvidándose por un momento de sus esfuerzos por distanciarse de su amigo.

Cuando el silencio se adueñó de aquel sector del Seattle Center, Alexander miró fijamente a Victoria.

–Fallaste a propósito –le dijo–. ¿Por qué?

–Porque no me parecía correcto –respondió ella a media voz.

–¡Correcto! –repitió Alexander–. ¿No te parece correcto acabar con un asesino que ha matado a traición a muchos de los nuestros?

–Quiero acabar con él, pero no de esa manera –Victoria lo miró a los ojos, impasible–. ¿Qué te pasa, Alexander? ¿No eras tú el que aborrecía las armas de fuego porque matar a distancia era de cobardes?

–Un individuo como Kirtash no se merece que lo traten con tantos miramientos.

–Pues yo creo que pensando así te estás rebajando a su nivel –replicó Victoria–. Comprendo que has cambiado y que no eres el mismo, Alexander. Pero sé que en tu interior queda algo de aquel caballero que nos hablaba de honor y justicia. Y esa parte de ti sabe muy bien por qué no he hecho lo que me pedías.

Jack escuchaba sin intervenir. A pesar de que odiaba a Kirtash, en el fondo estaba de acuerdo con Victoria.

Alexander meditó las palabras de la chica y, finalmente, asintió con un enérgico cabeceo.

–Lo comprendo y lo respeto, Victoria. Pero... ¿por qué atacaste, entonces?

Victoria abrió la boca para contestar, pero fue Jack quien habló por ella.

–Para lanzar un desafío –dijo–. Para retar a Kirtash a que venga a enfrentarse con nosotros. Por eso lo estamos esperando aquí.

–No era esa la idea... –empezó Alexander, pero Victoria se levantó de un salto, como si hubiera recibido algún tipo de señal.

–Atentos –dijo a sus compañeros–. Es la hora.

Echó a andar, alejándose de la entrada del Key Arena, hacia el corazón del Seattle Centre. Sus amigos la siguieron. Sobre ellos, el Space Needle, la emblemática Torre de Seattle, relucía fantásticamente en mitad de la noche.

Encontraron a Kirtash aguardándolos en una explanada cubierta de hierba. Tras él, una enorme fuente lanzaba chorros de agua hacia las estrellas y la luna creciente. Recortada contra las luces de los focos, la figura del joven asesino parecía más amenazadora que nunca, pero también, apreció Victoria, más turbadora.

Jack frunció el ceño. Ahora que lo veía de cerca, el odio que sentía hacia él, y que llevaba un tiempo dormido, se reavivó de nuevo. Apreció también que Kirtash era ahora más alto de lo que él recordaba. Jack también había crecido, pero su rival seguía siendo más alto que él.

–Habéis venido a matarme –dijo Kirtash con suavidad; era una afirmación, no una pregunta.

–Podríamos haberlo hecho antes, durante el concierto –dijo Victoria, tratando de que no le temblara la voz.

–Lo sé –se limitó a responder Kirtash–. He sido descuidado. No volverá a pasar.

Observaba a Victoria con evidente interés, Jack se dio cuenta de ello. Oprimió con fuerza el pomo de Domivat, hasta casi hacerse daño, intentando dominar su rabia. No permitiría que Kirtash se llevase a Victoria. Jamás.

–¿Vas a enfrentarte a nosotros? –preguntó, desafiante.

Kirtash se volvió hacia él.

–Jack –dijo con calma, aunque apreciaron en su voz una nota de odio contenido–. ¿Cómo prefieres que me enfrente a vosotros? ¿Vais a luchar de uno en uno, o los tres a la vez?

Jack abrió la boca para responder, pero Kirtash no aguardó a que lo hiciera. Desenvainó a Haiass, su espada, y su brillo blanco-azulado palpitó en la oscuridad.

IV

«SI HA SIGNIFICADO ALGO PARA TI...»

JACK se puso en guardia, demasiado tarde. Kirtash, con un ágil y elegante movimiento, descargó su espada sobre él. El muchacho movió a Domivat, su propio acero, para interponerlo entre su cuerpo y el arma de su enemigo. Los dos filos chocaron en la semioscuridad, fuego y hielo, y, de nuevo, algo en el universo pareció estremecerse.

Victoria y Alexander parecieron notarlo también. Con un grito, Victoria corrió hacia los dos combatientes, pero se detuvo, indecisa. Kirtash era demasiado rápido y ligero como para alcanzarlo, y su ropa negra lo hacía aún más difícil de distinguir en la oscuridad. Victoria no podía arriesgarse a lanzar un golpe y errar el blanco o, peor todavía, acertarle a Jack. Se mordió el labio inferior, preocupada.

El filo de Haiass centelleaba en la noche, pero Jack ya no era un novato, y sabía emplear su espada. Sintió el poder de Domivat, sintió cómo su fuego resistía sin problemas las embestidas de su enemigo, y trató de contraatacar. Evocó el rostro de Victoria y recordó lo que le había prometido tiempo atrás: que acabaría con la amenaza de Kirtash para que el mundo fuera un lugar más seguro para ella. Este pensamiento le dio fuerzas. Percibió a Kirtash junto a él y se volvió con rapidez. Domivat dejó escapar una breve llamarada, y Kirtash tuvo que saltar a un lado para esquivarla. Jack apenas le dejó respirar. Golpeó con todas sus fuerzas. Kirtash interpuso su espada entre ambos, y de nuevo se produjo un choque brutal. Las dos espadas legendarias temblaron un momento, henchidas de cólera. Ninguna de las dos venció en aquel enfrentamiento. Jack y Kirtash retrocedieron unos pasos, en guardia. Jack volvió a atacar.

Sin embargo, estaba desentrenado, y la velocidad de Kirtash lo superaba. Durante un par de angustiosos minutos, ambos intercambiaron una serie de rápidas estocadas... hasta que Kirtash golpeó de nuevo, con ligereza y decisión. Jack alzó a Domivat en el último momento, pero no pudo imprimir a su movimiento la firmeza necesaria. Cuando las dos espadas chocaron de nuevo, algo estalló en el impacto, y Jack fue lanzado con violencia hacia atrás, mientras que Kirtash permaneció firmemente plantado sobre sus pies, en guardia, con la espada en alto.

Jack se estrelló contra el chorro de agua de la fuente y cayó de espaldas al suelo. Se esforzó por levantarse, mojado y aturdido, y alzó de nuevo su espada, pero vio que Kirtash ya combatía contra otro rival.

Alexander había desenvainado su espada, Sumlaris, también llamada la Imbatible, un acero lo bastante poderoso como para resistir la gélida mordedura de Haiass.

Pero la oscuridad jugaba a favor de Kirtash. El joven se movía como una sombra, tan deprisa que costaba seguir sus evoluciones, y su espada golpeaba una y otra vez como un relámpago en la noche. Jack observó, sorprendido, cómo respondía Alexander, que peleaba con una fiereza que él, siempre tan sereno y contenido, jamás había mostrado antes. Con un nudo en la garganta, Jack contempló la luna creciente en lo alto del cielo, y se preguntó hasta qué punto tenía poder la bestia sobre el alma de su amigo.

También Kirtash pareció encontrar interesante el cambio operado en su contrincante, porque le lanzó varios golpes arriesgados, con la intención de provocarlo. Alexander respondió con ferocidad, pero sin dejarse llevar por la cólera, y por un momento pareció que tenía posibilidades de vencer.

Pero fue solo un momento. Kirtash pareció desaparecer y, al instante siguiente, su espada se hundía en el cuerpo de Alexander.

El joven emitió un sonido indefinido, mezcla de dolor y sorpresa.

–¡Alsan! –gritó Jack, llamándolo inconscientemente por su antiguo nombre. Se levantó de un salto, tiritando, y corrió hacia ellos.

Alexander había conseguido detener con su espada el filo de Haiass antes de que lograra penetrar más en su cuerpo. Con un esfuerzo sobrehumano, empujó atrás a Kirtash y le hizo retroceder.

Después, cayó al suelo, aún sosteniendo a Sumlaris en alto, para mantener las distancias.

Kirtash no lo dudó. Alzó a Haiass sobre él, para matarlo.

Jack llegó corriendo para tratar de detenerlo, pero alguien se le adelantó.

Victoria se alzaba entre Kirtash y Alexander, serena y desafiante, y la luz del báculo palpitaba en la noche como el corazón de una estrella. Kirtash descargó su espada contra ella, pero la joven estaba preparada, y levantó el báculo para detener el golpe. Saltaron chispas.

Mientras tanto, Jack se había arrodillado junto a Alexander, que había dejado caer la espada. Le abrió la camisa para ver si la herida era grave. A la luz de Domivat descubrió, aliviado, que Alexander había logrado desviar la estocada en el último momento, y no parecía que el filo de Haiass hubiera atravesado ningún órgano vital. Con todo, la piel de la zona herida mostraba una apariencia extraña, como si estuviese recubierta de escarcha.

Kirtash había retrocedido un par de pasos. El débil resplandor blanco-azulado de Haiass iluminaba su rostro, y Victoria pudo ver que la miraba a los ojos... y sonreía.

Y entonces, de nuevo, Kirtash desapareció. Victoria se mantuvo en guardia, esperando verlo emerger de entre las sombras en cualquier momento. Jack también se incorporó de un salto, se situó junto a su amiga, enarbolando a Domivat, y escudriñó la oscuridad. Pero Kirtash no apareció, y Victoria supo, de alguna manera, que se había ido.

Jack se volvió hacia todos lados, desconcertado.

–¡Por ahí! –exclamó entonces Victoria, señalando una sombra que se deslizaba entre los árboles.

Echó a correr tras él, con el báculo preparado y su extremo encendido como un faro.

–¡Victoria! –la llamó Jack–. ¡Victoria, espera!

Se volvió hacia Alexander, indeciso, sin saber qué hacer. Su amigo seguía tendido en el suelo, tiritando de frío, y Jack supo que debía entrar en calor cuanto antes, o todo su cuerpo se congelaría por completo. Tenía que recibir atención médica con urgencia. Pero Jack no podía dejar sola a Victoria, no con Kirtash acechando en la oscuridad.

Alexander entendió su dilema.

–Ve a buscar a Victoria, Jack –le dijo–. Hay que detenerla. Va directa a una trampa.

El chico no necesitó más. Asintió y echó a correr tras su amiga.

Victoria había llegado junto al Memorial Stadium, y se volvió hacia todos lados, indecisa. Se dio cuenta entonces de que había perdido a sus amigos, y se preguntó cómo había sido. Recordó que Alexander había resultado herido, y supuso que Jack se habría quedado con él. En cualquier caso, ahora estaba sola.

Sintió aquel aliento gélido tras ella, y oyó la voz de Kirtash desde la oscuridad.

–¿Has considerado ya mi propuesta, Victoria?

–¿Propuesta? –repitió ella, mirando en torno a sí, preparada para luchar.

–Te tendí la mano –la voz de Kirtash sonó junto a su oído, sobresaltándola, pero tan suave y sugerente que la hizo estremecer–. La oferta sigue en pie.

Victoria se obligó a sí misma a reprimir su turbación y se giró con rapidez, enarbolando el Báculo de Ayshel.

–No me interesan tus ofertas –replicó ceñuda–. Voy a matarte, así que da la cara y pelea de una vez.

–Como quieras –dijo él.

Y el filo de Haiass cayó sobre ella. Victoria reaccionó y alzó el báculo. Una vez más, ambas armas se encontraron y se produjo un chisporroteo que iluminó los rostros de los dos jóvenes. Victoria aguantó un poco más, giró la cadera y lanzó una patada lateral. Kirtash la esquivó, pero tuvo que retirar la espada. Victoria recuperó el equilibrio, bajó el báculo y se puso de nuevo en guardia. Los dos se miraron un breve instante, pero Victoria no dejó que los sentimientos contradictorios que le inspiraba aquel muchacho aflorasen por encima de su determinación de acabar con él. Volteó el báculo contra él, y Kirtash lo detuvo con su espada. Victoria volvió a moverlo, con rapidez, y logró rozar el brazo de su enemigo. Hubo un centelleo y olor a quemado; Kirtash hizo una mueca de dolor, pero no se quejó. Se movió hacia un lado, rápido como el pensamiento, y, antes de que Victoria pudiera darse cuenta, lo tenía tras ella, y el filo de Haiass reposaba sobre su cuello.

–Me parece que ya hemos jugado bastante, Victoria –dijo él, con un cierto tono de irritación contenida.

Ella no quiso rendirse tan pronto. Aun sabiendo que se jugaba la vida, se agachó y giró para dispararle una patada en el estómago.

Kirtash pudo haberla matado con un solo giro de muñeca, pero no lo hizo; se limitó a esquivar la patada. Victoria se volvió y golpeó con el canto de la mano, con todas sus fuerzas. Notó que alcanzaba a Kirtash en la cara, pero, antes de que la chica supiese siquiera cómo había pasado, él ya la había cogido por las muñecas y la tenía acorralada contra la pared. Se miraron un breve instante; estaban físicamente muy cerca, y Victoria sintió que se olvidaba de respirar por un momento. Había en él algo tan misterioso y fascinante que le impedía pensar con claridad.

Pero los ojos de Kirtash mostraban un brillo peligroso.

–Es una pena que tenga que ser por las malas –comentó él.

La miró a los ojos, y Victoria percibió que la conciencia de Kirtash se introducía en la suya, manipulando los hilos que la ataban a la vida, y supo que iba a morir. Gritó, intentó debatirse, pero se dio cuenta de que en realidad no se había movido ni había salido el menor sonido de su boca, porque estaba paralizada de terror.

Su último pensamiento fue para Jack. No volvería a verlo, y ni siquiera había podido despedirse.

Y fue su rostro lo primero que vio cuando abrió los ojos.

–Jack... –murmuró; se incorporó y trató de mover la cabeza, pero le dolía muchísimo–. ¿Qué...?

No pudo decir nada más, porque de pronto su amigo la abrazó con fuerza, sin una sola palabra, y Victoria sintió que se quedaba sin respiración.

–¿Jack?

–Pensé que te había perdido –dijo él con voz ronca–. Cuando llegué y te vi ahí en el suelo... pensé que había llegado demasiado tarde, que Kirtash te había... Victoria, Victoria, no me lo habría perdonado nunca.

La chica cerró los ojos, mareada, y recostó la cabeza sobre el hombro de Jack. No entendía muy bien lo que había ocurrido, pero sí sabía que le gustaba aquel abrazo.

–Estoy viva –dijo–. Estoy... estoy bien. Creo. ¿Qué ha pasado?

Jack se separó de ella para mirarla a los ojos.

–Estás en un hospital. Kirtash te atacó y te dejó inconsciente. Te recuperarás, pero necesitas descansar.

Victoria intentó ordenar sus pensamientos.

–Pensé... que iba a matarme –musitó.

–Pues no lo hizo –dijo Jack; parecía tan desconcertado como ella, y añadió, no sin cierto esfuerzo–: Y tuvo ocasión. Pudo haberte matado, pudo haberte llevado consigo... pero te dejó allí, inconsciente.

–No quería pelear contra mí –murmuró ella.

«¿Por qué?», se preguntó, desconcertada. «¿Por qué no quiere matarme?».

Jack le acarició el pelo con ternura.

–Lo importante es que estás bien –vaciló antes de continuar–: Siento mucho haberme enfadado contigo en el concierto.

–Por... –a Victoria le costaba recordar los detalles–. Ah, ya. No pasa nada.

–No, sí que pasa –insistió él; le cogió el rostro con las manos, con dulzura, y la miró a los ojos–. Me estoy peleando contigo cada dos por tres, y he estado a punto de perderte esta vez, y... bueno, si te ocurriera algo, yo... –se había puesto rojo, y parecía que le costaba encontrar las palabras adecuadas–. Lo que intento decir es que todo eso no va en serio, Victoria, que en el fondo me importas mucho y que no quiero estropearlo todo con peleas tontas, porque... bueno, porque, ahora que hemos vuelto a la lucha... no puedo evitar pensar que cada vez que nos vemos puede ser la última. ¿Me entiendes?

La miró intensamente, tratando de transmitirle todo lo que sentía. Victoria le devolvió la mirada, un poco perdida. Sentía que Jack estaba intentando decirle algo importante, intuía que había algo más detrás de aquellas palabras, pero le costaba mucho centrarse en la situación. Por alguna razón, no podía dejar de recordar la mirada de los ojos de hielo de Kirtash. Y ahora estaba mirando a Jack, pero apenas lo veía. Su mente y su corazón se encontraban muy lejos de allí.

–Quieres decir... que has pasado miedo por mí –logró decir.

–Sí, eso quería decir –respondió Jack, tras un breve silencio; abrió la boca para añadir algo más, pero se dio cuenta de que Victoria apenas lo estaba escuchando, y permaneció callado.

–Pero... no debes hacerlo –murmuró ella, mareada–. Kirtash no va a matarme. No va a hacerme daño.

No sabía por qué estaba tan segura de ello, pero sí estaba convencida de que no se equivocaba. Pero todo era tan confuso... Gimió, y se llevó una mano a la cabeza.

–Estás hecha un lío –dijo él–. Es natural. Llevas un par de horas inconsciente, y necesitarás recuperar fuerzas, pero yo creo que mañana ya estarás en condiciones de volver a casa.

–¿Seguimos en Seattle?

Jack asintió.

–Sin ti, no podemos volver a Limbhad.

–Yo debería estar en clase ahora mismo –murmuró ella, llena de remordimientos–. Avisarán a mi abuela diciéndole que he faltado. ¿Qué voy a decirle?

–Ya lo pensarás mañana.

Victoria recordó una cosa, y se volvió hacia Jack, preocupada.

–¿Cómo está Alexander?

–También hospitalizado, pero recuperándose. Los médicos están un poco desconcertados porque nunca habían visto una herida como esa. Le ha congelado parte del vientre.

–Haiass –murmuró Victoria–. Debo intentar curarlo con mi magia. Se recuperará más deprisa.

–Pero no ahora, Victoria. Ahora duerme, ¿vale?

–No –cortó ella con energía–. Tengo que ver cómo está Alexander.

Se levantó de la cama de un salto, pero se mareó, y tuvo que apoyarse en Jack. El chico la ayudó a salir de la habitación. Miraron a uno y otro lado del pasillo, pero no vieron a nadie. El hospital estaba en silencio, y solo se oía el murmullo de la conversación de dos enfermeras un poco más lejos.

Jack guió a Victoria hacia la habitación de Alexander. Pronto, el paso de la chica se hizo más seguro, pero ella no dejó de apoyarse en Jack. Después de todo lo que había pasado, su contacto la hacía sentir mucho más segura.

Además, la mantenía con los pies en la tierra. Porque, si se descuidaba, volvía a recordar a Kirtash y, por alguna razón, su voz volvía a resonar en su mente, suave y seductora, confundiéndola, pero también transportándola a lugares lejanos, donde todo era posible.

Entraron en la habitación de Alexander. Estaba dormido, pero los oyó entrar y abrió los ojos de inmediato; se volvió hacia ellos y los miró, y sus ojos relucieron en la oscuridad con un brillo amenazador.

–Alexander, somos nosotros –murmuró Jack, algo inquieto.

–Ah. Pasa, Jack. No encendáis la luz.

Se acercaron a él con precaución. Victoria se sentó en la cama, junto a Alexander, que entendió cuáles eran sus intenciones. Retiró las sábanas y dejó que ella examinara su costado, bajo la suave luz que entraba por la ventana.

–Me han vendado la herida –dijo–. ¿Necesitas...?

–No hace falta –cortó ella–. Mi magia puede pasar a través de las vendas.

Colocó las manos sobre la zona dañada, sin llegar a rozar a Alexander, y dejó que su energía fluyera hacia él.

Tuvo que esforzarse mucho. El hielo de Kirtash se resistía a retirarse y, por otro lado, ella seguía débil y distraída. Pero se obligó a sí misma a seguir transmitiendo energía y, poco a poco, el calor de su magia derritió la escarcha que se había adueñado de la piel de Alexander.

Sin embargo, pronto se dio cuenta, asustada, de que había puesto tanto empeño en curar a Alexander que ella misma se estaba quedando sin fuerzas. Apretó los dientes. Si lo dejaba ahora, tal vez el hielo volviera a extenderse, y ella estaría demasiado débil para intentar otra curación. No, debía terminar lo que había empezado.

Solo un esfuerzo más...

Sintió de pronto la mano de Jack aferrándole el brazo.

–Déjalo ya, Victoria –dijo él, muy serio–. No puedes más.

Por alguna razón, el contacto de Jack le dio las fuerzas que necesitaba. Victoria transmitió un último torrente de energía, y el hielo desapareció por completo.

Alexander lo notó.

–Creo que ya está –dijo–. Ya no tengo frío.

–Bien –murmuró Victoria sonriendo; intentó levantarse... pero todo le daba vueltas...

Por suerte, Jack estaba allí para recogerla. La sujetó entre sus brazos, preocupado. La chica se había desmayado.

–¡Victoria! ¿Qué...?

–Está cansada –respondió Alexander–. Necesita reponer fuerzas. No usa el báculo para curar, y su magia, a diferencia de la de ese artefacto, no es inagotable. Llévala a su habitación y déjala dormir. Se recuperará –añadió al ver que Jack miraba a su amiga con una expresión profundamente preocupada–. Solo tiene que descansar.

El chico asintió. Cargó con Victoria y se la llevó en brazos de vuelta a su habitación. La tendió en la cama y la tapó con la sábana, con cuidado. Se quedó mirándola un momento. Evocó de nuevo el instante en el que la había visto junto al estadio, yaciendo en el suelo, como muerta. Todo su mundo se había roto en mil pedazos, y su corazón no había vuelto a latir hasta que había descubierto que ella seguía viva. En aquel momento, hasta habría dado las gracias a Kirtash por no habérsela arrebatado. La había estrechado con fuerza entre sus brazos y le había susurrado al oído lo mucho que significaba para él. Pero en aquel momento, ella no podía oírlo.

Y ahora, tampoco.

Jack sonrió y le acarició el pelo con dulzura.

–Descansa, pequeña –susurró–. Cuando estés mejor, hablaremos. Tengo que contarte muchas cosas... pero ahora tienes que dormir y recuperar fuerzas. Yo estaré cerca por si necesitas algo... ahora y siempre.

Victoria se despertó de madrugada. Tardó un poco en recordar todo lo que había pasado, pero, cuando lo hizo, miró a su alrededor. Vio a Jack, dormido en el sillón, junto a ella, y sonrió, conmovida, dándose cuenta de que él había preferido quedarse a velar su sueño antes que el de Alexander.

Se incorporó un poco y se mareó. Aguardó a sentirse un poco mejor para levantarse en busca de su mochila, que estaba junto al sillón. Mientras hurgaba en ella en busca de su reloj, que marcaba la hora de Madrid, se volvió para mirar a Jack. Sonrió de nuevo, recordando lo mucho que él se había preocupado por ella. Sin saber muy bien por qué, alargó la mano para acariciarle el pelo, pero no llegó a hacerlo, por vergüenza y por temor a que se despertara. Sin embargo, le rozó la frente con la punta de los dedos. Jack no se movió. Siempre había tenido el sueño muy profundo.

Volvió a la cama, aún con la mochila, y rebuscó en su interior, sin saber muy bien qué era lo que esperaba encontrar. Vio el *discman*, y recordó enseguida cuál era el CD que había en su interior. Abrió la tapa y lo sacó, y se quedó mirando a la luz de la luna la imagen de la serpiente que entrelazaba sus anillos en torno a la palabra *Beyond*. Sintiéndose furiosa y humillada, fue hasta la papelera para arrojar el disco en su interior. Pero antes de regresar a la cama, ya había vuelto a cambiar de idea. Recuperó el CD, lo insertó en el *discman*, se puso los auriculares y oprimió el botón de *play*.

Las notas de la música de Chris Tara, Kirtash, volvieron a invadir su mente, llenas de significados ocultos. Victoria volvió a escuchar *Beyond* por enésima vez, intentando imaginar por qué decía Kirtash aquellas cosas, por qué era la voz de su enemigo la que le traía palabras de consuelo que llegaban a lo más profundo de su corazón.

«Victoria...».

Se enderezó, alerta.

«Victoria...».

Apagó el *discman*. Por tercera vez sonó la llamada en su mente, pero, en esta ocasión, seguida de una invitación:

«Victoria... tenemos que hablar».

La chica se estremeció. Estaba demasiado débil como para luchar, pero deseaba volver a ver a Kirtash. Había estado a su merced, había perdido contra él y, sin embargo, el joven la había dejado marchar. Victoria necesitaba saber por qué.

Por otro lado, él no iba a hacerle daño. Si hubiese querido matarla o secuestrarla, lo habría hecho ya. Había tenido ocasiones de sobra.

Como en un sueño, Victoria se levantó y, en silencio, se cambió de ropa. Jack se removió en sueños, pero no se despertó. Victoria se puso las zapatillas y se encaminó a la puerta.

Titubeó un momento y se volvió para mirar el Báculo de Ayshel, que descansaba en un rincón, embutido en su funda, apoyado contra la pared. Finalmente, decidió no llevárselo. Si Kirtash había cambiado de idea y estaba empeñado en llevársela consigo, no obtendría el báculo gracias a ella.

Se deslizó fuera de la habitación, con el corazón latiéndole con fuerza. Recorrió los silenciosos pasillos del hospital. Pasó por recepción sin que la enfermera levantara la cabeza siquiera, lo cual no era de extrañar. Victoria tenía un maravilloso talento para pasar inadvertida.

En la calle, la recibió una ráfaga de viento frío, pero ella apenas lo notó. Miró a su alrededor, desorientada. Ni siquiera sabía dónde se encontraba.

«Victoria...», la llamó él de nuevo. Y la muchacha no tuvo más que seguir aquella llamada.

Sus pasos vacilantes la llevaron hasta un parque cercano. Victoria se encaminó por la senda, bordeada de hierba y tenuemente iluminada por pequeñas farolas, hacia el corazón de aquel pequeño pulmón en medio de la ciudad.

Se detuvo cuando vio una sombra al fondo, apoyada contra un árbol, y supo que había llegado a su destino.

Avanzó un poco más, hasta quedar a unos pocos metros de él. Los dos se miraron.

Kirtash había metido las manos en los bolsillos de su cazadora negra, y la esperaba con la espalda recostada contra el tronco del árbol, en actitud relajada. No llevaba la espada. Si no fuera por aquel extraño halo de misterio que lo envolvía, habría parecido un muchacho normal, como tantos otros.

Pero no lo era.

Victoria se dio cuenta entonces de que se había escapado del hospital, sin decir nada a sus amigos, para encontrarse con Kirtash, el asesino, su enemigo, y se sintió culpable. Quizá por eso preguntó con brusquedad:

–¿De qué quieres hablar?

La respuesta la confundió, sin embargo:

–De ti.

Los ojos azules de Kirtash se clavaron en los suyos, y Victoria se estremeció.

–No lo entiendo –murmuró–. ¿Qué quieres de mí?

–No estoy seguro –confesó él–. Tal vez entenderte, tal vez conocerte. Tal vez... no volver a verte. Estoy tratando de averiguarlo.

–Pero ¿por qué...? –sintió que no encontraba las palabras adecuadas; llevaba años temiendo a aquel chico, temblando ante la sola mención de su nombre, y allí estaban los dos, hablando como si nada hubiera sucedido; era demasiado surrealista–. ¿Por qué te tomas tantas molestias? ¿Por qué soy tan importante para ti?

Él ladeó la cabeza, la miró, pero no dijo nada.

–Contéstame, por favor. No entiendo nada. Estoy confusa. A veces pienso que... debería matarte. Por todo lo que has hecho. Pero otras veces... –calló, azorada.

–Acércate –dijo Kirtash con suavidad.

Ella lo hizo. Había algo en su mirada que la atraía como un imán.

Kirtash alzó la mano y le acarició la mejilla. Victoria cerró los ojos y se dejó llevar por la caricia, que despertaba sensaciones insospechadas en su interior. Aquello solo podía ser un extraño sueño...

–Sabes que estamos en guerra –dijo él entonces.

Victoria abrió los ojos, devuelta bruscamente a la realidad.

–Pero no es mi guerra –dijo la chica–. Es la guerra de Alexander, y la de Jack, porque sus padres murieron en ella. Y era la guerra de Shail –añadió en voz baja–. Pero yo... yo no tengo nada que ver con todo esto.

–Eso es lo que piensas y, sin embargo, has estado estos dos años entrenándote para matarme –observó él.

Ella meditó la respuesta que debía darle.

–Para defenderme –corrigió entonces–. Porque tú querías matarme, aunque yo nunca he sabido por qué. Pero ahora dices que no quieres hacerme daño y, por otra parte... –calló, confusa; se acordó entonces de algo que llevaba mucho tiempo queriendo preguntarle–. Recuerdas a Shail, ¿verdad? –Kirtash asintió casi imperceptiblemente–. Trataste de salvarle la vida, ¿no es cierto?

Kirtash no contestó.

–Yo lo vi –insistió Victoria–. Intentaste detener a Elrion. ¿Por qué lo hiciste?

–Porque supuse que la muerte de Shail en aquel momento no sería buena para nuestra alianza futura. Y, como ves, no me equivocaba.

–Pero sigo sin entender... por qué quieres que vaya contigo.

–Porque es la única manera de salvarte la vida, Victoria. Si no vienes conmigo, si no te unes a nosotros, tendré que matarte.

–¿No hay otra solución?

Kirtash negó con la cabeza.

Victoria recordó sus canciones, sus promesas de un mundo nuevo, de magia, de libertad, y supo que era lo que había estado anhelando desde niña. Pero la desconcertaba la idea de que fuera precisamente Kirtash quien le ofreciera cumplir sus sueños.

–Pero no puedo marcharme –dijo con un suspiro–. No puedo ir contigo. No quiero dejar a Alexander ni a... –vaciló.

–Jack –completó Kirtash, y su voz tenía un tono peligroso.

Victoria desvió la mirada.

–Los dos morirán tarde o temprano –dijo Kirtash con frialdad–. A ellos también he de matarlos. Pero estoy intentando salvarte a ti.

Victoria pareció volver a la realidad y lo miró con ferocidad.

–No. No, ni hablar. No dejaré que te acerques a ellos.

–Oh, pero ya lo conozco todo sobre Limbhad, vuestro refugio secreto –sonrió él–. Tú me lo contaste, aunque no quisieras hacerlo... hace dos años, en Alemania –al ver la expresión horrorizada de Victoria, añadió–: Pero no te preocupes, sabes que no puedo llegar hasta allí. A menos que tú me lleves... o me llames desde allí a través de esa Alma que guarda vuestra pequeña fortaleza.

«Lo sabe todo», pensó, aterrada.

Quiso volverse para marcharse, para salir huyendo, pero Kirtash la retuvo sujetándola por el brazo.

–Voy a matar a tus amigos –le aseguró mirándola a los ojos–. Sabes que lo haré, tarde o temprano. ¿Por qué has acudido a mi llamada?

–Porque me has hipnotizado –replicó ella con fiereza.

–Sabes que no es verdad. Tu mente es solo tuya, y tus sentimientos también lo son. No te he manipulado... aunque podría haberlo hecho. Pero no es así como quiero que sucedan las cosas. No, Victoria. Has venido por voluntad propia.

–Suéltame. Suéltame o...

–¿O qué?

Kirtash sacó un puñal de uno de los bolsillos interiores de la cazadora, y Victoria retrocedió, temerosa y maldiciéndose a sí misma por haber acudido sin un arma para defenderse.

Pero lo que hizo Kirtash a continuación la sorprendió. Tiró de ella hasta dejarla muy cerca de él, le puso el puñal en la mano y lo colocó sobre su propio cuello.

–Voy a matar a tus amigos –repitió– porque he de hacerlo: ellos son renegados y es mi cometido. Pero ahora tú tienes la oportunidad de matarme a mí. No es tan difícil. No me defenderé.

Victoria parpadeó, perpleja.

–No... no lo entiendo.

Pero seguía blandiendo el puñal, seguía sosteniéndolo sobre la garganta de Kirtash, podía degollarlo, podía bajarlo un poco más y clavárselo en el corazón... con solo mover la mano... y salvaría muchas vidas, porque el joven ya había manifestado su intención de seguir matando.

–Piénsalo –insistió él–. Puedes acabar conmigo. Como has intentado hacer esta tarde, durante el concierto. Ya te he dicho que tarde o temprano asesinaré a tus amigos. Especialmente a Jack –Victoria apretó los dientes–. No mato por placer ni por deporte, pero debo confesar que tengo muchas ganas de acabar con él.

Victoria pensó en Jack, dormido en el sillón de la habitación del hospital, velando su descanso, y sintió que los ojos se le llenaban de lágrimas de rabia y odio.

–No te atreverás –susurró–. No te atreverás a tocar a Jack, porque si lo haces...

–¿Qué? ¿Me matarás? Adelante, puedes hacerlo ahora.

Victoria oprimió con fuerza el mango del puñal. Un fino hilo de sangre recorrió el cuello de Kirtash, pero él no pareció inmutarse.

–Voy a matar a Jack –dijo de nuevo.

Victoria gritó y apretó la daga contra el cuello de Kirtash. Pero, por alguna razón, el objeto resbaló entre sus dedos y cayó al suelo. Victoria quiso golpear al joven con los puños, pero él la sujetó por las muñecas. Odiándose a sí misma por ser tan débil, Victoria dejó caer la cabeza para que sus cabellos ocultaran su rostro, y las lágrimas que empañaban sus ojos.

–¿Por qué no puedo matarte? –preguntó, angustiada.

Él le hizo alzar la cabeza para mirarla a los ojos.

–Yo iba a hacerte la misma pregunta –dijo en voz baja.

Y se inclinó hacia ella y la besó con suavidad. Victoria jadeó, perpleja, pero cerró los ojos y se dejó llevar, y sintió que algo estallaba en su pecho y que un extraño hormigueo recorría todo su cuerpo. Los labios de Kirtash acariciaron los suyos con ternura y, cuando se separó de ella, la muchacha se sentía tan débil que tuvo que apoyarse en el pecho de él para no venirse abajo.

–Por qué me haces esto –susurró, dejando caer la cabeza sobre el hombro de Kirtash–. No es justo.

–La vida no es justa.

Por algún extraño motivo, en medio de toda aquella situación, Victoria no pudo evitar pensar en Jack. Reunió fuerzas para separarse de Kirtash y lo miró un momento.

–Sabes dónde está Jack ahora, ¿no es cierto? Has averiguado dónde estábamos, y por eso has podido llamarme.

Kirtash asintió, y Victoria sintió que se le congelaba la sangre en las venas. Jack se había quedado en el hospital, para cuidarlos a ella y a Alexander, y allí era vulnerable. Debía regresar y llevárselo a Limbhad, antes de que llegara Kirtash...

Kirtash, que quería matar a Jack, y lo decía en serio.

Kirtash, que acababa de besarla. Y Victoria había disfrutado con aquel beso.

Odiándose a sí misma, sintiéndose una traidora a la Resistencia y, lo que era peor, a sus amigos, Victoria se sorprendió a sí misma volviéndose de nuevo hacia su enemigo para suplicarle:

–Esta noche, no. Por favor, no le hagas daño hoy. Por favor...

Los ojos de Kirtash relampaguearon un instante.

–¿Sabes lo que me estás pidiendo?

–Por favor. Por el beso –dijo súbitamente–. Si ha significado algo para ti... no vayas a buscar a Jack esta noche.

Kirtash la miró un momento y luego le dio la espalda.

–Vete –dijo en voz baja–. Pronto te echarán de menos.

Victoria se quedó allí, pero él no se movió. Sin saber muy bien qué hacer o qué decir, ella dio media vuelta y echó a correr por el camino, en dirección al hospital.

Cuando entró de nuevo en su habitación, vio que Jack seguía dormido. Lo miró un momento y sintió, durante un confuso instante, que estaría dispuesta a dar su vida por salvar la de su amigo; pero, en cambio, no había sido capaz de matar a Kirtash cuando había tenido la ocasión.

Y había dejado que él la besara.

Parpadeó para contener las lágrimas.

–Hace tiempo –le confesó a Jack en un susurro– deseé que tú fueras el primero en besarme. Soñaba con que lo harías algún día. Pero te marchaste, y te estuve esperando y no volvías. Y ahora... ya es demasiado tarde.

Sabía que él no la había oído, y se preguntó si habría sido capaz de decirle aquello cuando pudiera escucharla. Probablemente, no.

Acarició el cabello rubio de Jack y volvió a deslizarse entre las sábanas. Con las mejillas ardiendo, apoyó la cabeza en la almohada, vuelta en dirección hacia el sillón donde dormía Jack, para no perderlo de vista ni un solo momento. Pero en sus labios todavía había huellas del beso que Kirtash le había dado, y se sintió mezquina por haber traicionado a su mejor amigo.

No quería dormirse, pero estaba exhausta, y se durmió, y soñó con Kirtash. Y cuando se despertó a la mañana siguiente, sobresaltada y confusa, con las primeras luces del alba, vio que Jack seguía dormido en el sillón, sano y salvo.

V
Secretos

La Torre de Drackwen llevaba siglos abandonada. Levantada en el seno mismo de Alis Lithban, el sagrado bosque de los unicornios, en los tiempos más pujantes de la Orden Mágica, había sido el origen de los Archimagos, hechiceros poderosos que se habían formado allí, donde la magia vibraba en el aire con más intensidad que en ningún otro lugar de Idhún. La sola existencia de la Torre de Drackwen amenazaba el frágil equilibrio entre la Orden Mágica y los Oráculos, entre el poder mágico y el poder sagrado, y por ello se había decidido finalmente, de común acuerdo, que los hechiceros renunciarían a ella. Y sus ruinas seguían allí, en el corazón de Alis Lithban.

Solo que ya no estaban deshabitadas.

En el bosque ya no quedaban unicornios y, por tanto, había agonizado en los últimos tiempos. Después de la muerte de todos los unicornios, también el pueblo feérico había desaparecido de Alis Lithban, huyendo al bosque de Awa, y desde allí resistían todavía al imperio de Ashran el Nigromante y sus aliados, los sheks.

La Torre de Drackwen tampoco era lo que había sido. Y, sin embargo, Ashran se había instalado en ella, y gobernaba desde allí los destinos del mundo que había conquistado.

Kirtash avanzaba por los pasillos de la torre, con el paso ligero y sereno que lo caracterizaba. Se detuvo un momento junto a una ventana y echó un vistazo al exterior. En el cielo, una figura larga y esbelta sobrevolaba los árboles moribundos con elegancia, y Kirtash la contempló un momento. El shek pareció darse cuenta de su presencia, porque se detuvo y se quedó suspendido en el aire, proyectando la sombra de sus enormes alas sobre lo que quedaba de Alis Lithban, y dirigió la mirada de sus ojos irisados hacia la ventana donde se hallaba el joven asesino. Kirtash saludó con una inclinación de cabeza.

La gigantesca serpiente correspondió a su saludo y prosiguió su camino en dirección al norte.

Kirtash siguió avanzando hasta que llegó a la sala que se abría al fondo del pasillo. No hizo falta que llamara a la puerta; esta se abrió ante él.

Kirtash se quedó en la entrada y alzó la mirada. Al fondo de la sala, junto al ventanal, de espaldas a él, se hallaba Ashran el Nigromante. Kirtash hincó una rodilla en tierra para saludar a su señor. Sin necesidad de volverse, este se percató de su presencia.

–Kirtash –dijo, y la palabra sonó como el golpe de un látigo.

–Mi señor –murmuró el muchacho.

–Te he llamado para hablar de tu último informe.

Kirtash no dijo nada. Contempló la alta figura de Ashran, recortada contra la luz del ocaso del último de los tres soles, que comenzaba a ocultarse tras el horizonte.

–Ha resurgido la Resistencia –dijo Ashran.

–Así es, mi señor.

–Y han estado a punto de matarte.

–Lo reconozco –asintió Kirtash con suavidad–. Pero no volverá a pasar.

–Te sorprendieron, Kirtash. Pensaba que a estas alturas nada podría sorprenderte.

Kirtash no respondió. No tenía nada que decir.

–Pasé por alto ese capricho tuyo de dedicarte a la música, muchacho, porque me estás sirviendo bien –prosiguió el Nigromante–. Has hecho desaparecer a casi todos los hechiceros renegados que huyeron a la Tierra. Y no me cabe duda de que tarde o temprano encontrarás al dragón y al unicornio que, según la profecía, amenazan mi estabilidad futura. Sin embargo... ¿por qué un grupo de muchachos te hace tropezar, una y otra vez?

–Todos ellos portan armas legendarias, mi señor. Y se ocultan en un refugio al que yo no puedo llegar. De todas formas, terminaré por aplastarlos, antes o después.

–Lo sé, Kirtash; confío en ti, y sé que es cuestión de tiempo. Y, sin embargo... me da la sensación de que es demasiado trabajo para ti solo.

Kirtash no dijo nada, pero frunció levemente el ceño.

–He encontrado al hechicero que me pediste hace tiempo –dijo Ashran–. Alguien del pueblo de los feéricos, ¿no es así?

–He cambiado de idea –replicó el muchacho, con suavidad pero con firmeza–. Trabajo mejor solo.

–Eso era antes –el Nigromante se volvió hacia él, pero la luz quedaba a su espalda, y su rostro seguía permaneciendo en sombras–. Esos chicos han vuelto a plantarte cara, y ahora estás en minoría. Ella equilibrará la balanza y te ayudará a encontrar a esas criaturas, particularmente al unicornio –hizo una pausa–. Los feéricos tienen una especial sensibilidad para detectar a los unicornios –añadió.

–¿Ella? –repitió Kirtash en voz baja.

–Un hada que ha traicionado a su estirpe para unirse a nosotros –confirmó Ashran–. Insólito, ¿verdad? Es, no obstante, una hábil hechicera, y no me cabe duda de que te será muy útil. Pronto la enviaré a la Tierra, para que luche a tu lado.

–Pero yo vivo en un ático en plena ciudad de Nueva York –objetó Kirtash–. No es el lugar adecuado para un hada.

–Recupera ese castillo que tenías, entonces. Sigo sin entender por qué lo abandonaste, pero, en cualquier caso, no te será difícil hacerlo de nuevo habitable, ¿verdad?

Kirtash tardó un poco en responder.

–No, mi señor –dijo por fin.

–Excelente –Ashran volvió a darle la espalda para contemplar cómo la última uña de sol desaparecía tras la línea del ocaso–. Cuando lo tengas todo preparado, házmelo saber, y le haré cruzar la Puerta para acudir a tu encuentro.

Kirtash supo que el encuentro había terminado. Inclinó la cabeza y dio media vuelta para marcharse.

–Kirtash –lo llamó entonces Ashran, cuando ya estaba en la puerta; él se volvió–. Sospecho que te has encaprichado de esa chica, ¿no? De la portadora del Báculo de Ayshel.

Kirtash no respondió, pero su silencio fue lo bastante elocuente.

–¿Vale la pena? –preguntó el Nigromante entonces, y su voz tenía un matiz peligroso.

–Creo que sí. Pero si tú deseas que...

Ashran hizo un gesto con la mano, pidiendo silencio, y Kirtash enmudeció.

–¿Ella siente algo por ti? ¿Traicionaría a sus amigos por ti, muchacho?

–Es lo que estoy tratando de averiguar, mi señor.

–Bien. No tardes mucho, Kirtash, porque si duda demasiado es que no merece la pena. ¿Me oyes? Y entonces, tendrás que matarla. Hazte a la idea.

–Me hago cargo, mi señor.

–Bien –repitió el Nigromante.

Kirtash no dijo nada. Se inclinó de nuevo y, discreto como una sombra, abandonó la sala.

Jack alzó la mirada hacia el suave cielo estrellado de Limbhad.

–Aquí no hay luna –hizo notar–. ¿Estás seguro de que te transformarás de todas maneras?

Alexander asintió.

–El flujo de la luna late en mi interior, chico. Lo siento, lo huelo. Es la luna que brillaba sobre aquel castillo, en Alemania, en la noche que me transformé por primera vez, hace dos años. Mi cuerpo sigue su ciclo desde entonces. Esté donde esté, yo cambio con ella.

–Entiendo –asintió Jack.

–Vas a tener que atarme y encerrarme hasta que pase –dijo Alexander–. Aún no me he recuperado del todo de la herida que me produjo Kirtash, pero seré peligroso de todos modos.

Jack asintió de nuevo, pensativo. Estaban en la habitación de Alexander. El joven seguía guardando cama, terminando de reponer fuerzas, y Jack estaba sentado en el alféizar de la ventana, contemplando la suave noche de Limbhad. Alzó la mirada hacia la terraza de la Casa en la Frontera, que sobresalía como una enorme concha en un costado del edificio, y vio una forma blanca acomodada sobre la balaustrada, con la espalda apoyada en uno de los grandes pilones de mármol de los extremos. Una suave melodía sin palabras ascendía hacia el cielo nocturno de Limbhad.

–Tienes que hablar con ella –le dijo Alexander.

–Sí –asintió Jack–. Sí, lleva unos días comportándose de manera muy extraña.

–No me refiero a eso. Tienes que explicarle lo que me va a pasar, tienes que decirle que no venga a Limbhad en unos días.

–Ah, eso. Sí, lo haré.

Alexander lo miró. También él se había dado cuenta de que Victoria no era la misma desde su viaje a Seattle. Parecía ausente, perdida en sus propias ensoñaciones, y pasaba en el bosque más tiempo que de costumbre. También solía sentarse en la balaustrada a tocar la flauta o, simplemente, a contemplar las estrellas, ensimismada y suspirando de vez en cuando. Cuando se sentaba a estudiar, podía estar media hora con la vista fija en la misma página, incapaz de concentrarse en lo que había escrito en ella. Y Alexander habría jurado que la había visto en Limbhad a horas en las que tenía entrenamiento de taekwondo. El joven ignoraba qué le pasaba a la muchacha, y pensó que, sin duda, Shail habría sabido contestar a aquella pregunta.

Recordó a su amigo, tan hábil para descifrar los sentimientos de los demás, y se preguntó qué diría Shail si se encontrase allí.

Las notas de la melodía de Victoria seguían envolviendo la Casa en la Frontera. Era una canción dulce, melancólica, tierna y nostálgica a la vez. Y Alexander lo comprendió, como si el propio Shail le hubiese susurrado la solución:

–Está enamorada –dijo a media voz.

Jack se volvió hacia él, como si lo hubieran pinchado.

–¿Enamorada, Victoria? –sacudió la cabeza–. ¿De quién? En su colegio no hay chicos, y ella no tiene muchos amigos, que yo sepa.

Alexander se encogió de hombros.

–Tal vez de algún compañero de la clase de taekwondo. O tal vez –sonrió–, tal vez de ti, chico.

Jack sintió que se le aceleraba el corazón.

–¿De mí? No, eso no es posible. Siempre ha dejado claro que para ella, yo... –se interrumpió y concluyó, incómodo–: Da igual.

Le resultaba doloroso pensarlo. Era hermoso soñar que Victoria sentía algo especial por él, pero sabía que no era cierto. Apenas habían pasado unos días desde su regreso a Limbhad, y Jack no podía dejar de pensar en ella... pero la joven estaba cada vez más fría y distante.

–De todas formas, vete a hablar con ella –dijo Alexander–. Tienes que contarle lo del plenilunio.

Jack asintió, contento de tener una excusa para abandonar aquella conversación; si seguían hablando del tema, acabaría por contarle a Alexander todo lo que le pasaba por dentro, y no le parecía bien que Victoria no fuera la primera en enterarse. Porque, aunque tuvieran que pasar semanas, o meses, o años... algún día se lo diría, de eso estaba seguro.

Se incorporó de un salto y no tardó en marcharse de la habitación.

Cuando salió a la terraza, Victoria todavía seguía allí, tocando la flauta. Llevaba una bata blanca encima del pijama, y Jack pensó que debía de ser de noche en su casa. En cualquier caso, ella no tardaría en retirarse a su habitación de Limbhad a dormir, o bien a su refugio debajo del sauce. Últimamente pasaba mucho tiempo allí.

–Victoria –la llamó, acercándose.

Ella dejó de tocar, y Jack sintió como si hubiera roto un maravilloso hechizo. Victoria le dirigió una mirada extraña, melancólica, pero teñida de cariño. Jack se quedó sin respiración un momento.

–¿Estás bien? –preguntó–. Alexander y yo estábamos comentando que estás un poco rara estos días.

–Sí –dijo ella–. Solo me siento un poco cansada y, además... mi abuela está enfadada conmigo todavía, ya sabes... por lo de Seattle. Me ha castigado por faltar a clase.

–Bueno, siempre puedes escaparte aquí cuando ella esté dormida –sonrió Jack.

Hubo un breve silencio. Victoria seguía con la mirada perdida en el infinito, y Jack tuvo la incómoda sensación de que apenas le estaba prestando atención, como si sus pensamientos estuvieran en otra parte, muy lejos de allí. «Alexander se equivoca», pensó, desilusionado. «No está enamorada de mí. Es en otro en quien piensa». Aquella idea le hacía tanto daño que se obligó a sí mismo a centrarse en otra cosa.

–Tengo que contarte algo –dijo–. Algo acerca de Alexander.

Victoria se obligó a sí misma a escuchar.

–Está bien, ¿no? La herida se está curando y...

–No se trata de eso. Es sobre lo que le pasó en Alemania, hace dos años. Lo que le hizo Elrion. Introdujo en su cuerpo el espíritu de un lobo y lo convirtió en una especie de bestia.

–Lo sé –musitó ella con un escalofrío–. Lo vi, ¿recuerdas?

–Bien, pues... el lobo no se ha ido, ¿entiendes? Al menos, no del todo. Sigue ahí, aunque esté bajo control, solo que... a veces... se libera.

–¿Qué quieres decir?

–Que el lobo toma el control de su cuerpo... todas las noches de luna llena.

Victoria ahogó una exclamación de terror.

–¿Quieres decir que Alexander se ha convertido en un hombre-lobo?

Jack asintió. Le contó entonces cómo había sido el viaje desde Italia hasta Madrid, a finales de verano. El plenilunio los había sorprendido en Génova, y habían tenido que buscar un refugio para encerrar a Alexander mientras durase su transformación.

–Son tres noches –explicó Jack–. La luna llena, la anterior y la posterior. Encontramos una casa abandonada en el campo, y lo encerré allí, en el sótano. Alexander llevaba cadenas en su equipaje, ¿entiendes? Lo hace por precaución, para no hacer daño a nadie mientras es un lobo. Tuve que encadenarlo yo mismo y vigilar la puerta las tres noches.

–Debió de ser horrible –comentó Victoria con un estremecimiento.

Jack se encogió de hombros.

–Yo lo veo por el lado bueno –dijo–. Podría haber sido peor. ¿Recuerdas cómo estaba cuando lo sacamos de aquel castillo? Podría haberse quedado así para siempre.

Victoria asintió y le brindó una cálida sonrisa.

–Eso me gusta de ti –dijo–, que siempre ves el lado bueno de las cosas.

–Bueno –dijo Jack, azorado, desviando la mirada–. El caso es que... ya casi es luna llena y... le va a volver a pasar. Dentro de cinco días. Y le gustaría... a los dos nos gustaría –se corrigió– que no vinieses a Limbhad entonces.

–¿Por qué? –se rebeló ella–. No estoy indefensa, lo sabes. Podré defenderme de él si se enfurece, podré ayudarte a controlarlo...

–Sé que sabes defenderte –la tranquilizó él–. Lo demostraste el otro día frente a Kirtash. Le salvaste la vida a Alexander.

Victoria se encogió de hombros

–Estaba atenta, eso es todo.

Pero no pudo evitar pensar que después también le había salvado la vida a Jack, y no precisamente con el báculo, sino...

«Por el beso», había dicho ella. «Si ha significado algo para ti... no vayas a buscar a Jack esta noche».

Y Kirtash no había ido. ¿Quería decir aquello que de verdad sentía algo por ella? Solo de pensarlo, se le aceleraba el corazón.

Pero ¿y Jack? Había comprado la vida de Jack besando a su enemigo. Se estremeció pensando en la cara que pondría su amigo si lo supiera. Victoria sospechaba que Jack habría preferido enfrentarse a Kirtash aquella noche, fueran cuales fuesen las consecuencias, que permitir que Victoria le suplicase por su vida.

Avergonzada, la chica bajó la cabeza, incapaz de mirarlo a la cara. Cada vez que lo hacía, recordaba que lo había traicionado. Aunque no hubiera nada entre Jack y Victoria, aunque solo fueran amigos, el chico odiaba a Kirtash con todo su ser. Para Victoria, besar a Kirtash había sido como clavarle a Jack un puñal por la espalda.

–No es por ti –siguió diciendo el chico, ajeno al torbellino de emociones que sacudían el corazón de su amiga–. Alexander dice que tiene miedo de hacerte daño, pero creo que lo que le pasa, en el fondo, es que... no quiere que lo veas así.

Victoria se esforzó por centrarse en la conversación.

–Pero... tú te vas a quedar –logró decir.

–Porque alguien tiene que hacerlo. Vamos, Victoria, no es tan grave. Le harás un favor a Alexander, y creo que el pobre ya lo está pasando bastante mal.

Victoria esbozó una sonrisa forzada.

–Claro –dijo.

–Bien, pues... era eso solamente –murmuró Jack, incómodo–. No te molesto más.

Se levantó de un salto, pero Victoria lo retuvo cogiéndole del brazo.

–Jack...

Se miraron. Los ojos de ella estaban húmedos. A Jack se le encogió el corazón.

–¿Qué... qué te pasa?

Súbitamente, Victoria le echó los brazos al cuello y hundió la cara en su hombro, temblando. Jack, confuso, la abrazó, sintiendo que su corazón ardía como el núcleo de un volcán al tenerla tan cerca. Si de él hubiera dependido, ya no se habría separado de ella.

–Por favor –le susurró Victoria al oído–, por favor, Jack, no me odies...

–¿Qué...? –soltó Jack, perplejo–. ¿Odiarte, yo...? Pero si yo...

Iba a decirle que la quería más que a nada en el mundo, pero ella se separó de él con brusquedad y echó a correr hacia el interior de la casa. Y Jack se quedó allí plantado, en la terraza, muy desconcertado y preguntándose si todas las mujeres eran igual de complicadas, o era solo cosa de Victoria.

Victoria no volvió a Limbhad ni una sola noche en toda la semana, y Jack empezó a preguntarse si había hecho o dicho algo que la había molestado. Según fue pasando el tiempo, las dudas y la angustia lo atormentaban cada vez más, y tampoco lo ayudaba el hecho de que no podía salir de allí ni comunicarse con Victoria. La eterna noche de

Limbhad, sin ella, sin saber cuándo volvería, sin comprender qué pasaba por la mente o el corazón de su amiga, lo estaba volviendo loco. Así que decidió centrarse en otras cosas para no pensar más en ello.

Se acercaba el plenilunio. Alexander estaba cada vez más arisco y sus ojos empezaban a adquirir aquel brillo amarillento que denotaba la presencia de la bestia. La puerta del sótano llevaba mucho tiempo hecha añicos, y Jack y Alexander tuvieron que emplearse a fondo para repararla antes de que llegase la noche en que el joven se transformaría por completo. Aquellos días, los dos practicaron esgrima, se prepararon para el plenilunio y, sobre todo, hablaron mucho. Habían pasado muchas cosas en aquellos dos años, y ambos tenían muchas aventuras y vivencias que compartir.

Pero, a pesar de que Jack trataba de mantenerse ocupado, no podía dejar de pensar en Victoria.

Ella, por su parte, se encerró en su mundo y se sumió en una profunda melancolía. No prestaba atención en las clases y la riñeron más de una vez. Apenas tenía ganas de comer, y por las noches casi no dormía. Se pasaba el tiempo escuchando por los auriculares la música de Kirtash, cerraba los ojos y se dejaba llevar por ella, y soñaba con volver a verlo, y recordaba aquel beso, y deseaba que se repitiera. Y, cada vez que lo hacía, se sentía más y más miserable.

Su abuela notó que estaba distinta, extraña y melancólica, y trató de hablar con ella. Y aunque Victoria respondió con evasivas, a aquellas alturas Allegra sabía ya que lo que le ocurría a su niña era, simple y llanamente, que se había enamorado. Pero Victoria se sentía tan avergonzada que no contestó a las preguntas que ella le formuló al respecto. Su abuela la miró con un profundo brillo de comprensión en los ojos, como si pudiera leer en lo más hondo de su corazón, sonrió y le dijo:

–Tienes catorce años, sé que es una edad difícil y que lo estás pasando mal. Pero pasará, y tú serás mayor y más sabia. Solo ten paciencia...

Victoria asintió, pero no dijo nada. Y, cuando se quedó sola de nuevo, se preguntó con seriedad, por primera vez, si era verdad, si se había enamorado de Kirtash. El corazón le latió más deprisa, como cada vez que pensaba en él, y hundió la cabeza en la almohada. ¿Cómo podía haber hecho algo así? ¿Cómo había permitido que él la sedujese, que la engañara de esa manera? ¿Por qué? Se sentía débil e indigna de pertenecer a la Resistencia, y recordaba que Shail había muerto por salvarle la vida. Y a cambio, ella ¿qué hacía? Verse a solas con Kirtash, permitir que él la besara... enamorarse de él.

Deseó poder hablar con Jack y confesárselo todo, pero pensó que él no lo entendería. No porque no fuera comprensivo sino porque, simplemente, cualquier cosa que tuviera que ver con Kirtash, desde su música hasta el color de su ropa, lo sacaba de sus casillas. Y, en realidad, Victoria no podía culparlo por ello.

Aquella noche, después de dar muchas vueltas sin poder dormir, había tomado ya la determinación de olvidar para siempre a Kirtash, cuando él la llamó de nuevo.

Oyó su voz en algún rincón de su mente, y supo que él estaba cerca. Con el corazón latiéndole con fuerza, Victoria se levantó y se vistió, y luego salió en silencio de su habitación, caminando de puntillas para no hacer ruido.

Una vez fuera, alzó la vista hacia el cielo. Una bellísima luna llena brillaba sobre ella, y Victoria recordó entonces a Alexander, y a Jack, que se había quedado con él en Limbhad, y se preguntó si estarían bien.

Se apresuró a bajar la enorme escalinata y a seguir a su instinto. Y este la llevó directamente hasta Kirtash.

El joven la estaba aguardando en la parte posterior de la casa, donde había un mirador que dominaba un pequeño pinar. Se había sentado sobre el pretil de piedra y contemplaba la luna llena. Victoria avanzó y se sentó junto a él. Los dos se quedaron un momento callados, admirando la luna que lucía sobre ellos.

–Es hermosa la luna, ¿verdad? –musitó Victoria.

Kirtash asintió en silencio. Victoria lo miró, y se sorprendió de que alguien como él pudiera contemplar la luna llena de aquella manera, como hechizado por su belleza. El joven se dio cuenta de que ella lo observaba, y se volvió para mirarla.

–Victoria –dijo solamente.

–Kirtash –dijo ella; era la primera vez que pronunciaba su nombre ante él, y, por alguna razón, le supo amargo.

–¿Por qué has venido?

–Porque tú me has llamado –respondió Victoria con suavidad, como si fuera evidente–. ¿Por qué no mataste a Jack la otra noche?

–Porque tú me pediste que no lo hiciera.

El corazón de Victoria latía con tanta fuerza que le pareció que se le iba a salir del pecho. No era posible que las respuestas a aquellas preguntas fueran tan simples, tan directas, tan obvias. No era posible... que ambos sintieran algo el uno por el otro.

Y, sin embargo...

Hechizada por la mirada de aquellos ojos de hielo, Victoria pronunció de nuevo su nombre, con un susurro que acabó en un suspiro:

–Kirtash... –se esforzó por liberarse de aquel embrujo, y preguntó–: ¿Qué significa tu nombre?

El muchacho calló un momento antes de contestar:

–Procede de una variante del idhunaico antiguo –dijo–. Significa «serpiente».

–No me gusta –dijo Victoria con un escalofrío–. ¿Puedo llamarte de otra manera?

Él se encogió de hombros.

–Como quieras. No es más que un nombre. Como Victoria –la miró con intensidad, y ella sintió que enrojecía–. No es más que un nombre, ¿no es cierto? Lo importante es lo que somos por dentro.

La chica desvió la mirada, sin entender del todo lo que quería decir.

–En la Tierra se te conoce como Chris Tara –murmuró–. ¿Por qué elegiste ese nombre?

–Yo no lo elegí. Mi representante no sabía pronunciar mi nombre, y lo cambió por ese. Me dio igual. Como ya te he dicho, no es más que un nombre.

–¿Qué significa Chris? ¿Christopher, Christian...?

–Como gustes.

–¿Christian? ¿Puedo llamarte Christian?

–No me define muy bien, ¿verdad? Yo diría que Kirtash cuadra más con mi personalidad –añadió él con cierto sarcasmo.

–Pero, como tú mismo has dicho –señaló Victoria–, no es más que un nombre.

El muchacho la miró con una media sonrisa.

–Llámame Christian, entonces. Si eso te hace sentir mejor. Si eso te hace olvidar quién soy en realidad: un asesino idhunita enviado para mataros a ti y a tus amigos.

Victoria desvió la mirada, incómoda.

–Yo, en cambio, seguiré llamándote Victoria, si no te importa –añadió él–. También me hace olvidar que tengo que matarte.

La muchacha sacudió la cabeza, confusa.

–Pero tú no quieres matarme –dijo.

Hubo un largo silencio.

–No –dijo Christian finalmente–. No quiero matarte.

–¿Por qué no?

Él se volvió hacia ella, alzó la mano para coger su barbilla y le hizo levantar la cabeza, con suavidad. Pareció que buceaba en su mirada durante un eterno segundo. Pareció que se inclinaba para besarla, y Victoria sintió como si el corazón le fuera a estallar.

Pero él no la besó.

–Haces muchas preguntas –observó.

–Es natural –respondió ella, apartando la cara y tratando de ocultar su decepción–. No sé nada de ti. En cambio, tú lo sabes todo acerca de mí.

–Eso es cierto. Sé cosas que ni tú misma sabes todavía. Pero siempre hay algo nuevo que aprender. Como esa casa, por ejemplo –añadió, señalando hacia la mansión.

–¿Qué le pasa a la casa?

–Tiene una especie de aura benéfica que te protege. Me resulta desagradable.

–No es más que la casa de mi abuela –murmuró Victoria, perpleja.

–Claro, y esa mujer no es más que tu abuela –comentó Christian, sonriendo con algo de guasa–. De todas formas, vivir aquí es bueno para ti. Te guardará de muchos peligros.

–¿También de ti?

Christian la miró de nuevo con aquella intensidad que la hacía estremecer.

–Pocas cosas pueden protegerte de mí, Victoria, y esa casa no es una de ellas. Como ves, estoy aquí.

Victoria desvió la mirada.

–¿Por qué me dices esas cosas? Me confundes. No sé lo que siento, y tampoco sé lo que sientes tú.

Christian se encogió de hombros.

–¿Acaso importa?

–¡Claro que importa! No puedes seguir jugando conmigo, ¿sabes? Tengo sentimientos. Puede que tú no los tengas, pero debes entender que yo... necesito saber a qué atenerme. Quiero saber qué sientes por mí, quiero saber si te importo de verdad, yo...

Se interrumpió, porque él la había agarrado del brazo y se había acercado a ella, tanto que podía sentir su respiración.

–Sabes que tengo que matarte –siseó Christian–, y no lo he hecho todavía. Ni tengo intención de hacerlo, y no te imaginas la de problemas que me puede acarrear eso. ¿Me preguntas si me importas? ¿A ti qué te parece?

La soltó, y Victoria respiró hondo, aturdida y con el corazón latiéndole con fuerza. Tardó un poco en recuperarse y, cuando lo hizo, miró otra vez a Christian. Pero él se había vuelto de nuevo hacia delante y seguía contemplando la luna, serio, inmóvil como una estatua de mármol.

–Pero eso no va a cambiar las cosas –dijo ella en voz baja–. Lo que sintamos los dos, quiero decir. Porque tú seguirás luchando contra nosotros, ¿verdad?

–Y tú seguirás escondiéndote en Limbhad –respondió él sin volverse–. Lo cual es bueno, hasta cierto punto. Porque de momento funciona..., pero verás, Victoria, no podrás esconderte siempre. Si no soy yo, vendrá otro a matarte. Alguien ha decidido que debes morir, y no va a detenerse hasta que lo consiga. La única manera de escapar de la muerte es uniéndote a nosotros –se giró hacia ella para mirarla a los ojos–. Ya te lo dije una vez, pero te lo vuelvo a repetir: ven conmigo.

La mirada de él era intensa, electrizante, pero también sugerente y llena de promesas y velados misterios. Victoria supo que había quedado cautivada por aquella mirada y que, pasara lo que pasase, no la olvidaría jamás.

–¿A Idhún? –preguntó con un hilo de voz.

–A Idhún –confirmó Christian.

Se separó de ella, y Victoria se sintió sola y muy vacía de pronto. Se preguntó cómo sería Idhún, aquel mundo del que tanto había oído hablar, pero que todavía no conocía. Recordó entonces que había sido invadido por los sheks, las monstruosas serpientes aladas.

–¿Alguna vez has visto un shek, Christian?

Él la miró como si se riera por dentro.

–Sí, muchas veces.

–Y... ¿cómo son?

–No tan horribles como imaginas. Son... hermosos, a su manera.

Victoria iba a comentar: «Jack odia a las serpientes», pero se mordió la lengua a tiempo. Intuía que no era una buena idea mencionar a Jack.

Pensar en Jack le hizo recordar que, si se iba con Christian, no volvería a ver a sus amigos. Peor aún, los traicionaría. Y aquella perspectiva le parecía aún más espantosa que la idea de morir a manos de Christian. Confusa y avergonzada, deseó por un momento que él la hubiera matado cuando tuvo ocasión. Las cosas habrían sido mucho más sencillas.

Trató de apartar aquellos pensamientos de su mente.

–Y... ¿conoces a Ashran el Nigromante? ¿En persona?

Hubo un breve silencio.

–Sí –dijo Christian al fin–. Lo conozco muy bien –se volvió hacia ella, sonriendo–. Es mi padre.

Victoria lo miró, atónita.

–¿Qué? –pudo decir.

Se puso en pie de un salto y retrocedió un par de pasos, temerosa. Christian... Kirtash... el hijo de Ashran el Nigromante... Aquello la había cogido completamente por sorpresa y, sin embargo, tenía sentido y explicaba muchas cosas.

Sin dejar de sonreír, Christian se levantó también y se acercó a ella. Victoria quiso seguir retrocediendo, pero topó con el antepecho del mirador y, cuando se quiso dar cuenta, Christian estaba muy cerca de ella, mirándola a los ojos.

–¿Crees que no cumplo mis promesas? –susurró–. Te dije que, si venías conmigo, serías la emperatriz de Idhún, a mi lado. ¿Creías que estaba mintiendo? Nuestro mundo, Victoria, es inmenso, es hermoso, y nos pertenece, a ti y a mí, a los dos, si lo deseas.

–Pero... –musitó Victoria, desolada–. No puedo...

Por alguna razón, la imagen de Jack no se le iba de la cabeza, Jack sonriendo, Jack mirándola con aquella chispa de cariño en sus ojos verdes...

–No puedo... –susurró.

Y miró a Christian, y vio que él seguía observándola, y por primera vez vio con claridad que sus ojos azules, habitualmente fríos como cristales de hielo, estaban llenos de ternura.

–No... –dijo.

Pero, cuando Christian se inclinó para besarla, Victoria le echó los brazos al cuello y se acercó más a él, y cerró los ojos, y se dejó llevar; y cuando los labios de él rozaron los suyos, fue como una especie de descarga que la hizo estremecerse de arriba abajo. Se abandonó a aquel beso, sintiendo que se derretía, y, cuando finalizó, los dos se abrazaron, temblando, bajo la luna llena. Victoria ya no se acordó de Jack, ni de Alexander, ni de Shail, ni tampoco de Idhún, ni de Ashran el Nigromante, cuando apoyó la cabeza en el hombro de Christian y le susurró al oído:

–Te quiero.

Él no dijo nada, pero la estrechó con fuerza.

Ninguno de los dos vio la sombra que los observaba desde una de las ventanas de la mansión.

VI
Su verdadera naturaleza

Jack blandió el garrote, respirando entrecortadamente. La bestia lo observó con cautela, pero sin dejar de gruñir por lo bajo.

–Alexander, no –dijo el muchacho, aunque sabía que aquella cosa no era Alexander y, por tanto, no iba a escucharlo.

La primera noche, las cadenas habían aguantado de milagro. Pero aquella segunda noche, el lobo había hecho acopio de fuerzas y, tras varias horas tirando, mordiendo, royendo y tratando de sacudírselas de encima, había logrado liberarse de su encierro.

Jack podía haberlo matado. Podía haber blandido a Domivat; hasta el más leve roce de su filo habría hecho que el lobo estallase envuelto en llamas, si Jack hubiese querido.

Pero el chico no podía enfrentarse a él de esa manera, porque sabía que bajo la piel de la bestia se ocultaba Alexander, su amigo, su maestro.

El lobo gruñó de nuevo y saltó hacia él. Jack intentó esquivarlo y logró golpearlo con fuerza; pero el lobo aterrizó sobre sus cuatro patas, sacudió la cabeza y volvió a la carga.

Jack no quería hacerle daño; pero, si no lo detenía, el lobo acabaría por matarlo a él.

Era una bestia magnífica, un enorme lobo gris de fuertes patas, poderosos colmillos y afiladas zarpas. Pero su instinto le pedía sangre, y Jack estaba demasiado cerca. El chico blandió el garrote como si fuera una espada y golpeó al lobo en el estómago. No sin satisfacción, lo vio caer hacia atrás, con un quejido. Pero no era suficiente. Con un grito salvaje, Jack se arrojó sobre la bestia y cayó sobre su lomo para tratar de sujetarlo. Las patas del animal se doblaron bajo el peso del muchacho, pero giró la cabeza y trató de morderlo. Su mandíbula se cerró en torno al antebrazo de Jack, que gritó de dolor e intentó sacudírselo de encima. Se levantó de un salto y retrocedió, sujetándose el brazo herido y observando al lobo con cautela. El garrote había quedado en el suelo, lejos de él.

Jack inspiró hondo, sin apartar los ojos del animal, que gruñía por lo bajo, dispuesto a saltar sobre él.

–Alexander... –dijo el chico–. Reacciona, por favor. Soy yo, Jack.

Se sintió ridículo. Era obvio que no podía escucharlo. Retrocedió unos pasos, a la par que el lobo avanzaba hacia él. Se dio cuenta de que se preparaba para saltar, y pensó que solo tendría una oportunidad. Tensó los músculos y esperó el momento adecuado.

El lobo saltó sobre él. Jack siguió esperando, calculó la distancia y, cuando ya lo tenía casi encima, se apartó de su trayectoria con un brusco giro de cintura. Se lanzó sobre el animal, rodeando su peludo cuerpo con ambos brazos, y le hizo caer al suelo. Los dos rodaron sobre la hierba. Una de las zarpas del lobo desgarró el jersey de Jack, que lanzó un quejido de dolor cuando las uñas de la bestia rasgaron su piel bajo la lana. Pero no perdió la concentración. Haciendo un supremo esfuerzo, rodeó con ambos brazos el cuello del lobo, y lo estrechó con fuerza. La criatura gimió y se debatió, pero pronto dejó de moverse porque, cuanto más lo hacía, más le costaba respirar; aún tuvieron que transcurrir algunos minutos más hasta que ambos se quedaron inmóviles.

–¿Ya? –jadeó Jack–. ¿Te has divertido bastante?

El lobo gruñó por lo bajo. Jack sintió que se relajaba, y agradeció, aliviado, la llegada del amanecer. Allí, en Limbhad, siempre era de noche, pero el muchacho podía detectar cuándo terminaba el ciclo del licántropo, porque el lobo siempre parecía debilitarse antes de transformarse de nuevo en hombre... en Alexander.

Jack soltó a la bestia, que gruñó de nuevo; pero no debía de tener fuerzas para levantarse, porque se tumbó sobre la hierba y se limitó a lanzarle una hosca mirada.

Jack miró su reloj, que había sincronizado con la hora de Alemania. Eran casi las siete. Estaba a punto de amanecer. Sacudió la cabeza agotado y, cojeando, entró en la casa para ir a buscar el botiquín y las ropas de Alexander.

Cuando regresó, el lobo seguía echado sobre la hierba, y esta vez ni siquiera alzó la mirada cuando Jack le puso una manta por encima. El muchacho se tumbó en la hierba, boca arriba; tenía la carne del brazo desgarrada por un mordisco del lobo, y el pecho todavía le escocía, allí donde las garras de la criatura lo habían alcanzado. Pero no tenía fuerzas para levantarse de nuevo, así que cerró los ojos y suspiró.

–Menuda nochecita, ¿eh?

–Y que lo digas –gruñó el lobo con la voz de Alexander–. ¿Cómo diablos he conseguido romper esas cadenas?

–Dímelo tú –murmuró Jack; le dolía todo el cuerpo porque, además de los mordiscos, tenía arañazos y contusiones por todas partes. Con todo, no le preocupaba llegar a convertirse en un licántropo como Alexander, porque el estado de este no había sido provocado por la mordedura de otro hombre-lobo, sino por un conjuro de nigromancia fallido.

Alexander se incorporó un poco; volvía a ser él, pero tenía el cabello revuelto, y sus ojos aún relucían de manera siniestra.

–Habrá que buscar otra manera –dijo.

Jack bostezó.

–¿Otra manera? ¿Cadenas más fuertes, quieres decir? ¿O un somnífero? Eh, mira, eso es una buena idea, ¿por qué no se nos habrá ocurrido antes?

Alexander lo miró un momento, pensativo; admiraba el buen humor con que Jack se había tomado todo aquello.

–Estás destrozado, chico. Será mejor que entremos a curarte esas heridas.

Jack se incorporó con esfuerzo y alcanzó el botiquín.

–Mira lo que he traído –dijo enseñándoselo–. Soy un chico previsor.

Alexander sonrió. Mientras desinfectaba la mordedura del brazo con agua oxigenada, Jack se acordó de Victoria.

–¿Crees que Victoria volverá? –dijo–. Hace una semana que no viene por aquí.

–Le dijiste que no viniera, ¿no?

–Sí, pero... me refería a ayer, y a hoy, y hace siete días que dejó de aparecer por Limbhad. Me pregunto si dije algo que le molestara, porque... bueno, ella estaba muy rara y yo sé que a veces soy un poco bocazas...

–Volverá, Jack –lo tranquilizó Alexander–. No podemos salir de aquí si ella no vuelve. Y lo sabe. ¿Crees que nos abandonaría de esa manera?

–Tienes razón –murmuró Jack–. Es solo que... a veces... bueno, últimamente tengo la sensación de que la estoy perdiendo y... no sé qué debo hacer.

Alexander inspiró hondo y cerró los ojos. Se preguntó qué se suponía que tenía que decir. Estaba claro que Jack le estaba pidiendo consejo, pero a él nunca se le habían dado bien ese tipo de cosas.

–Tal vez deberías decirle lo que sientes por ella –opinó por fin.

Jack sonrió. No le sorprendió que Alexander se hubiera dado cuenta. A él le parecía que era muy evidente; desde su punto de vista, lo raro era que Victoria no se hubiera dado por enterada todavía.

–¿Lo que siento por ella? –repitió–. No querría saberlo, te lo aseguro. Está muy fría conmigo. Dos años han sido demasiado tiempo. Está claro que solo me quiere como amigo, y si ahora voy y le digo todo lo que me pasa por dentro cuando pienso en ella... saldrá corriendo.

–¿Por qué estás tan seguro?

–Porque ella está enamorada de otra persona, Alexander.

–Pues hace dos años estaba enamorada de ti.

Jack se volvió hacia él, extrañado.

–La noche en que me marché de Limbhad –explicó Alexander–, Victoria me dejó salir. ¿Y sabes por qué? Le dije que la bestia que había en mí te mataría. Tú estabas delante cuando se lo dije.

–Sí, lo recuerdo.

–Entonces olí su miedo, su pánico, su desesperación. No había tenido tanto miedo de mí hasta entonces, hasta el momento en que pronuncié aquellas palabras. Si me dejó marchar fue para protegerte a ti, Jack. Solo a ti.

Jack cerró los ojos, mareado. Recordaba perfectamente aquel momento. Apenas unas horas después, él mismo se había marchado de Limbhad, en pos de su amigo, dejando atrás a Victoria.

–Y tú te fuiste y la dejaste sola –concluyó Alexander, como si hubiese adivinado sus pensamientos.

–Eso, hazme sentir más culpable todavía –murmuró el chico; suspiró y añadió, pesaroso–: En aquel momento la perdí para siempre, ¿verdad?

–Yo no estaría tan seguro. Creo que sigues siendo muy especial para ella.

Jack respiró hondo, pero no dijo nada. Era mejor no hacerse ilusiones.

Volvió la mirada hacia la balaustrada de la terraza, donde había visto a Victoria por última vez, y la imaginó allí de nuevo, vestida de blanco, tocando la flauta. Casi pudo volver a oír su melodía, y se preguntó cómo había podido pasar dos años enteros sin ella.

–¿Sabes para qué servía esa terraza? –preguntó entonces Alexander; como Jack negó con la cabeza, el joven explicó–: Hubo una época en la que los dragones pasaron de Idhún a la Tierra, y de vez en cuando venían a Limbhad. La terraza de la casa se construyó para que pudieran posarse sin problemas.

–Como una pista de aterrizaje –murmuró Jack, pero Alexander no lo entendió; el chico se volvió entonces hacia él, recordando una cosa–. ¿Cómo encontraste al dragón, Alexander? Me refiero al dragón que estamos buscando.

–No recuerdo muchos detalles –replicó él, pensativo–. Traté de olvidarlo todo, por si me capturaban... No quería que Kirtash leyese en mi mente nada referente al dragón. No quería darle pistas.

–¿Por eso nunca hablas de ello?

Alexander asintió.

–Pero, no sé por qué, ya no me parece tan importante.

Jack aguardó. Alexander volvió a recostarse sobre la hierba y empezó a hablar.

–Solo recuerdo que me dirigí al sur, a Awinor, el reino de los dragones. Fuimos muchos los que partimos en aquella búsqueda, porque había que salvar a un dragón, al menos a uno solo, para que la profecía pudiera cumplirse.

»Pero no quedaban dragones. Por alguna razón, la luz de los seis astros entrelazados en el firmamento resultaba mortífera para ellos. Simplemente... estallaban en llamas. Y caían desde el cielo como meteoros. Pronto, Awinor entero ardió también. Y la tierra de los dragones murió con ellos.

Jack sintió una especie de nudo en el estómago, pero quería conocer el final de la historia, y no lo interrumpió.

–Cuando yo llegué a Awinor –prosiguió Alexander–, aquello ya no era más que un páramo yermo cubierto de ceniza. Había restos de dragones por todas partes. Era espantoso.

»Pero seguí buscando y, no sé cómo ni por qué razón, encontré un nido. En circunstancias normales, no se me habría ocurrido entrar, puesto que los dragones guardan celosamente sus huevos, pero estaba desesperado, el tiempo se agotaba y, en el fondo, sabía que ya no quedaba ningún dragón que pudiera castigarme por mi atrevimiento.

»Los huevos estaban todos abiertos. Las crías habían muerto todas. Algunas ni siquiera habían llegado a salir totalmente del cascarón.

»Pero al fondo vi un huevo intacto, y algo que rascaba dentro. Esperé... y, cuando la cáscara se quebró, salió del interior una cría de dragón. Estaba débil y temblorosa, pero vivía. Y era un dragón dorado.

–¿Qué tiene de especial un dragón dorado?

–Son una rareza, Jack. Normalmente, los dragones no tienen colores metálicos. Pero a veces nace un dragón con escamas de tonos dorados, o plateados, uno entre diez mil, tal vez... no me preguntes por qué, pero son especiales. Los dragones creen que las crías que nacen con esos colores están destinadas a hacer grandes cosas. Y por eso supe, de alguna manera, que aquel dragón viviría, y que era el dragón de la profecía.

»Y el resto, ya lo sabes. Lo llevé a la Torre de Kazlunn. Sobrevivió al viaje. Y –añadió, tras un breve silencio– espero que haya sobrevivido a la Tierra.

Jack asintió y se quedó un momento callado, pensando. Luego preguntó:

–¿Le pusiste nombre?

Alexander sonrió con nostalgia.

–Bueno, nunca se lo he contado a nadie –confesó–, porque se supone que era algo entre él y yo. Lo llamé... no te rías... lo llamé Yandrak.

Jack se rió. «Yandrak» significaba «Último Dragón» en idhunaico.

–Nunca he tenido demasiada imaginación –se excusó Alexander.

–Es un nombre apropiado –opinó Jack–. Es lo que es. ¿Donde crees que estará Yandrak ahora? ¿Qué crees que estará haciendo?

–Tal vez –sonrió Alexander–, tal vez esté contemplando las estrellas, como nosotros.

–¿Las estrellas de Idhún, o las de la Tierra?

–Las estrellas, sin más.

Victoria volvió a Limbhad dos días más tarde. Jack pensó que ella parecía más feliz que en su último encuentro, en la terraza. Pero, por alguna razón, lo evitaba y no lo miraba a los ojos, y Jack no sabía qué pensar. Seguía creyendo que Victoria sentía algo por otra persona, pero... ¿por qué se comportaba así con él? Ambos hechos no parecían tener relación. «Tengo que hablar con ella», se dijo el chico.

La ocasión se presentó muy pronto. Una de las primeras cosas que hizo Victoria fue sanar las heridas de Jack, y para ello se lo llevó a su refugio, debajo del sauce, donde su magia funcionaba mejor. Jack la contempló en silencio mientras la magia de su amiga recorría su cuerpo. Era una sensación dulce, cálida y muy agradable. El chico deseó que aquel momento no acabara nunca. Pero sus heridas se estaban cerrando y, cuando la curación finalizara, regresarían a la casa, y la oportunidad habría pasado. De modo que, cuando ella terminó, y antes de que dijera nada, Jack preguntó:

–Victoria, ¿estás enfadada conmigo?

–¿Qué? –Victoria lo miró, confusa–. No, Jack, no estoy enfadada contigo.

–¿Por qué te comportas así, entonces? ¿Por qué no puedes mirarme a la cara ni estar en la misma habitación que yo?

Victoria le dio la espalda con brusquedad. Pero Jack ya había visto sus ojos llenos de lágrimas. Se sentó junto a ella y le pasó un brazo por los hombros.

–Lo siento, no quería ser brusco. Por favor, dime qué te pasa. No me gusta verte así. Si es culpa mía...

–No es culpa tuya –suspiró ella.

Se recostó contra él y cerró los ojos. Dejó que Jack la reconfortara con su abrazo.

–He hecho algo muy malo, Jack –susurró Victoria–. No podrás perdonarme nunca.

–Qué... qué tonterías dices –replicó él, confuso–. Todo el mundo mete la pata alguna vez y, además, seguro que no es tan grave.

–Sí que lo es. Y lo peor de todo es que no he podido... o no he sabido evitarlo.

–¿Quieres... quieres contármelo?

–Quiero contártelo –asintió ella–, pero sé que no soportaré mirarte a la cara después. No estoy preparada, Jack. No quiero perderte.

Jack cerró los ojos y la abrazó con fuerza. «Yo tampoco quiero perderte a ti», pensó. «Y siento que te vas... muy lejos. Me gustaría saber dónde estás ahora. Y si puedo acompañarte».

Pero no lo dijo en voz alta.

–No vas a perderme, Victoria –le aseguró–. Estoy aquí, ¿ves? Y estaré aquí... siempre que me necesites. Esperando a que vuelvas... de dondequiera que estés en estos momentos.

–Pero... pero si estoy aquí –murmuró ella, perpleja. Pero Jack negó con la cabeza.

–No, no estás aquí. Estás muy lejos... donde yo no puedo alcanzarte.

A Victoria se le llenaron los ojos de lágrimas.

–Tienes razón, Jack. Estoy muy lejos... en el último lugar donde te gustaría verme. Por eso... no merezco que me hables así, no merezco tu cariño ni tu amistad.

Se separó bruscamente de él, se levantó de un salto y echó a correr hacia la casa. Jack se incorporó.

–¡Victoria! –la llamó, pero ella no se detuvo.

No podía dejarla así. No soportaba verla sufrir de esa forma, quería mecerla entre sus brazos, tranquilizarla, susurrarle al oído palabras de consuelo... hacer lo que fuera para que se sintiera mejor.

Corrió tras ella, trató de alcanzarla, pero ella ya había entrado en el edificio, y Jack intuía dónde iba a encontrarla. Subió rápidamente a la biblioteca y llegó a verla rozando con los dedos la esfera en la que se manifestaba el Alma de Limbhad. Jack sabía que regresaba a su casa, pero temió que tardara varios días en volver, como la última vez, y él no podía esperar tanto tiempo. Corrió hacia ella y alargó la mano para cogerla del brazo, pero no llegó a rozarla. Sin embargo, sin quererlo introdujo la mano en la esfera, y su luz lo deslumbró. Sintió que todo daba vueltas, y que el Alma le preguntaba, sin palabras, adónde deseaba ir. Jack percibió su desconcierto, pero él mismo tampoco podía explicar cómo había logrado contactar con ella, y solo pudo suponer que la magia de Victoria seguía activa cuando él había tocado la esfera. «Con Victoria», pensó, pero luego se corrigió: «A la casa de Victoria».

Cuando todo dejó de dar vueltas, se encontró de pronto en una habitación oscura y silenciosa. Miró a su alrededor, incómodo, y reconoció algunas de las pertenencias de su amiga, por lo que supuso que se encontraba en el cuarto que tenía Victoria en la mansión de su abuela. Buscó a la muchacha, pero no estaba allí. Vio que el despertador de la mesilla marcaba las dos de la madrugada. Se preguntó dónde habría ido Victoria, y si se había equivocado al pedirle al Alma que lo llevara hasta allí.

Reflexionó. Tenía dos opciones: esperar allí a que volviese Victoria, que regresaría tarde o temprano (y arriesgarse a ser descubierto por su abuela) o salir a explorar los alrededores, para ver si la veía (y arriesgarse a ser descubierto por su abuela, de todos modos).

Optó por la segunda alternativa. La casa parecía estar en silencio; todos estarían durmiendo y, por otro lado, si tenían que encontrarlo allí, prefería que fuera en cualquier parte excepto en la habitación de Victoria. Sería muy embarazoso.

De modo que salió al pasillo, intentando no hacer ruido, y buscó la puerta de salida.

Victoria bajó deprisa por la escalera de piedra hasta el pinar que se extendía más allá de la mansión. Por alguna razón, el bosque la llamaba. Habría deseado permanecer bajo el sauce de Limbhad un buen rato más, pero, simplemente, no podía estar cerca de Jack sin que los remordimientos la atormentaran cada vez más. Sintió una cálida emoción por dentro al recordar la sinceridad y la dulzura con que él había dicho: «Estaré aquí... siempre que me necesites. Esperando a que vuelvas... de dondequiera que estés en estos momentos». Pero él no sabía..., porque, si supiera...

Se dejó caer sobre la hierba, bajo un árbol, temblando. Se sentía confusa y desorientada. Las emociones la sobrepasaban y le costaba pensar con claridad.

–Es duro pensar que estás traicionando a tu gente.

La voz de Christian la sobresaltó. Alzó la cabeza y lo vio de pie, junto a ella, apenas una sombra recortada contra la luz de las estrellas.

–Sí –murmuró Victoria–. ¿Sabes cómo me siento?

Christian se sentó junto a ella y asintió en silencio.

–Pero ¿cómo puedes saberlo?

–Ya te dije una vez que tú y yo no somos tan diferentes.

Victoria recordó entonces cómo su música le había llegado al corazón. Y alzó la cabeza para preguntarle algo que llevaba tiempo rondándole por la cabeza.

–¿Por qué cantas?

Christian se encogió de hombros.

–Supongo que porque necesito expresar una serie de cosas. ¿Te gusta mi música?

–Sí –confesó ella con cierta timidez–. Me gustaba mucho antes de saber que eras tú el que cantaba. Me gusta, sobre todo, *Beyond*. No puedo parar de escucharla.

Christian sonrió.

–*Beyond*... –repitió–. La compuse pensando en ti.

El corazón de Victoria se aceleró.

–¿Pensabas en mí ya entonces?

–He pensado mucho en ti –respondió él–, desde aquella noche en que pude matarte y no lo hice. Aquella noche en que *debí* matarte. Pero me intrigas, Victoria, y me fascinas, y cada vez que miro en tu interior siento ganas de protegerte.

Victoria suspiró y apoyó la cabeza en el hombro de Christian. Él vaciló, como si no le gustara el contacto, pero no se movió.

–¿Crees que es amor? –se atrevió a preguntar.

–No encuentro necesario buscarle un nombre –replicó él–. Es lo que es.

–Sí –musitó Victoria–, supongo que sí. Pero hay tantas cosas de ti... que no comprendo, que me dan miedo... y que no puedo perdonarte.

–Lo sé.

–Y no sé cómo puedo sentir lo que siento, sabiendo lo que sé de ti.

Christian se volvió para mirarla.

–Es más lo que no sabes de mí que lo que crees que sabes –dijo con suavidad–. Pero la pregunta es: ¿qué te importa más: mi vida y mis circunstancias, o tus sentimientos?

Ella vaciló.

–Todo es importante –se defendió.

–Todo es importante –repitió Christian en voz baja–. ¿Hasta qué punto? Yo también me lo he preguntado. Sabiendo lo que sé de ti, debería haberte matado. Debería hacerlo ahora mismo..., pero no lo he hecho, y estoy empezando a asumir que nunca lo haré. ¿Y todo por qué? –la miró de nuevo, intensamente–. Por un sentimiento. Dime, ¿vale la pena?

–No lo sé. Yo... oh, no lo sé. La razón me dice que debo odiarte. Pero el corazón...

No terminó la frase.

Christian se puso en pie de un salto, y Victoria lo imitó.

–¿Qué puedo esperar de ti? –le preguntó.

–¿Preguntas qué te ofrezco? –dijo él con una media sonrisa–. No estaré siempre a tu lado. No seré un compañero con el que puedas contar en todo momento. Siempre he sido un solitario, no estoy hecho para compartir mi vida con otra persona. Pero, a pesar de todo, esté donde esté, tendré un ojo puesto en ti. Y te protegeré con mi vida si es necesario. Por un sentimiento.

Victoria calló, confusa.

–¿Qué puedo esperar yo de ti? –preguntó entonces él.

–Me pides que abandone a la Resistencia –murmuró ella–. A mis amigos.

–¿Les has hablado de mí a tus amigos?

–No –confesó Victoria–. No lo entenderían.

Christian asintió, sin una palabra. Se volvió hacia ella, la miró a los ojos, le acarició la mejilla con suavidad, con dulzura. Victoria se estremeció entera.

–Me gusta que hagas eso –susurró.

–Lo sé –se limitó a decir él.

–Aunque luego vuelva a casa –dijo Victoria–, aunque recupere la cordura y me dé cuenta de que no debería estar aquí... aunque decida regresar a Limbhad y volver a luchar contra ti... ahora... son mis sentimientos los que mandan.

–Lo sé –repitió Christian, con suavidad–. Entonces, olvida ahora quién soy y lo que he hecho, y déjate llevar por tu corazón.

Se inclinó para besarla, y Victoria se arrimó más a él, sintiendo, una vez más, que el corazón le iba a estallar. Cerró los ojos y disfrutó de la sensación, y deseó que aquel momento no acabara nunca.

Pero acabó.

Victoria sintió la tensión de Christian, sintió su ira contenida, apenas un instante antes de que se separara de ella con brusquedad. Y, cuando abrió los ojos y miró un poco más allá, hacia el sendero que llevaba a la casa, el universo entero pareció congelarse.

Porque allí estaba Jack, mirándolos.

Jack no pensó ni por un momento que fuera culpa de Victoria. A pesar de que los había sorprendido en una actitud tan tierna como la de cualquier pareja de enamorados, en realidad lo único que veía era que Kirtash estaba con Victoria, la había seducido, la había engañado, y aquello no podía ser para bien. Tuvo miedo de que él hiciera daño a

Victoria de alguna manera, que hiciera daño a la persona que más le importaba en el mundo. Su instinto se disparó, y su instinto le decía que Victoria estaba en peligro.

Y eso lo volvió loco.

Y, a pesar de ir completamente desarmado, se lanzó sobre su enemigo con un grito salvaje, para matarlo antes de que le hiciera daño a su amiga, para acabar con él antes de que Victoria saliese perjudicada.

Todo fue muy rápido. Victoria vio cómo Jack chocaba contra Christian y ambos rodaban por el suelo.

–¡Te mataré! –aulló Jack.

Victoria se quedó parada, sin saber qué hacer. Los había visto luchar anteriormente, con espadas, ejecutando movimientos ágiles y elegantes. Pero ahora peleaban a puñetazos, a patadas, como podían.

Christian se revolvió como una anguila y logró quitarse a Jack de encima. De alguna manera, había conseguido extraer un puñal de alguna parte, y ahora lo blandía en alto. En sus ojos acerados brillaba el destello de la muerte, y Victoria supo que, en esta ocasión, no dudaría en utilizar la daga.

Pero Jack estaba desatado, y algo en su interior estalló como un volcán.

Conocía la sensación. Solo la había experimentado dos o tres veces en su vida, pero no la había olvidado. Cuando se dio cuenta de lo que le estaba sucediendo, quiso volver atrás, pero ya era tarde. Había algo dentro de él que exigía ser liberado, y Jack gritó, sin poder evitarlo.

Y su cuerpo generó a su alrededor una especie de anillo de fuego, que se expandió por el aire como una oleada mortífera.

Jack vio entonces algo que lo perseguiría durante mucho tiempo en sus peores pesadillas. Vio el rostro aterrado de Victoria que, paralizada de miedo, tenía los ojos fijos en la llamarada incendiaria que Jack había enviado directamente hacia ella. El chico solo pudo gritar su nombre:

–¡¡VICTORIA!!

Todo fue muy confuso. Victoria sintió que Christian se lanzaba sobre ella para protegerla del fuego con su propio cuerpo, y los dos cayeron al suelo. El fuego pasó por encima de ambos, golpeó los árboles más cercanos y los hizo estallar en llamas.

La muchacha intentó incorporarse, aturdida. Christian ya se había puesto en pie de un salto, con la agilidad que era propia de él, y, a pesar de que estaba de espaldas a Victoria, ella percibió que hervía de ira. Se sintió inquieta; jamás lo había visto así, pero intuía qué era lo que lo había puesto tan furioso.

Jack, muy desconcertado, se había quedado de pie, un poco más lejos. Toda su ira parecía haberse esfumado; se sentía débil de pronto, y le temblaban tanto las piernas que cayó de rodillas sobre la hierba. No sabía qué le había pasado, ni por qué. Y, en el fondo, no le importaba.

Porque Victoria estaba bien, a salvo, y eso era lo único en lo que podía pensar.

En eso, y en que Kirtash había salvado la vida de su amiga... una vida que él, que tanto la quería, había puesto en peligro, tratando de protegerla. Resultaba demasiado irónico... y desconcertante. Por eso miró a Kirtash, aturdido, sin captar la cólera que ardía en los ojos de su enemigo. Estaba demasiado confuso como para percibir el peligro que lo amenazaba.

Victoria, en cambio, sí supo qué era lo que iba a pasar, y agarró a Christian del brazo para intentar detenerlo. Pero él se liberó del contacto con impaciencia, como si se hubiese olvidado de que ella estaba allí, y corrió hacia Jack. El muchacho se levantó, vacilante. Christian se detuvo a un par de metros de él y lo observó, como si lo viera por primera vez, con una mueca de odio infinito.

–¡Tú! –gritó–. ¡Debería haberlo imaginado!

Victoria corrió hacia ellos, tratando de evitar lo inevitable, y logró llegar junto a Jack. Pero, a pesar de todo, no estaba preparada para lo que ocurrió a continuación.

El cuerpo de Christian, que aún temblaba de cólera, se convulsionó un momento y empezó a transformarse. No fue una transformación gradual, sino que, por un momento, dos imágenes se superpusieron en un mismo lugar, y se fundieron hasta que solo quedó una. Y la que quedó no era la figura de un joven de diecisiete años, sino la de una criatura fantástica, una gigantesca serpiente que se alzaba ante Jack, con su cuerpo anillado vibrando de ira, y unas inmensas alas membranosas extendidas sobre ellos, cubriendo el cielo nocturno.

Jack lo miró con horror. Él y Victoria retrocedieron unos pasos, pero Victoria tropezó y, al caer, arrastró a Jack consigo. Los dos quedaron sentados sobre la hierba, paralizados de miedo, sin ser capaces de apartar la vista de la enorme serpiente. Era una visión aterradora y sobrecogedora porque, pese a todo, aquella criatura era fascinante y magnífica, y poseía una belleza misteriosa y letal. Los sheks habían nacido de las entrañas de la tierra cuando Idhún era aún muy joven, y eran los hijos predilectos del dios oscuro, prácticamente semidioses, quizá por encima de los mismos dragones.

–¿Christian? –susurró ella, sin poder creerlo.

–Kirtash –dijo Jack, sombrío.

La serpiente alzó la cabeza, desplegó las alas todavía más y lanzó una especie de chillido de libertad, como si hubiera estado encerrada durante mucho tiempo en un lugar incómodo y pequeño y ahora disfrutase de nuevo del espacio que necesitaba.

Después, fijó sus ojos irisados en Jack. Y Victoria descubrió en aquellos ojos el brillo de la mirada de Kirtash, Christian, y comprendió con horror quién era... o qué era exactamente... el ser del que creía haberse enamorado.

El shek no pareció reparar en ella. Destilaba odio e ira por todas sus escamas, y Victoria sabía, de alguna forma, que era Jack, su presencia, tal vez su mera existencia, lo que lo había alterado de aquella manera. Jack se había quedado quieto, incapaz de moverse ni de apartar la vista de la magnética mirada de la criatura. O no tenía fuerzas para moverse, o bien el shek lo había hipnotizado, de alguna manera.

Victoria supo que su amigo iba a morir, y no pudo soportarlo. Se echó sobre él y lo protegió con su propio cuerpo. Después cerró los ojos, esperando la muerte.

Jack fue vagamente consciente de su presencia. Se sentía extraño, como si estuviese viviendo una pesadilla de la que fuera a despertar en cualquier momento. Aquella serpiente era la encarnación de todos sus miedos, el blanco de todo su odio. Lo que provocaba en él era demasiado intenso como para ser real.

El shek pareció reaccionar. Miró a Victoria y, aunque ella no podía verlo, porque seguía con los ojos cerrados, sí sintió aquel escalofrío, y lo reconoció: era el mismo que la recorría cuando percibía que Christian, o Kirtash, andaba cerca. Estaba demasiado aterrorizada como para analizar la situación con claridad, pero sí sabía que su corazón estaba sangrando porque había perdido a Christian, o a lo que ella creía que era Christian, para siempre.

«Victoria», susurró una voz en su mente. Ella tembló de miedo. Era la voz de Christian, la habría reconocido en cualquier parte. Pero tenía un timbre inhumano, un tono helado e indiferente que la aterrorizaba.

«Victoria», repitió él. «Apártate».

La muchacha se atrevió a abrir los ojos y a echar un vistazo.

El shek seguía ahí, alzándose ante ella, terrible y amenazador. Pero había replegado un poco las alas, y la vibración de su cuerpo era menos intensa.

«Apártate, Victoria», repitió la criatura en su mente.

«No quiere matarme», comprendió de pronto. Se volvió hacia el shek, cautelosa.

–¿Eres... Christian?

«Soy Kirtash», repuso él.

–Entonces, esta es... tu verdadera naturaleza.

«¿Sorprendida? Y ahora quita de ahí, Victoria. Tengo trabajo que hacer».

Victoria inspiró hondo, tragó saliva y negó con la cabeza.

–No. No lo permitiré. Si quieres matar a Jack, antes tendrás que matarme a mí.

Aquellas palabras hicieron reaccionar a Jack, despertándolo de su extraño trance. Seguía sin poder moverse, pero fue, por fin, consciente de la situación. Hizo un esfuerzo sobrehumano para moverse y apartar a Victoria, para ponerla a salvo, pero no fue capaz. Su cuerpo seguía paralizado. Intentó hablar; eso sí lo consiguió:

–No, Victoria –susurró–. Haz lo que dice, yo... me enfrentaré a él...

–Jack, no puedes moverte. No sé qué has hecho, pero te has quedado sin fuerzas, y...

–Victoria, por favor –suplicó él; la idea de perderla era mucho más insoportable que la certeza de que iba a morir a manos de aquella criatura–, no dejes que te coja; márchate, vete, huye lejos.

Ella lo miró intensamente y le apartó de la frente un mechón del flequillo, como solía hacer.

–¿Sin ti? Nunca, Jack.

El chico se estremeció. Definitivamente, aquello no podía ser real.

«Conmovedor», dijo Kirtash, pero no parecía en absoluto conmovido. «Intentaré explicártelo, Victoria: él debe morir para que tú vivas».

–¿Qué? –Victoria se volvió hacia él–. ¿Qué has querido decir?

«Si Jack muere, Victoria, tú estarás a salvo. Te dije que te protegería, y es lo que voy a hacer, si me dejas».

–¿Matando a Jack? ¿Es esa manera de protegerme? –Victoria había levantado la voz, y tenía los ojos llenos de lágrimas–. ¡Tú... maldito embustero! Era esto lo que querías desde el principio, ¿verdad? ¡Llegar hasta él para matarlo! ¡Me has utilizado! ¡Bastardo!

«Puedes pensar eso si te hace sentir mejor», dijo el shek, y Victoria cerró los ojos rota de dolor, recordando cómo, apenas unos días atrás, Christian había pronunciado unas palabras semejantes. Pero ¿cómo podía ser él mismo? Victoria entendía ahora que alguien pudiera asesinar de la manera en que Kirtash lo hacía, entendía sus misteriosos poderes telepáticos, entendía por qué podía matar con la mirada, entendía por qué nada podía sobrevivirle. No tenía más que contemplar a la criatura que se alzaba ante ella para comprenderlo.

Pero ahora, menos que nunca... entendía cómo podía haberla besado con tanta ternura, cómo había tanta sinceridad en sus palabras, cómo era capaz de mirarla de aquella manera tan intensa. ¿Podía hablar de sentimientos... alguien como Kirtash, el shek, la serpiente alada? ¿Había algo de humano en él, o era solo una ilusión?

Pero Victoria no tenía tiempo de averiguarlo. En cualquier caso, había cometido un terrible error, y no permitiría que Jack muriese por su culpa.

–No quiero la vida que tú me ofreces si ha de ser a cambio de la de Jack –replicó temblando–, así que puedes dejarnos marchar a los dos... o matarnos a ambos. Tú mismo.

Sabía cuál iba a ser la respuesta, y Jack la sabía también. Con un esfuerzo sobrehumano, logró incorporarse y trató de apartar a Victoria, pero ella no se lo permitió.

–Victoria –suplicó Jack–. Maldita sea, márchate. No quiero que...

–No voy a marcharme sin ti; es mi última palabra.

Jack intentó replicar; pero ella lo abrazó con todas sus fuerzas y le susurró al oído: «Por favor, perdóname», antes de cerrar los ojos.

Hubo un largo, tenso silencio.

–No estás preparada para entenderlo –dijo Kirtash con suavidad.

Victoria abrió los ojos, sorprendida. Aquella frase no había sonado en su mente, sino en sus oídos. Se volvió.

Y vio a un joven de cabello castaño claro y ojos azules, que la miraba, sombrío. El shek, la serpiente alada, había desaparecido.

–¿Chris... Kirtash? –murmuró, confusa.

Él no dijo nada. Dirigió una mirada a Jack, y el muchacho la sostuvo, desafiante. Después, se volvió de nuevo hacia Victoria.

–No podrás protegerlo siempre, y lo sabes.

Victoria quiso llorar, quiso chillar, quiso insultarlo, golpearlo, abrazarlo... pero se quedó mirándolo, confusa, todavía temblando en brazos de Jack.

Kirtash le dedicó una de sus medias sonrisas, una media sonrisa irónica y amarga, dio media vuelta y se perdió en la oscuridad de la noche. Y, a su pesar, Victoria sintió como si algo en su interior se marchara con él y no fuera a regresar jamás.

«No podrás protegerlo siempre, y lo sabes».

Jack y Victoria se quedaron un momento quietos, en tensión. Pero Kirtash no regresó.

Jack se sintió de pronto liberado de la misteriosa parálisis que le había impedido moverse. Respiró hondo y miró a Victoria.

Entonces los dos, todavía temblando y con los ojos llenos de lágrimas, se abrazaron con fuerza.

VII

«... El tiempo que haga falta»

¿De Kirtash? –gritó Alexander–. ¿Se ha vuelto loca? ¿Dónde está? –preguntó, furioso, volviéndose hacia todas partes–. ¡Quiero hablar con ella!

Se topó con Jack, que se había plantado ante la puerta y le impedía salir.

–Está bajo el sauce. Pero déjala en paz. Ya ha sufrido bastante.

–Déjame pasar, Jack –ordenó Alexander, colérico.

Sus ojos brillaban peligrosamente, su expresión era sombría y amenazadora y su voz sonaba mucho más ronca de lo que era habitual en él. Jack sabía lo que eso significaba: la mayor parte del tiempo, su amigo lograba controlar a la bestia, pero para ello debía controlar primero sus emociones. Y la rabia, la ira o el odio eran algunas de esas emociones que liberaban a la criatura que habitaba en él.

Cualquiera se habría sentido aterrorizado ante su mera presencia, pero Jack permaneció de pie ante él, sereno y seguro de sí mismo, mirándolo a los ojos, sin preocuparse por el destello salvaje que los iluminaba. Alexander pareció relajarse un poco.

–¿Tienes idea de lo que ha hecho? –preguntó, de mal talante.

–Sí: me ha salvado la vida –dijo Jack con suavidad, pero aún mirándolo a los ojos, firme y resuelto.

Alexander sostuvo su mirada un momento, y el brillo de sus ojos se apagó.

–Diablos, chico, no entiendo nada. Vas a tener que explicármelo con más calma.

Se dejó caer sobre el sillón y se pasó una mano por su pelo gris, abrumado. Jack lo miró, entendiéndolo. También él estaba confuso.

Se sentó junto a su amigo.

–Resulta –dijo– que Kirtash es un shek.

–Sí, eso ya me lo has dicho. Por eso estoy tan perplejo.

–¿Por qué?

–Porque tiene forma humana, Jack, ¿no tienes ojos en la cara? Los sheks son serpientes gigantes que...

–Lo sé, ya lo he visto bajo su verdadera forma...

–Ahí está, Jack, que no tienen una forma verdadera y otra falsa. Como mucho pueden crear ilusiones, pueden hacer que los veas bajo otra forma. Pero son ilusiones, ¿entiendes? Las ilusiones solo son imágenes, no puedes tocarlas, no puedes pelear contra ellas, no puedes herirlas ni pueden herirte.

»Los sheks más poderosos sí pueden adoptar forma humana, pero solo temporalmente. Y se nota a la legua que son sheks.

–Bueno, siempre sospechamos que Kirtash no era del todo humano, ¿no?

–No *del todo*, Jack, esa es la cuestión. Si fuera un shek, como dices, no lo habríamos sospechado, lo habríamos sabido desde el principio. Por otro lado, ningún shek permanece tanto tiempo bajo forma humana. Se consideran superiores a nosotros, ¿lo entiendes? Lo encuentran humillante. En cambio, yo a Kirtash lo he visto muy cómodo camuflado bajo un cuerpo humano.

Los dos permanecieron en silencio durante un rato, mientras Alexander trataba de entender lo que estaba pasando, y Jack asimilaba aquella nueva información.

–¿Cómo sabes tantas cosas sobre los sheks? –preguntó finalmente.

Alexander se encogió de hombros.

–He estudiado a los dragones –dijo–. Era lógico que también leyera sobre los sheks, la única raza de Idhún capaz de plantarles cara y salir victoriosa.

–Yo nunca había visto a un shek –dijo Jack en voz baja–. No sé si todos serán como Kirtash, pero resulta...

–¿Aterrador? –lo ayudó Alexander–. Es cierto, son criaturas formidables. Todavía no me explico cómo habéis salido con vida de esta.

–Fue por Victoria. Él no quiso matarla, ¿entiendes? Podía haber acabado con los dos en un segundo, estábamos indefensos y, sencillamente... dio media vuelta y se marchó. Pudo elegir entre matarnos a los dos y dejarnos vivir, y eligió... no lo entiendo –concluyó, sacudiendo la cabeza–. ¿Por qué protege a Victoria?

–Los sheks poseen una inteligencia retorcida y malévola. Muy superior a la humana, pero retorcida, al fin y al cabo. No trates de descifrar por qué actúan como lo hacen. No lo conseguirás.

–Supongo que no. Es solo que... –vaciló–. ¿Puede ser que de verdad sienta algo por ella?

–Despierta, Jack, es un shek. No puede sentir nada por una humana.

–¿Y si tuviera algo de humano? –insistió Jack.

–¿Acaso importa?

Jack tardó un poco en contestar:

–Sí que importa –dijo por fin, en voz baja–. Porque Victoria se enamoró de él.

–Y eso te duele, ¿eh?

Jack se levantó con brusquedad y le dio la espalda, para que Alexander no leyera la verdad en su rostro. Durante unos instantes contempló en silencio el cielo nocturno a través de la ventana.

–Tiene que tener algo de humano –dijo, sin contestar a la pregunta–. Victoria no se habría enamorado de una criatura como esa.

Alexander no respondió. Se levantó también del sillón y se colocó junto a él, posando una mano sobre su hombro, en ademán tranquilizador.

–Dudo mucho que fuera amor –dijo–. Ya te he dicho que los sheks son retorcidos. Y tienen poderes que nosotros desconocemos. La hipnotizó, la sedujo, la subyugó, o como quieras llamarlo. No era más que un hechizo, una ilusión.

Pero Jack sacudió la cabeza. Había percibido el dolor de Victoria aquella noche, y era un dolor real, no una ilusión.

–Lo que no me explico es por qué ella se dejó engañar –prosiguió Alexander, frunciendo el ceño–. La creía más fuerte.

–No seas duro con ella, Alexander –protestó Jack–. Vale, yo también me siento molesto, pero tú no has visto a ese... ser. Si tiene poder para hipnotizar a la gente, como sugieres tú, dudo mucho que ni siquiera Victoria pudiera resistir eso.

«Pero tengo que averiguarlo», se dijo el chico. «*Necesito* averiguar si lo que pasó entre ellos dos fue real o, por el contrario...».

–Hay algo que me preocupa, sin embargo –dijo Alexander entonces.

–¿De qué se trata?

El joven movió la cabeza.

–Kirtash es un shek. Eso quiere decir que no podemos enfrentarnos a él.

–¿Por qué?

–Porque es una criatura poderosa, Jack. Ningún humano sobrevive a un enfrentamiento con un shek. Es una lucha muy desigual.

–Nosotros hemos sobrevivido.

–Pero tarde o temprano perderemos. Ashran ha enviado a un shek a encontrar al dragón y al unicornio. Solo a uno. Porque no necesita más, ¿entiendes? Sabe que, por muchos que seamos, no tenemos ninguna posibilidad de vencer contra él.

»La Resistencia está condenada al fracaso.

«No podrás protegerlo siempre, y lo sabes».

Victoria sacudió la cabeza para quitarse aquellas palabras de la mente. Se envolvió más en las mantas, tratando de ocultarse del mundo, tratando de olvidar. Pero aún tenía todo lo sucedido a flor de piel, y las imágenes de aquella terrible noche regresaban una y otra vez para atormentarla.

–Hola –dijo Jack.

Ella tardó un poco en responder.

–Hola –dijo por fin, en voz baja.

Jack se sentó junto a ella, sobre la raíz grande, como solía hacer. La miró con intensidad. Todavía le costaba asimilar todo lo que había pasado. Victoria se había enamorado de Kirtash, su enemigo, un asesino que, para colmo, ni siquiera era humano, sino... una enorme serpiente. No había nada en el mundo que Jack pudiera aborrecer más.

Y, sin embargo, por encima de los celos, de la rabia, de la frustración, lo que más le dolía era que Kirtash le había hecho daño a Victoria, que ella estaba sufriendo por su culpa. Comprendió que, más que riñas o reproches, lo que ella necesitaba en aquellos momentos era un amigo, un hombro sobre el cual llorar. De modo que decidió tragarse su orgullo e intentar ayudarla en todo lo que pudiera. Aunque, una vez más, tuviera que guardarse para sí sus propios sentimientos al respecto.

–¿Cómo te encuentras? –le preguntó con suavidad.

–No estoy segura. Han pasado demasiadas cosas y... –se le quebró la voz; se volvió hacia Jack para preguntarle, cambiando de tema–: ¿Está muy enfadado Alexander?

Jack se encogió de hombros.

–Se le pasará.

Victoria desvió la mirada.

–He sido una estúpida –murmuró.

–Te engañó, Victoria. Le puede pasar a cualquiera.

–No, maldita sea, yo sabía quién era, sabía que...

–¿Sabías que era un shek?

Victoria guardó silencio.

–No –dijo por fin–. Eso no lo sabía. Sabía que era un asesino, incluso sabía... sabía que es el hijo de Ashran el Nigromante. Y aun así...

–Espera, espera... ¿el hijo de *quién*?

–De Ashran el Nigromante. Eso me dijo.

–Pues... seguramente te mintió, Victoria, porque Ashran es humano.

–Ya –dijo ella en voz baja–. Y Kirtash no lo es.

Jack vaciló.

–¿Por qué no quiere hacerte daño? –le preguntó.

–No lo sé. Hasta hoy, pensaba que era porque sentía algo por mí. Ahora... no lo sé.

Jack la miró y tuvo ganas de abrazarla, pero no sabía si a ella le parecería bien. Era extraño, pensó de pronto. Siempre habían tenido la suficiente confianza como para ofrecerse un abrazo consolador el uno al otro cuando era necesario. Pero, ahora que sabía que Victoria había sentido algo especial por otra persona, por mucho que le hirviera la sangre al pensar que esa persona... o lo que fuera... había sido Kirtash, Jack se sentía fuera de lugar, como si ya no hubiera sitio para él en el corazón de Victoria. De modo que permaneció quieto, sin osar acercarse a ella.

–Tú sí que sentías algo por él, ¿no? –se atrevió a preguntar.

–Eso pensaba –lo miró con los ojos muy abiertos, a punto de llorar–. Lo siento, Jack. Me veía con él en secreto, traicioné a la Resistencia y...

–... Y me has salvado la vida. Yo solo puedo pensar en eso, Victoria. Solo puedo pensar en que él te dio la posibilidad de salvar tu vida y tú decidiste que preferías morir conmigo.

Victoria abrió la boca para decir algo, pero no le salieron las palabras. Enrojeció y miró hacia otra parte, azorada.

–Me importas –pudo decir finalmente, en voz baja–. Me importas mucho. ¿Crees que habría podido apartarme y dejar que ese monstruo te matara... sobre todo sabiendo que era culpa mía? Jamás me lo habría perdonado.

Jack sintió que su deseo de abrazarla aumentaba hasta hacerse insoportable. Tragó saliva. Alargó la mano para rozarle el brazo, pero ella se apartó y lo miró como un cervatillo asustado.

–Lo siento –murmuró Jack–. Solo quería...

«No seas estúpido, se reprochó a sí mismo». No te hagas ilusiones. «Ella se fijó en Kirtash antes que en ti». Volvió la cabeza bruscamente, para que Victoria no viera reflejado en su rostro el dolor de su corazón.

Pero ella lo vio. Se quedó mirándolo, sin comprender lo que estaba pasando.

–Qué... Jack, no te entiendo, no sé qué quieres. Ya sabes lo que hice, ¿por qué no me odias? ¿Por qué eres tan bueno conmigo? ¿Por qué finges que no te importa lo que ha pasado? ¿Por qué no estás enfadado, como Alexander?

–Son demasiadas preguntas –protestó Jack, algo confuso; la miró y vio que no podría contestarlas sin confesar lo que sentía por ella realmente–. Además –añadió–, no creo que sea el momento apropiado.

Victoria se le quedó mirando, angustiada.

–¿El momento apropiado? –repitió–. No, por favor, necesito que me respondas. Ya sabes qué era lo que te estaba ocultando, y yo necesito saber qué es lo que piensas, porque...

Jack la hizo callar, con suavidad, colocando un dedo sobre sus labios.

–Está bien, está bien, no te preocupes. Sabes que se me da fatal explicar las cosas, pero, si insistes, lo intentaré.

Victoria asintió, agradecida. Jack respiró hondo. Había ensayado aquella conversación muchísimas veces. Pero jamás habría imaginado que se produciría después de enterarse de que Victoria se veía en secreto con Kirtash. Intentó no pensar en ello. Cerró los ojos un momento y trató de poner en orden sus pensamientos antes de empezar:

–Claro que me importa lo que ha pasado, Victoria. Claro que me molesta que... te hayas... enamorado, o lo que sea... de Kirtash. Precisamente de él.

»Pero ni la Resistencia, ni mi orgullo, ni mi odio hacia él tienen nada que ver con esto. Lo que me pasa, Victoria, es, simplemente... –tomó aliento y lo soltó de un tirón–, que estoy celoso. Terriblemente celoso.

–¿Qué? –soltó Victoria, estupefacta.

–Pero no tengo derecho a enfadarme contigo. Primero, porque has arriesgado la vida por mí. Te importo de verdad. Todavía estoy levitando –confesó, enrojeciendo aún más.

»Segundo –prosiguió, antes de que ella pudiera decir nada–, entre tú y yo no hay nada más que amistad. Lo que hagas con tu vida privada, a quién decidas querer, es cosa tuya. No soy tu novio ni nada por el estilo. No veo por qué iba a enfadarme porque estés con otra persona que no sea yo. Tus sentimientos no me pertenecen, ni a mí ni a la Resistencia, por más que Alexander intente hacerte creer lo contrario. Y ni yo ni Alexander ni nadie tenemos derecho a intentar controlar lo que sientes. Eso que te quede bien claro.

»Tercero: ¿Que Kirtash es nuestro enemigo, que es un asesino? ¿Que lo odio con todo mi ser? Es verdad, pero en estos momentos, Victoria, me importas tú mucho más que él, mucho más que la Resistencia. Una vez me dijiste que me importaban más mis enemigos que mis amigos. Pero eso se acabó hace mucho tiempo.

»Y por último: es culpa mía, solo mía. Hace siglos que tendría que haberte dicho lo importante que eres para mí. Pero soy estúpido, y ha tenido que venir Kirtash a rondarte para que me decidiera a decírtelo. Tuve mi momento y lo dejé pasar. Me marché, te di la espalda porque era un crío y tenía miedo de... yo qué sé... pensaba que no estaba preparado y... bueno, resumiendo, que perdí mi oportunidad. Hasta Alexander, que es tan bruto para estas cosas, se ha dado cuenta de que yo estaba loco por ti. He tenido cientos de ocasiones para decírtelo, para decirte que... que te quiero con toda mi alma, que no quiero perderte, que daría lo que fuera por verte feliz –soltó de un tirón–; pero voy y te lo digo justo ahora, que tienes el corazón roto y obviamente no estás para que te caliente la cabeza y... me estoy liando yo solo –concluyó, azorado, y hundió el rostro entre las manos, temblando.

Victoria se había quedado muda de asombro. Los ojos se le habían llenado de lágrimas.

Pero Jack no había terminado de hablar. Alzó la cabeza de nuevo y prosiguió, con esfuerzo:

–Estoy molesto, pero tengo lo que yo mismo me he buscado. Y sin embargo, en estos momentos lo único que me importa de verdad es que te veo destrozada, Victoria, y eso es lo que más me enfurece de todo este asunto: no que hayas llegado a sentir algo por ese... ese... esa cosa. Sino que él te ha engañado, te ha utilizado, te ha hecho mucho daño. No se lo puedo perdonar. Estoy enfadado con él, y no contigo –inspiró profundamente–. Bueno, ya está. Ya lo he dicho.

Se dejó caer, sintiéndose muy débil de pronto, y apoyó la espalda contra el tronco del árbol. No se atrevía a mirar a Victoria.

–Sí, lo has dicho –murmuró ella, atónita–. Y te has expresado... con mucha claridad –lo miró con tristeza–. Ojalá yo pudiera saber lo que siento. Estoy muy confusa.

–Lo siento –se disculpó Jack en voz baja–. Te he liado más. No era esta mi intención. Había venido como amigo, pero ahora te he contado todo esto y va a parecer que intento aprovecharme de la situación y...

Se interrumpió, sorprendido, porque Victoria se había arrojado a sus brazos y lo estrechaba con fuerza. Jack la abrazó, confuso, pero no tardó en cerrar los ojos y disfrutar de la sensación. Y aquel sentimiento que ella le provocaba se desató en su interior como un torrente de aguas desbordadas. La abrazó con más fuerza y hundió el rostro en su cabello castaño.

–Gracias, Jack –susurró ella–. Es tan bonito todo lo que me has dicho. Ojalá... ojalá yo tuviera las cosas tan claras. Eres muy importante para mí. Tanto, tanto, que daría mi vida por ti. Sin dudarlo, como he hecho esta noche. ¿Es eso amor? No lo sé. Parece que sí, ¿no? Pero hace unas horas estaba besando a Kirtash, Jack. A Kirtash, que me ha dicho docenas de veces que va a matarte. ¿Lo entiendes? Por eso tengo la sensación de que te he traicionado. Aunque solo sea como amigo. Mantenía una relación en secreto con alguien que quiere matarte, Jack. ¿Qué clase de amiga soy yo? Por muy intenso que sea lo que siento por ti, no puede ser amor, porque si lo fuera... habría matado a Kirtash cuando tuve la ocasión. Habría evitado toda posibilidad de que...

Se le quebró la voz. Jack seguía abrazándola.

–Estabas enamorada de él –comprendió–. De verdad. No era una ilusión.

–No, Jack –sollozó ella–. ¿Lo ves? ¿Lo ves? Soy... soy una persona horrible.

Jack cerró los ojos, sintiendo que su corazón sangraba por ella.

–No, Victoria, no lo eres. Eres maravillosa. Maldita sea, y pensar que yo podía haber evitado todo esto...

Victoria iba a responder, cuando un timbre impertinente los interrumpió. Era la alarma del reloj digital de ella.

–Son las siete menos cuarto en mi casa –dijo, dirigiéndole una mirada de disculpa–. Tengo que marcharme. Tengo clase a las ocho, va a sonar el despertador en quince minutos y...

–Pero, Victoria, no has dormido nada. ¿Vas a ir a clase de todas formas?

–He de hacerlo, o mi abuela sospechará algo. Te recuerdo que anoche incendiamos el pinar. Alguien habrá llamado a los bomberos. Si no estoy en la mesa del desayuno a las siete, mi abuela se va a preocupar muchísimo, pensará que he tenido algo que ver...

Jack tardó un momento en contestar.

–Comprendo –asintió por fin, levantándose y ayudándola a incorporarse–. Vete, pues. Pero dile que no te encuentras bien, o algo. No estás en condiciones de ir al colegio.

Victoria lo miró con cariño y sonrió. Recordó la época en que habría dado cualquier cosa por que él regresara de su viaje para decirle todo aquello que le había confesado ahora... demasiado tarde.

¿O aún no era demasiado tarde? Descubrió que su corazón todavía latía con fuerza cuando miraba a Jack a los ojos. Descubrió la llama que aún ardía detrás de la muralla que ella había intentado levantar entre los dos.

–No quiero marcharme –confesó–. Quiero seguir contigo un rato más.

«Para siempre», pensó, pero no lo dijo. No tenía derecho a decirlo. No, después de haber cedido al fascinante hechizo que Kirtash ejercía sobre ella. No, teniendo en cuenta que todavía, a pesar de todo lo que había pasado, echaba de menos a Christian. Desesperadamente.

Sacudió la cabeza. Todo era muy confuso...

–Pero yo estaré aquí cuando vuelvas –le aseguró el chico, muy serio.

–¿De verdad?

–Estaré aquí –prometió él–. Esperándote. El tiempo que haga falta.

La miró con ternura, y Victoria sintió que se derretía entera. Supo que él tenía intención de besarla, y deseaba de verdad que lo hiciera, pero se apartó con cierta brusquedad.

–No, Jack. No merezco que me beses. Porque yo...

Iba a decir: «... porque he besado a Kirtash», pero no fue capaz de seguir hablando. Jack comprendió.

–No te preocupes. Tómate el tiempo que necesites, te esperaré. Y, si cambias de idea... ya sabes dónde encontrarme.

–Jack... –suspiró ella–. Sabes, yo... te quiero muchísimo, pero no entiendo... no entiendo lo que siento. Mereces a alguien que pueda quererte sin dudas, sin condiciones. ¿Me comprendes?

–Perfectamente. Pero ahora vete y descansa, ¿vale? Ya hablaremos más adelante.

Victoria asintió. Dudó un poco antes de ponerse de puntillas para besar a Jack en la mejilla. Después, con una cálida sonrisa y los ojos brillantes, se alejó corriendo hacia la casa.

Jack se quedó allí, de pie, junto al sauce que era el refugio de Victoria, y la vio marcharse. Si Victoria se hubiera vuelto para mirarlo en aquel mismo momento, tal vez habría descubierto la sombría expresión de él, y habría adivinado que había tomado una terrible decisión. Pero no lo hizo. A pesar del dolor y de las dudas, se sentía reconfortada por las cálidas palabras de su amigo, por su abrazo, por su cariño. Y tenía la seguridad de que, aunque estuviese cayendo al abismo, Jack estaría abajo para recogerla.

El despertador sonó a las siete. Victoria acababa de materializarse sobre su cama, y por un momento deseó cerrar los ojos y dormir. Pero sabía que no debía hacerlo. No se lo había dicho a Jack, pero temía soñar con aquella aterradora criatura en la que se había convertido Christian, temía verla otra vez entre sus pesadillas, y no creía que estuviera preparada para ello.

Con un suspiro, se levantó, se puso el uniforme y fue al cuarto de baño. Se miró al espejo. Tenía un aspecto horrible. Se lavó la cara, pero todavía estaba pálida, con los ojos hinchados y con unas terribles ojeras. Tuvo la sensación de que sus ojos parecían todavía más grandes de lo que eran, y se encontró a sí misma comparándose mentalmente con una especie de búho. Se preguntó cómo podía gustarle a Jack. O a Christian. Eran dos chicos extraordinarios, cada uno a su manera, y seguía sin comprender qué habían visto en ella.

Pensar en Jack hizo que la recorriera una cálida sensación por dentro. Kirtash era enigmático y fascinante, pero Jack era tan cariñoso y dulce...

«Y es humano», le recordó una vocecita maliciosa.

Victoria suspiró y sacudió la cabeza. Intentó mejorar su aspecto, al menos para no parecer un vampiro mal alimentado. Nunca usaba maquillaje, pero se puso un poco, para tapar las ojeras y disimular la palidez.

Con todo, nada lograría borrar de sus ojos aquella huella de profunda tristeza. Apartó la mirada del espejo y bajó a desayunar.

Su abuela ya estaba allí, leyendo el periódico mientras tomaba el café. Victoria comprendió que, si la miraba a la cara, tendría que dar muchas explicaciones, de manera que trató de pasar tras ella sin que la viera. Ya tomaría algo en la cafetería del colegio.

Pero, a pesar de que no hizo ni el más mínimo ruido, a pesar de que era experta en lograr que la gente no se fijase en ella, con su abuela aquello nunca funcionaba. Era como si tuviera una especie de radar para detectar su presencia.

–Buenos días, Victoria –dijo ella sin volverse.

Victoria reprimió un suspiro resignado.

–Buenos días, abuela.

Entró en la cocina para prepararse el desayuno. Ya no le servía de nada disimular.

–¿Oíste lo de anoche? –preguntó su abuela sin levantar la cabeza del periódico.

–No, abuela –mintió ella mientras sacaba el nescafé de la alacena; normalmente desayunaba cacao, pero aquel día necesitaba despejarse–. ¿Qué pasó?

–Hubo un incendio atrás, en el pinar. Demasiado cerca de casa. Menos mal que los vecinos avisaron a los bomberos.

–¿En el pinar? –repitió Victoria–. ¡Oh, no, con lo que me gusta! Espero que no se hayan quemado muchos árboles.

–Me extraña que no te enteraras de nada. Pero bueno, no saliste de tu habitación, y no quise molestarte. Por poco tuvimos que desalojar la casa.

A Victoria le tembló la mano y dejó caer el *brik* de leche.

–¡Por Dios, hija! ¡Mira qué desastre! Llamaré a Nati para que lo limpie...

–No, deja, ya lo hago yo. Lo siento, hoy estoy un poco torpe.

–Sí –su abuela la miró con fijeza–. No tienes buena cara. ¿No has dormido bien?

–He dormido, pero he tenido pesadillas. He soñado... con monstruos y eso.

–Ya eres mayorcita para tener esa clase de pesadillas, ¿no?

Victoria se encogió de hombros.

–Pues ya ves.

Terminó de recoger la leche y volvió a la preparación del desayuno. Segundo intento.

–¿Y cómo te va con ese chico? –preguntó entonces su abuela, de manera casual.

Los dedos de Victoria se crisparon sobre el azucarero y por poco se le cayó al suelo también.

–¿Qué chico?

–El que te gustaba, ya sabes...

–A mí no me gustaba ningún chico.

Su abuela la miró fijamente, por encima de las gafas, arqueando una ceja.

–Bueno, vale, bien, sí, me gustaba uno –confesó ella a regañadientes–. Pero he descubierto cómo es realmente y... ya no me gusta.

–¿Te ha hecho daño? –preguntó su abuela, repentinamente seria; sus ojos brillaron de una manera extraña por detrás de los cristales de las gafas, pero Victoria no la estaba mirando, y no se dio cuenta.

–¿Daño? –La chica se quedó quieta, planteándoselo por primera vez–. ¿Físico, quieres decir? No, claro que no. De hecho, parece obsesionado con protegerme de todo. Pero...

–Te ha roto el corazón, ¿no? ¿Y por qué te ha dejado?

–No me ha dejado en realidad. He sido yo quien ha decidido dejarlo a él.

–Entonces, has sido tú quien le ha roto el corazón a él.

–¿Qué? –soltó Victoria, estupefacta; no se le había ocurrido verlo así–. ¡Pero si él no tiene corazón! No es un chico normal, es...

–... ¿un monstruo?

Victoria se estremeció, y miró a su abuela, desconcertada. Ya era bastante insólito que ambas estuvieran hablando de chicos, pero que ella se acercara remotamente a la verdad... resultaba inquietante. No podía ser que supiera...

Recordó lo que Christian le había contado acerca de aquella mansión y su aura benéfica, y miró a su abuela, inquieta. Pero ella siguió hablando, con total tranquilidad:

–Verás, Victoria, cuando nos enamoramos, las primeras veces, idealizamos a la otra persona, pensamos que es perfecto. Cuanto más nos convencemos de ello, más dura es la caída. Seguro que no es tan mal chico.

Victoria respiró, aliviada. Aquello ya tenía más sentido.

–¿Cómo lo sabes?

–Porque todavía te gusta. Si no, no sentirías tantos remordimientos por haberlo dejado.

–¿Y tú qué sabes? –replicó ella, de mal humor, de pronto–. No siento remordimientos. Ya te he dicho que he descubierto cómo es en realidad y...

«... ¡y no estamos hablando de un chico normal!», quiso gritar.

–¿Has hablado con él después de eso?

–¡Claro que no! –replicó Victoria, horrorizada.

–Ah, ya entiendo. Entonces es que hay otro, ¿no?

Victoria cerró los ojos, mareada.

–Vamos a ver, ¿por qué de repente te interesa tanto mi vida sentimental?

–Porque hasta ahora nunca habías tenido una vida sentimental, hija. Siento curiosidad. Y estoy contenta. Ya era hora de que empezaras a pensar en chicos. Comenzaba a preocuparme.

Victoria abrió la boca, pasmada.

–Qué maruja eres, abuela.

–Vamos, cuéntame, cuéntame –la apremió su abuela–. ¿Cómo es ese chico que te gusta ahora?

–¿Jack? –dijo ella irreflexivamente; enseguida lamentó no haberse mordido la lengua, pero en fin, ahora la cosa ya no tenía remedio–. Pues es... podríamos decir que es mi mejor amigo. Tenemos mucha confianza, es muy cariñoso, muy dulce y... parece ser que le gusto.

–¿Y él te gusta a ti?

–Sí –confesó ella en voz baja–. Mucho. Lo que pasa es que...

–Todavía te gusta el otro, ¿no? El chico malo, por llamarlo de alguna manera.

–Sí –dijo Victoria, y se echó a llorar.

Sintió que su abuela la abrazaba.

–Ay, niña, dulce juventud...

–Soy rara, ¿verdad, abuela?

–No, hija, tienes catorce años. Es una enfermedad que todos hemos pasado alguna vez. Y eso me recuerda que la semana que viene es tu cumpleaños. ¿Qué quieres que te regale?

Inconscientemente, Victoria oprimió el colgante que siempre llevaba puesto, un colgante de plata con una lágrima de cristal, y pensó en Shail, quien se lo había regalado dos años atrás, cuando cumplió los trece. Shail había muerto aquella misma noche, y desde entonces, para Victoria el día de su cumpleaños era una fecha muy triste.

–No quiero nada, abuela –dijo en voz baja.

«Solo quiero recuperar lo que perdí hace dos años... pero no va a volver».

–Gracias por la charla, pero tengo que darme prisa, o perderé el autobús.

Se separó de su abuela y se levantó de la silla. Ella la miró por encima de las gafas.

–¿No quieres quedarte en casa y descansar? Te escribiré una nota, diré que estás enferma.

Victoria la miró estupefacta.

–Abuela, eres tú la que está rara hoy –comentó–. Gracias, pero prefiero ir a clase, en serio.

No se encontraba con fuerzas para seguir hablando de Jack y de Christian... o Kirtash... o lo que fuera.

«Entonces, has sido tú quien le ha roto el corazón a él», había dicho su abuela.

Pero ella no sabía de quién estaba hablando. ¿Podía una serpiente tener corazón?

Su abuela la siguió hasta la puerta y se quedó allí, en la escalinata, mirando cómo ella subía al autobús escolar.

«No quiero nada, abuela», había dicho Victoria.

Pero ella había visto en sus ojos que un deseo imposible llameaba en su corazón. Una leve brisa sacudió el cabello gris de Allegra d'Ascoli, que sonrió.

Jack había esperado a que Alexander se fuera a dormir, y entonces había ido en silencio a la sala de armas para recoger a Domivat, su espada legendaria. Tras un instante de duda, había decidido llevarse también una daga y prendérsela en el cinto, por si acaso.

Después, había subido a la biblioteca y había llamado al Alma. La conciencia de Limbhad no había tardado en mostrarse en la esfera que rotaba sobre la enorme mesa tallada.

«Alma», pidió Jack. «Llévame hasta Kirtash».

El Alma pareció desconcertada. No podía hacer lo que le pedía, porque se necesitaba algo de magia, y Jack no podía proporcionársela.

«Por favor», suplicó Jack. «Sácala de donde sea, saca la magia de la espada, saca la energía de mí, pero tienes que llevarme hasta él. Tengo algo que hacer... y sé que Victoria no estaría de acuerdo».

El Alma lo intentó. Jack sintió los tentáculos de su conciencia envolviéndolo, tratando de arrastrarlo... pero el chico permaneció firmemente clavado en la biblioteca de Limbhad.

–¿Qué es lo que hace falta? –preguntó, desesperado–. Si uso el báculo de Victoria, ¿podrás llevarme?

El Alma lo dudaba, y Jack sabía por qué. El báculo solo funcionaba con los semimagos, y él no lo era. Ni mago completo, ni semimago, como Victoria.

–Victoria dijo una vez que la magia era energía canalizada –recordó Jack–. Todos tenemos energía, Alma, saca esa energía de mí.

No es bastante, fue el mensaje.

Jack apretó los dientes.

–Me da lo mismo. Haz lo que puedas, ¿vale?

El Alma tenía sus reparos, pero lo hizo. Jack sintió su conciencia entrando en su ser y extrayendo sus fuerzas, poco a poco. Jack sintió que se debilitaba, pero también que se hacía más ligero, menos consistente. Y, entonces, de pronto, fue como si el Alma hubiese destapado un profundo pozo que hasta entonces hubiera estado oculto. La energía brotó de Jack, a borbotones, resplandeciente, inagotable, y el chico salió disparado...

«Por ti, Victoria», pensó, antes de que su cuerpo desapareciera de la biblioteca de Limbhad.

Se materializó en una playa, y miró a su alrededor, desconcertado. Era una pequeña cala desierta, entre acantilados, y la luna menguante se reflejaba sobre unas aguas sosegadas que lamían la arena con suavidad.

Jack descubrió la figura, esbelta y elegante, que lo observaba desde lo alto del acantilado. Llevaba en la mano un filo que brillaba con un suave resplandor blanco-azulado. Jack desenvainó a Domivat, que llameó un momento en la noche, como una antorcha, para luego recuperar el aspecto de un acero normal, que solo delataba su condición especial por el leve centelleo rojizo que le arrancaba la luz de la luna.

La silueta bajó de un salto hasta la playa, con envidiable ligereza. La luna iluminó los rasgos de Kirtash.

Los dos se miraron. A Jack le pareció que el semblante del shek, habitualmente impenetrable, parecía más sombrío aquella noche. Con todo, seguía sin mostrar abiertamente el odio que sentía hacia él. Aunque, de alguna manera, Jack lo percibía.

–Te estaba esperando –dijo Kirtash.

VIII
El punto débil de Kirtash

Victoria se acomodó en el autobús y cerró los ojos, agotada. Se había sentado, como de costumbre, al fondo, junto a la ventana. A su lado se sentaba una chica de otra clase, que parloteaba a voz en grito con las dos que ocupaban los asientos de atrás. Victoria, disgustada, rebuscó en su mochila en busca del *discman* y se puso los auriculares para no escucharlas. Se dio cuenta de que el único disco que llevaba era el de Chris Tara... Christian, o Kirtash, o quien quiera que fuera aquel enigmático ser que despertaba en ella emociones tan intensas y contradictorias. Tragó saliva. No estaba preparada para volver a escuchar su voz, no tan pronto, así que encendió la radio, buscó su emisora favorita y trató de relajarse.

Estaban ya llegando al colegio cuando la locutora anunció:

–*... Y, sí, lo que todos estábamos esperando va a ser pronto una realidad. Chris Tara, el chico misterioso que ha revolucionado el panorama musical este año, está preparando un nuevo disco.*

A Victoria le latió un poco más deprisa el corazón. Quiso apagar la radio, pero no se atrevió.

–*De momento, lo único que tenemos es un single, "Why you?", una preciosa balada en la que nos muestra su lado más romántico...*

La chica siguió hablando mientras sonaban los primeros compases de *Why you?*, pero Victoria ya no la escuchaba. La voz de Christian fluyó a través de los auriculares, la envolvió, la acarició, la meció y le susurró palabras tan dulces que Victoria apenas pudo contener las lágrimas. Aquella era una canción de amor, no cabía duda, y eso era extraño, porque Chris Tara no componía canciones de amor. Cantaba acerca de mundos distantes, acerca de la soledad, de ser diferente, de las ansias de volar, de la incomprensión... pero nunca del amor.

Sin embargo, *Why you?* era, indudablemente, una balada, una canción de amor, aunque dicha palabra no apareciese ni una sola vez en la letra.

«No encuentro necesario buscarle un nombre», había dicho Christian.

Pero había hablado de un sentimiento, un sentimiento por el que se hacían grandes locuras. Como traicionar a los tuyos.

Victoria se estremeció.

«Pero él es una serpiente», se obligó a recordarse a sí misma. «No es humano. No puede sentir nada por mí».

Y, sin embargo, era su voz la que le estaba susurrando aquellas palabras, su voz la que se preguntaba, una y otra vez, por qué, por qué, por qué estaba sintiendo aquellas cosas por una criatura tan lejana y distante como la más fría estrella. No era una ilusión. La canción de Christian la conmovía hasta la más honda fibra de su ser. Y supo, de alguna manera, que ella era la chica a la que él había dirigido aquellos versos.

Enterró el rostro entre las manos, muy confusa. Cuando terminó la canción de Chris Tara, la radio empezó a escupir las notas de otro tema que, en comparación, sonaba chirriante, tosco y desagradable. Molesta, Victoria apagó el aparato.

El autobús se había detenido frente al colegio, y las chicas ya salían al exterior. Victoria cargó con su mochila y bajó las escaleras.

Pero, cuando se disponía a cruzar la puerta del colegio, algo parecido a un viento frío la hizo estremecerse, y se volvió, insegura.

No había nada. Todo estaba tranquilo, todo normal. Y, sin embargo, Victoria tenía un presentimiento, un horrible presentimiento.

Alguien a quien ella quería estaba en grave peligro. Alguien muy importante para ella podía morir.

Dos nombres acudieron de inmediato a su mente, sin que pudiera estar segura de cuál de los dos había aparecido antes. Jack. Christian.

Titubeó. ¿Y si no era más que una paranoia? Jack estaba a salvo en Limbhad, y Christian... ¿había algo que pudiera amenazarlo a él, un shek, una de las criaturas más poderosas de Idhún?

Entonces sonó el timbre que anunciaba el comienzo de las clases, y Victoria vaciló. Tenía que ir deprisa, corriendo, a salvarlos... ¿a salvar a quién? ¿A Jack? ¿A Christian?

¿A los dos?

–Voy a matarte –dijo Jack, ceñudo.

Kirtash no dijo nada.

Jack atacó primero. Lanzó una estocada, buscando el cuerpo de su enemigo, pero este se movió a un lado e interpuso el acero de Haiass entre su cuerpo y el arma de Jack.

Las dos espadas chocaron, y algo invisible pareció convulsionarse un momento. Jack se detuvo, perplejo. En los ojos de Kirtash apareció un brillo de interés.

–Empiezas a saber utilizar esa espada –comentó.

–No seas tan arrogante –gruñó Jack–. Vas a morir.

Descargó la espada contra él, con todas sus fuerzas. Kirtash detuvo la estocada y, de nuevo, saltaron chispas. Jack insistió. Una y otra vez.

Domivat rutilaba como si fuera un corazón luminoso bombeando sangre. Jack sabía que era su propia energía lo que estaba transmitiendo a la espada, y casi pudo percibir el odio que destilaba el acero, reflejo de los sentimientos que él mismo albergaba en su corazón. El fuego de Domivat trataba de fundir el hielo de Haiass, pero la espada de Kirtash seguía siendo inquebrantable. El odio del shek se manifestaba a través de aquella frialdad tan absolutamente inhumana, y el filo de Haiass era ahora del mismo color que los ojos de hielo de Kirtash.

Las dos espadas se hablaban en cada golpe, trataban de encontrarse y de destruirse mutuamente, pero ninguna de las dos resultaba vencedora en aquella lucha. Por fin, Jack asestó un mandoble con toda la fuerza de su ser, y el choque fue tan violento que ambos tuvieron que retroceder.

Se miraron, a una prudente distancia.

–Todavía no lo sabes –comprendió Kirtash.

–¿Qué es lo que he de saber?

–Por qué hay que proteger a Victoria.

–La protejo porque la quiero, ¿me oyes? –gritó Jack–. Y tú... tú... maldito engendro... le has hecho daño, la has engañado. Solo por eso mereces morir.

–¿Solo por eso? –repitió el shek–. ¿De veras crees que ese es el único motivo por el que has venido a buscarme?

–¿Qué es lo que quieres de ella? –exigió saber Jack–. ¿Por qué no la dejas en paz?

–Quiero mantenerla con vida, Jack –replicó Kirtash con frialdad–. Y no viene mal que yo ande cerca, porque, por lo visto, tú eres incapaz de cuidar de ella.

–¡Qué! –estalló Jack–. ¿Cómo te atreves a decir eso? ¿Precisamente tú, que eres lo más... perverso y retorcido que he visto nunca?

Kirtash sonrió, sin parecer ofendido en absoluto.

–Ya entiendo. Estás celoso.

Jack no pudo soportarlo. Volvió a arrojarse sobre él. Kirtash detuvo el golpe y le dirigió una fría mirada; pero, tras el hielo, sus ojos relampagueaban de ira y desprecio.

–Tienes una extraña forma de demostrar tu amor –comentó–. Has vuelto a dejar sola a Victoria. ¿No deberías estar a su lado, consolándola?

–Eres tú el que está celoso. Por eso estás tan furioso. Por eso mostraste ayer tu verdadera forma.

Kirtash dejó escapar una risa seca. Jack se quedó desconcertado un momento; nunca le había oído reír. Reaccionó a tiempo y detuvo a Haiass a escasos centímetros de su cuerpo. Empujó para apartar a Kirtash de sí.

–Nada más lejos de la realidad –dijo el shek–. Estás enamorado de Victoria, ella también te quiere. Justamente eso es lo único que podría haber hecho que te perdonara la vida. Lástima que, a pesar de eso, en conjunto la balanza no se incline a tu favor.

–No me hagas reír –gruñó Jack–. No puedes sentir nada por ella. No eres humano.

Kirtash le dirigió una mirada tan fría que el chico, a pesar de estar hirviendo de ira, se estremeció.

–Ah –dijo el shek–. No soy humano. Y tú sí, ¿verdad?

Algo parecido a un soplo helado sacudió el alma de Jack.

–¿Qué... qué has querido decir?

Se quedó quieto un momento, como herido por un rayo. Recordó, en un solo instante, el misterio de su vida y de sus extrañas cualidades, y comprendió que Kirtash sabía acerca de él muchas cosas que el propio Jack ignoraba. Y el deseo de descubrirse a sí mismo regresó, con más fuerza que nunca, a su corazón.

Se esforzó por recuperar la compostura, recordando que el ser con el que estaba hablando era su enemigo, y que se trataba de una criatura aviesa y traicionera.

–No vas a confundirme –le advirtió, ceñudo.

Kirtash entrecerró los ojos un momento. Su expresión seguía siendo impenetrable; sus movimientos, perfectamente calculados; pero Jack percibía su odio y su desprecio hacia él, tan intensos que, si él mismo no se hubiera sentido tan furioso, se le habría congelado la sangre en las venas.

El joven se movió hacia un lado, como un felino; Jack tardó en captar su movimiento, pero, cuando quiso darse cuenta, había desaparecido.

–No me hables de humanidad –dijo la voz de Kirtash desde la oscuridad–. No me hables de sentimientos. No sabes nada.

Jack se volvió a todos lados, colérico.

–¡Déjate ver y da la cara de una vez, cobarde! –gritó.

–Tienes que morir; es la única manera de salvar a Victoria –prosiguió Kirtash–. Y por eso voy a matarte. Eso es lo que voy a hacer por ella. ¿Qué estás haciendo tú?

–He venido a luchar –proclamó Jack–. Te mataré o moriré en el intento, pero no voy a dejar las cosas así.

–Entonces, muere en el intento. Será mejor para todos.

Y Kirtash resurgió de entre las sombras, trayendo en sus ojos el helado aliento de la muerte, y descargó su espada contra Jack, con toda la fuerza de su odio.

Jack alzó a Domivat en el último momento. Los dos aceros se encontraron de nuevo, y Jack percibió que su rabia alimentaba el corazón de Domivat, que su odio le daba fuerzas; en cambio, aquellos sentimientos, por alguna razón, no favorecían a Kirtash, cuyo poder se basaba en el autocontrol.

Aun así, el filo de Haiass logró alcanzar el costado de Jack, que gimió de dolor cuando el hielo congeló su piel. Pero hizo acopio de fuerzas y logró hacerle retroceder.

Y, por alguna razón, pensó en Victoria, pensó en que aquella criatura que se hacía llamar Kirtash pretendía manipular los hilos de su vida y de su destino; pero, sobre todo, recordó a la serpiente, aquella serpiente alada que se había alzado ante ellos la noche anterior, terrible, letal, pero, a pesar de todo, magnífica. Entonces había tenido miedo, pero ahora, al pensar en ello, solo sentía aversión, odio, un odio tan irracional como intenso y profundo. Y, de nuevo, algo estalló en su interior.

En esta ocasión no hubo anillo de fuego. Todo el poder de Jack se canalizó a través de Domivat, y la espada pareció contener en sí misma, por un instante, la fuerza de una supernova. Con un grito salvaje, Jack embistió, y Kirtash alzó a Haiass para detener el golpe.

Y entonces hubo un sonido extraño, como si se resquebrajase una pared de hielo, y Jack retrocedió un par de pasos, temblando.

Ante él se erguía todavía Kirtash, de pie, en guardia. Aún sostenía a Haiass.

Pero la espada de hielo se había quebrado, se había partido en dos, y uno de los trozos había caído sobre la arena y se había apagado.

Ambos contemplaron los fragmentos de la espada, estupefactos. Entonces, Kirtash alzó la cabeza y miró a Jack; por primera vez desde que lo conocía, el rostro del asesino era una máscara de odio. Por primera vez, incluso, Jack creyó detectar en sus ojos... ¿respeto?

–Empiezas a despertar –dijo el shek.

–¿Qué...? ¿De qué estás hablando?

–Ya nada puede salvarte. Ni siquiera Victoria.

Jack se puso en guardia, pero Kirtash sacudió la cabeza, turbado, retrocedió y...

... desapareció entre las sombras.

–¡Espera! –lo llamó Jack, aún confundido–. ¡No puedes marcharte! Tienes que decirme...

Calló, al darse cuenta de que estaba solo.

–... quién soy –terminó, en voz baja.

No tuvo mucho tiempo para pensar en ello, porque entonces fue consciente de la herida que le había infligido Kirtash, y sintió frío, un frío espantoso, que le hizo caer de rodillas sobre la arena, tiritando. Se sujetó el costado y se esforzó por levantarse, pero no pudo. Estaba demasiado débil y confuso.

¿Había derrotado a Kirtash? ¿Había quebrado a Haiass, su espada, símbolo del poder del shek? Alzó la cabeza para mirar el fragmento del arma, que había quedado abandonado sobre la arena, apagado, muerto. Sintió que se mareaba, sintió que iba a caer...

Pero algo lo sostuvo.

–Jack –susurró la voz de Victoria en su oído, profundamente preocupada–. Jack, ¿estás bien?

Jack se esforzó por abrir los ojos. Estaba en brazos de Victoria, que lo miraba con ansiedad. Trató de sonreír. Era un hermoso sueño.

–He... vencido –murmuró–. Pero no he podido matarlo. Lo siento, Victoria, yo... te he vuelto a fallar.

Los ojos de ella se llenaron de lágrimas, y lo estrechó entre sus brazos. Jack apoyó la cabeza en su hombro y cerró los ojos, tiritando de frío, como si se hundiese, cada vez más, en un profundo glaciar del que no hubiese escapatoria.

Pero la había. Más allá del túnel de hielo había una luz cálida, y Jack se arrastró hacia ella y, mientras lo hacía, una corriente de energía vivificante recorrió su cuerpo y desterró el frío, poco a poco.

Por fin, Jack abrió los ojos. Lo primero que encontró fue la mirada de Victoria.

–¿Te encuentras mejor?

–¿Me has... curado? –preguntó Jack, algo mareado.

Ella asintió. Jack miró a su alrededor. Seguían en aquella playa, en algún lugar del mundo, pero el horizonte comenzaba a clarear. Victoria estaba de rodillas sobre la arena, aún con el uniforme puesto, y la cabeza de Jack reposaba sobre su regazo. Los dedos de ella acariciaban su pelo rubio. Jack se dejó llevar por aquella sensación.

–Haiass, ¿verdad? –preguntó entonces ella, devolviéndolo a la realidad.

–Sí –Jack sacudió la cabeza y se incorporó del todo–. Pero esa espada ya no volverá a hacer más daño, Victoria. La he roto. Mira.

Señaló lo que quedaba de la espada de Kirtash.

–Él se llevó la otra parte –prosiguió Jack–, pero no creo que pueda arreglarla. ¿Verdad?

Victoria se había quedado mirándolo fijamente, estupefacta.

–Jack –dijo en voz baja–. ¿Has quebrado la espada de Kirtash? ¿Has derrotado a un shek?

Jack se removió, incómodo.

–En realidad fue Domivat –pronunció con orgullo y cariño el nombre de su propia espada–. Yo...

–Jack, Domivat es parte de ti –cortó Victoria–. Has... roto la espada de un shek, un arma legendaria. ¿Cómo... cómo lo has hecho? Es... sobrehumano.

Jack se estremeció recordando las palabras de Kirtash, cargadas de sarcasmo: «No soy humano. Y tú sí, ¿verdad?». Sintió miedo, un miedo espantoso, y supo que estaba cerca de encontrar las respuestas a sus preguntas... pero por primera vez intuyó que tal vez no le gustaría conocer aquellas respuestas.

Sacudió la cabeza de nuevo y decidió aferrarse a lo único de lo que estaba seguro: sus sentimientos por Victoria. La miró intensamente.

–Eso no me importa ahora, Victoria. Lo importante es que estoy contigo otra vez.

Ella le devolvió la mirada, conmovida, y lo abrazó con fuerza. Jack la estrechó entre sus brazos. Cerró los ojos y recordó las palabras de Kirtash: «Tienes que morir; es la única manera de salvar a Victoria». No lo entendía y no sabía si era verdad, pero en aquel momento sintió que, si fuera cierto que tenía que sacrificarse, si tuviera que morir por ella, lo haría sin dudarlo un solo momento.

–¿Por qué lo has hecho? –murmuró ella–. Podría haberte matado, y entonces... ¿qué habría hecho yo sin ti, eh?

–Tenía que hacerlo –se excusó él–. No soportaba la idea de que Kirtash volviera a hacerte daño. Pero, dime, ¿cómo me has encontrado?

Ella miró hacia el horizonte, hacia donde asomaba el alba. La brisa marina revolvió sus cabellos oscuros.

–Tuve un presentimiento –confesó–. En el colegio. Tuve miedo por ti y... volví a Limbhad enseguida –lo miró fijamente–. No estabas, y... me preocupé muchísimo. Fui corriendo a la biblioteca, le pregunté por ti al Alma, y me ha traído hasta aquí. Ni siquiera desperté a Alexander, no sabe que he venido. Aunque ojalá hubiera llegado antes.

–No, Victoria –replicó Jack, negando con la cabeza–. Esto era algo que teníamos que resolver nosotros dos solos.

La chica no dijo nada. Tenía la desagradable sensación de que, aunque aparentemente se peleaban por ella, en realidad aquello no era más que una excusa. Habrían luchado el uno contra el otro hasta la muerte, de todas maneras.

–Bueno, como tú has dicho –concluyó Victoria, sonriendo–, lo importante es que estamos juntos.

Jack sonrió también.

–Sí –dijo–, eso es lo importante.

Victoria lo ayudó a levantarse. El chico se apoyó en su hombro para sostenerse en pie. Y entonces, ella cerró los ojos y llamó al Alma de Limbhad, y los dos regresaron a su refugio de la Casa en la Frontera.

–Haiass –dijo el Nigromante, contemplando lo que quedaba de la magnífica espada.

Kirtash no se movió. Había hincado una rodilla en tierra y aguardaba en silencio, con la cabeza gacha, ante su padre y señor.

Ashran se volvió hacia él.

–Te han derrotado, Kirtash. ¿Cómo es posible?

–Domivat, la espada de fuego –dijo él en voz baja.

–¿Domivat? –el Nigromante negó con la cabeza–. No, muchacho. No se trata de la espada. Se trata de ti.

Kirtash se estremeció imperceptiblemente, pero no habló ni alzó la mirada.

–Estás perdiendo poder, Kirtash –prosiguió Ashran–. Te estás dejando llevar por tus emociones, y esa es tu mayor debilidad, lo que te hace vulnerable. Lo sabes.

–Lo sé –asintió el muchacho con suavidad.

–Odio, rabia, impaciencia... amor –Ashran lo miró fijamente, pero Kirtash no se movió–. Deberías estar por encima de todo eso. La Tierra te está afectando demasiado. Esto –señaló la espada rota– no es más que un aviso de lo que está pasando. Hay que cortarlo de raíz.

–Sí, mi señor.

–Tus enemigos son más poderosos de lo que yo había pensado. Hay en la Resistencia alguien capaz de blandir a Domivat... y con eficacia –añadió, contemplando la malograda Haiass–. ¿Quién es? ¿Un hechicero? ¿Un héroe?

–Es un hombre muerto –siseó Kirtash.

Ashran soltó una risa baja.

–No lo dudo, muchacho. Pero sigue sin gustarme esa rabia que veo en ti. Veo que te has confiado. Has encontrado un rival y eso te ha sacado de quicio. No, hijo. Así no se hacen las cosas. Nadie debería poder inquietarte siquiera. Ese... futuro cadáver... tiene una espada legendaria, sí, pero eso no lo hace igual a ti. Al fin y al cabo, solo es humano, ¿no es así?

Kirtash entornó los ojos. Pareció dudar un momento, pero finalmente dijo, con frialdad:

–Sí, mi señor. Solo es humano.

–De acuerdo –asintió Ashran–. Me encargaré de que forjen de nuevo tu espada, Kirtash, pero, a cambio, quiero que hagas varias cosas. En primer lugar... quiero la cabeza del guerrero de la espada de fuego.

–Será un placer –murmuró Kirtash con gesto torvo; pero el Nigromante lo miró con severidad.

–Controla tu odio, Kirtash. Te hace perder objetividad y perspectiva. Recuerda: ese renegado... no es importante. No más que un insecto, ¿verdad? ¿Odias acaso a los insectos a los que pisas cuando caminas?

–No, mi señor.

–Porque no son importantes. No son nada. Por eso los puedes aplastar con facilidad. Si te dejas llevar por el odio, el miedo o la rabia, estarás dando a tu rival una ventaja sobre ti, le estarás mostrando tu punto débil –le dio la espalda, irritado–. Parece mentira que aún no lo hayas aprendido.

–Te pido perdón, mi señor; no volverá a ocurrir –dijo Kirtash, sobreponiéndose; su voz sonó de nuevo fría e impersonal cuando añadió–: Eliminaré a ese renegado, puesto que ese es tu deseo.

–Así me gusta. Pero eso no es todo lo que tendrás que hacer a cambio de tu espada, muchacho. Vas a dejar ese absurdo pasatiempo tuyo, vas a dejar la música. No sirve para nada, te distrae y, además, te vuelve cada vez más humano. Eso no me gusta.

Kirtash apretó los dientes, pero su voz sonó impasible cuando respondió:

–Como ordenes, mi señor.

–Y por último –concluyó Ashran–, está el tema de esa muchacha.

Kirtash entrecerró los ojos, pero no dijo nada.

–No volverás a verla –decretó Ashran; Kirtash pareció relajarse un poco–. Ya te has entretenido bastante, ya has jugado un poco con ella, y lo único que has conseguido es esto –señaló a Haiass de nuevo–. Te ha vuelto más débil, Kirtash. Ha despertado *sentimientos* en tu interior. Te lo habría perdonado si te hubieras ganado su voluntad; al fin y al cabo, alguien que puede manejar el Báculo de Ayshel, aunque sea solo una semimaga, no deja de ser un elemento valioso. Pero no la has seducido; al contrario, te ha cautivado ella a ti.

»Te dije que, si no conseguías ganártela, tendrías que matarla. Pero he cambiado de idea. Esa joven es peligrosa para ti y, por tanto, sería un error que te ordenara acabar con su vida. No, muchacho; la chica morirá, pero no a tus manos.

Kirtash se contuvo para mantener la vista baja.

–Enviaré a Gerde a matarla –concluyó el Nigromante–. Ella no tendrá tantos escrúpulos. Y, cuando esa muchacha ya no exista, volverás a ser el de antes.

–¿Gerde? –repitió Kirtash en voz baja–. ¿Está ya preparada para venir a la Tierra?

–Siempre lo he estado –dijo tras él una dulce voz femenina–. Eres tú el que no parece estar dispuesto a recibirme.

Kirtash se levantó y se dio la vuelta. De pie junto a la puerta había una criatura de salvaje belleza, grácil, sutil y esbelta como un junco. Unos ojos negros, todo pupila, brillaban en un rostro de rasgos exóticos y turbador atractivo. Una maraña de cabello verdoso, pero tan suave y delicado como un velo de seda, caía por su espalda. Llevaba ropas vaporosas, que parecían centellear cada vez que se movía, e iba descalza, deslizando sus pequeños y delicados pies sobre las frías baldosas de mármol.

Con todo, lo que más llamaba la atención era el aura seductora e invisible que la envolvía y que, como la canción de las sirenas, como un poderoso hechizo, obligaba a quien la veía a no poder apartar su mirada de ella.

Pero a Kirtash los hechizos de las hadas no podían afectarlo.

–He estado ocupado –dijo con frialdad.

–Mmm... –respondió ella–. Me lo imagino.

Le dedicó su sonrisa más encantadora mientras avanzaba hacia Ashran. Al pasar junto a Kirtash, su brazo desnudo rozó al joven, y este sintió el poder embriagador que emanaba de ella.

–Mi señor –dijo el hada, inclinándose ante el Nigromante, pero dirigiendo una última mirada seductora a Kirtash, por debajo de sus sedosas pestañas–. Me has llamado.

–Gerde –dijo Ashran–. Hace tiempo me juraste fidelidad, a mí y a los sheks, y ya es hora de que demuestres hasta dónde llega esa lealtad. ¿Estás dispuesta a viajar a la Tierra?

–Sí, mi señor.

–Ya sabes lo que has de hacer allí –prosiguió el Nigromante–. Kirtash está buscando a un dragón y un unicornio. Pero también, de paso, está acabando con todos los magos renegados que huyeron a ese otro mundo, particularmente con un grupo de jóvenes muy impertinentes que se llaman a sí mismos la Resistencia, y que entorpecen su búsqueda una y otra vez. Irás con él para librarlo de esa molestia. ¿Queda claro?

–Sí, mi señor.

–En concreto –concluyó Ashran–, hay una chica humana a la que tienes que eliminar. Se llama Victoria, y es la portadora del Báculo de Ayshel. Quiero a esa muchacha muerta, Gerde. Quiero ver su cadáver a mis pies.

Miró fijamente a Kirtash mientras pronunciaba estas palabras, pero él no hizo el menor gesto. Su rostro seguía siendo impenetrable, y su fría mirada no traicionaba sus sentimientos.

Gerde esbozó una de sus turbadoras sonrisas.

–No te fallaré, mi señor –dijo con voz aterciopelada.

A un gesto del Nigromante, Gerde se incorporó para marcharse. Cuando pasó junto a Kirtash, le dedicó una sonrisa sugerente y le dijo al oído:

–Tampoco te fallaré a ti.

Kirtash no reaccionó. Gerde ladeó la cabeza con la gracia de una gacela, y sus sedosos cabellos acariciaron por un momento el cuello del muchacho. Aún sonriendo, el hada salió de la habitación. Su embriagadora presencia permaneció en el aire unos segundos más.

–Es lista –comentó Ashran–. Sabe perfectamente que eres un buen partido.

–Me es indiferente –replicó Kirtash.

–No por mucho tiempo, Kirtash. Pronto olvidarás a esa chica. Al fin y al cabo, no está a tu altura; mereces algo mucho mejor que una simple semimaga humana, ¿no crees? No la echarás de menos. No tanto como piensas.

Kirtash alzó la cabeza para mirar a su señor, pero no dijo nada.

IX
CHRISTIAN

Lo que has hecho es algo completamente estúpido, chico –lo riñó Alexander–. ¿En qué se supone que estabas pensando? Creí que ya se te había metido en la cabeza que no debes enfrentarte solo a Kirtash.

–Pero lo he derrotado, Alexander –protestó Jack–. He roto su espada. Incluso podría haberlo matado, si no hubiera desaparecido de repente.

Alexander negó con la cabeza.

–No puedes matar a un shek. Son muy superiores a los seres humanos, en todos los aspectos.

–Ya, pero... ¿y si resulta que yo no soy humano? –preguntó Jack en voz baja.

–No digas tonterías. ¿Qué te hace pensar eso?

–Pues... mi poder piroquinético... lo que hago con el fuego –explicó, al ver que Alexander no lo entendía.

–Muchos magos pueden hacerlo. No es tan especial.

–Pero ni siquiera Shail fue capaz de encontrar una explicación a eso. Y, por otro lado... está lo de Kirtash.

–Llevas una espada legendaria, Jack. Te dije que solo Domivat y Sumlaris podrían derrotar a Haiass, ¿no?

–Pero... ¿es verdad que una espada legendaria es como una parte más del guerrero que la porta? ¿Es cierto que Domivat es ya parte de mí?

–De alguna manera. Pero eso no te hace menos humano, Jack.

Jack apoyó la cabeza en la almohada, mareado. Cerró los ojos un momento. Estaba muy cansado. Victoria había sanado su herida, pero el muchacho todavía no había recuperado las fuerzas tras el combate contra Kirtash.

–¿Qué era lo que querías averiguar? –preguntó entonces Alexander.

Jack abrió los ojos.

–¿A qué te refieres?

–Fuiste al encuentro de Kirtash por alguna razón. ¿Qué esperabas sacar en claro?

Jack tardó un poco en contestar. Eran muchos los motivos que lo habían llevado a enfrentarse a Kirtash: el odio, los celos, su amor por Victoria... la certeza de que el shek podía responder a muchas de sus dudas... acerca de sí mismo.

Pero se dio cuenta de que había una razón que estaba por encima de todas las demás.

–Quería saber si era verdad que siente algo por Victoria –murmuró por fin–. Y si ha estado jugando con ella... hacérselo pagar.

Alexander lo miró, perplejo.

–Caray, chico, te ha dado fuerte, ¿eh?

Jack enrojeció un poco, pero no dijo nada, y tampoco volvió la cabeza para mirar a su amigo.

–¿Y? –preguntó él, al cabo de unos instantes.

–Parece... parece que le importa. De verdad. Incluso arriesgó su vida para salvar la de ella. Es extraño, ¿no? –añadió, clavando la mirada de sus ojos verdes en Alexander–. Resulta que él, que no es humano, tiene reacciones humanas. Y resulta que yo, que se supone que sí soy humano, hago cosas... sobrehumanas –concluyó, utilizando la palabra que había empleado Victoria–. Me gustaría saber quién soy. Quiénes somos... o qué somos.

Alexander lo miró y se mordió el labio inferior, pensativo, pero no dijo nada. No tenía respuestas para aquellas preguntas.

Él la llamaba otra vez.

Victoria metió la cabeza bajo la almohada, pero la llamada se oía dentro de su mente, y no en sus oídos.

Esta vez resistiría. Se quedaría allí, en la cama, en su habitación. No iba a dejar que él la engañara otra vez.

«Victoria...», se escuchó por segunda vez.

«No voy a ir», pensó. «Ya puedes quedarte sentado esperándome».

Sabía lo que era, lo había visto bajo su verdadero aspecto. Y sabía que Jack había quebrado su espada; Kirtash era impredecible, y Victoria no podía siquiera tratar de adivinar de qué humor estaría después de aquello. Por si acaso, era mejor no acercarse.

Y, sin embargo, deseaba volver a verlo, deseaba preguntarle muchas cosas y, a pesar de todo... deseaba mirarlo a los ojos una vez más y sentir su contacto, sugestivo, electrizante...

«No», se dijo a sí misma con firmeza. «Ya has causado bastantes problemas».

«Victoria...», la llamó él, por tercera vez.

La muchacha cerró los ojos con fuerza. Tenía pensado ir a Limbhad un poco después, para ver cómo estaba Jack, y se aferró a esa idea: Jack, Jack, Jack... Ansiaba volver a verlo, llevaba todo el día echando de menos su cálida sonrisa, y no permitiría que una serpiente retrasara aquel momento.

Pensar en Jack le hizo recordar los últimos acontecimientos, la misteriosa fuerza de su amigo, y se preguntó, inquieta, si Kirtash sabría de dónde procedía. Si era así, tal vez pudiera explicarle...

Esperó, conteniendo el aliento, pero la llamada de Kirtash no volvió a producirse. Victoria titubeó. ¿Y si se había ido? ¿Y si no volvía?

Cerró los ojos y sacudió la cabeza. Estaba intentando olvidar a Christ... Kirtash, para poder iniciar algo nuevo con Jack, cuando estuviera preparada, y no iba a echarlo todo por la borda, ahora no. Después de todo lo que Jack había hecho por ella, no se merecía que volviera a responder a la llamada de su enemigo.

Pero... tal vez si solo hablaban... tal vez él pudiera explicarle...

Él no volvía a llamarla, y Victoria pensó, angustiada, que tal vez había considerado que tres veces eran más que suficientes. Tenía que comprobarlo.

Se levantó deprisa, se puso su bata blanca por encima del pijama, se calzó las zapatillas y salió de su cuarto en silencio, con el corazón latiéndole con fuerza. Una parte de ella deseaba que Kirtash se hubiese ido ya, y así no se metería en problemas. Pero otra parte quería volver a verlo y, aunque intentaba convencerse a sí misma de que era solo para tratar de obtener alguna información, en verdad no era esa la razón por la que acudía a su encuentro.

Salió al jardín y sintió que se quedaba sin aliento al distinguir, bajo la luz de la luna y las estrellas, la figura de Kirtash en el mirador. Respiró hondo. Aún estaba a tiempo de regresar...

Pero avanzó hasta quedar a unos pasos de él. El joven se volvió para mirarla. Estaba más serio de lo que era habitual en él.

–Buenas noches –dijo con suavidad.

Victoria tragó saliva.

–Buenas noches –respondió; titubeó y añadió–: Siento lo de tu espada.

–Sé que no lo sientes en realidad –replicó él–. Al fin y al cabo, iba a matar a Jack con ella.

Victoria no supo qué decir.

–Acércate y siéntate, por favor –pidió entonces el shek–. Tengo que hablar contigo.

Victoria negó con la cabeza.

–Si no te importa, me quedaré aquí.

Kirtash esbozó una media sonrisa.

–Como quieras. Seré breve, entonces. He venido a advertirte de que corres peligro.

–¿Qué quieres decir?

–Ashran ha enviado a alguien a matarte. Alguien que no soy yo y que, por tanto, no tendrá reparos en acabar con tu vida.

Victoria se estremeció. No por las noticias que él le traía, sino por todo lo que implicaba el hecho de que estuviera contándole aquello.

–Pero... se supone que tú no deberías decirme estas cosas, ¿verdad? ¿Qué pasará si Ashran se entera?

Kirtash se encogió de hombros.

–Eso es problema mío. Lo único que tiene que preocuparte, Victoria, es que estás en peligro. Quédate en Limbhad, o bien en esta casa. Como ya te dije, te protege. No de mí, es cierto, pero sí de ella.

–¿Ella? –repitió Victoria en voz baja.

Kirtash asintió.

–Se llama Gerde, y tiene mucho interés en matarte. Ashran se lo ha encomendado como una misión especial. Me temo que es por mi culpa –añadió–, y por eso he venido también a despedirme: no volveremos a vernos.

Algo atravesó el corazón de Victoria como un puñal de hielo.

–¿Nunca más?

–No, hasta que mate a Jack –especificó Kirtash–. Entonces, podré pedir a Ashran que te perdone la vida.

–No soporto oírte decir eso –replicó ella, irritada–. ¿Tienes idea de lo importante que es Jack para mí? ¿Cómo puedes seguir diciendo tan tranquilamente que vas a matarlo, y esperar que lo acepte, sin más?

–No espero que lo aceptes. Sé que no lo harás. Pero todo es cuestión de prioridades, y lo único que me importa ahora es mantenerte con vida, ¿entiendes? Cuando está en juego tu existencia futura, Victoria, no puedo pararme a pensar en tus sentimientos.

Ella abrió la boca para responder, pero no fue capaz. De nuevo, Kirtash la había dejado sin palabras.

–Por eso tienes que permanecer oculta –prosiguió él–; no debes permitir que Gerde te encuentre, bajo ningún concepto.

–Puedo luchar contra ella.

Kirtash la miró fijamente.

–Sí. Y tal vez lograras derrotarla. Pero no quiero correr riesgos y, por otra parte, si Gerde fracasa, Ashran enviará a otra persona.

–Lucharé contra todos ellos –aseguró Victoria con fiereza–. Y –añadió mirando a Kirtash a los ojos, desafiante– seguiré protegiendo a Jack. No permitiré que le pongas la mano encima.

Kirtash no hizo ningún comentario.

Hubo un silencio que a Victoria le resultó muy incómodo. Sospechaba que él no tenía nada más que decir, y eso significaba que se marcharía, y que tal vez no volvería a verlo. Y si, para reencontrarse con Kirtash en un futuro, Jack tenía que morir, Victoria prefería que ese reencuentro no llegara a producirse nunca.

Por eso, tenía que retrasar todo lo posible el momento de la despedida.

–¿Cómo... cómo logró Jack romper tu espada? –preguntó por fin.

Kirtash la miró a los ojos, muy serio, y Victoria temió haber ido demasiado lejos. Pero, finalmente, el shek respondió:

–Yo estaba alterado, y perdí concentración. Eso hizo que Haiass se debilitara. Por eso Jack logró quebrarla.

Victoria intuía que había mucho más detrás de aquella sencilla explicación, algo que Kirtash no quería contarle. Insistió:

–Pero tú... eres un shek, ¿no? Eres poderoso. Eres... casi invencible.

Kirtash seguía mirándola, de aquella manera tan intensa, y Victoria desvió la vista, incómoda.

–Soy un shek –respondió él–. Pero eso no es nada nuevo para ti, ¿verdad? ¿Qué es lo que quieres saber exactamente?

Victoria abrió la boca para preguntarle acerca de Jack, pero los sentimientos contradictorios que le inspiraba Kirtash volvieron a confundirla, y dijo en voz baja:

–Quiero saber si de verdad puedes sentir algo... algo por mí.

Los fríos ojos azules de Kirtash parecieron iluminarse con un destello cálido.

–¿Todavía lo dudas? –preguntó con suavidad, y el corazón de Victoria volvió a latir desenfrenadamente. Sacudió la cabeza. Sabía que no era humano, sabía que...

¿Qué era lo que sabía, en realidad? Ladeó la cabeza y lo miró, tratando de descifrar sus misterios.

–¿Quién... quién eres? –preguntó.

–Soy Kirtash –respondió él con sencillez–. Claro que también puedes llamarme Christian, si lo prefieres.

Victoria calló, confusa. Él le dedicó una media sonrisa.

–¿De verdad quieres saber quién soy? Es una larga historia. ¿Estás dispuesta a escucharla?

Victoria dudó, pero finalmente avanzó unos pasos y se sentó junto a él y lo miró, con cierta timidez. Kirtash contempló la luna menguante durante unos instantes. Después dijo:

–Yo nací humano. Completamente humano. Hace diecisiete años, en algún lugar de Idhún.

»Tengo pocos recuerdos de mi infancia. Vivía con mi madre en una cabaña, poca cosa, junto al bosque de Alis Lithban, el hogar de los unicornios. Tal vez mi madre pensaba que los unicornios nos protegerían a ambos, y por eso eligió aquel lugar para vivir. No lo sé.

»Entonces yo no me llamaba Kirtash; pero no recuerdo el nombre que me puso mi madre al nacer, tampoco recuerdo el nombre de ella, ni su rostro; ese tipo de cosas fueron borradas de mi memoria hace mucho tiempo.

»Los sheks regresaron a Idhún cuando yo tenía dos años. Y sí recuerdo con claridad ese día. El cielo se puso rojo, los seis astros se entrelazaron sobre nosotros. Había un ambiente... extraño, sobrenatural, que ponía la piel de gallina.

»Yo estaba en los alrededores del bosque. No me preguntes qué hacía allí, porque no me acuerdo. Solo sé que había salido de casa, tal vez en un descuido de mi madre, y me había alejado hacia la espesura. Entonces fue cuando vi al unicornio.

»Avanzó hacia mí tambaleándose, temblando bajo la luz de los seis astros. Hasta que, incapaz de seguir caminando, cayó al suelo, agonizante.

»Recuerdo haberme acercado a él. Recuerdo haberle rozado, tal vez queriendo ayudarlo. No lo sé, era muy pequeño y no sabía lo que estaba pasando.

»Aquel unicornio murió ante mis ojos. No comprendí muy bien por qué... al menos, no en aquel momento. Entonces, mi madre me llamó desde la cabaña, y volví corriendo. Cuando llegué, la encontré muy asustada. Me hizo ocultarme bajo la cama y se puso a cerrar todas las puertas y las contraventanas, y a asegurarlas con todo lo que encontraba, como si temiera que alguien pudiera atacarnos en cualquier momento. Yo suponía que era por aquel cielo rojo, porque las lunas y los soles estaban en una posición extraña, tal vez incluso por la muerte del unicornio.

»Pero ni las tablas clavadas en las ventanas ni los muebles amontonados contra la puerta podían detenerlo a él. Y, en el fondo, mi madre lo sabía, lo sabía cuando se acurrucó en un rincón, temblando y abrazándome con todas sus fuerzas, deseando que todo aquello no fuera más que una pesadilla.

»Así nos encontró Ashran, el Nigromante, cuando hizo volar la puerta como si fuera una pluma y entró en la casa para buscarnos... para buscarme. Mi madre trató de impedir que me llevara consigo, pero ¿qué podía hacer una pobre mujer contra la poderosa magia de Ashran? Yo era su hijo y, por tanto, le pertenecía. No sé cómo se habían conocido mis padres, no sé por qué estuvieron juntos; solo puedo suponer, por lo poco que recuerdo, que mi madre decidió huir conmigo cuando yo era un bebé, lejos de mi padre, pero sabiendo, en el fondo, que cuando él quisiera reclamarme, nos encontraría de todas formas, fuéramos a donde fuésemos.

»Y así fue. Ashran me llevó con él, por la fuerza. Nunca más volví a ver a mi madre.

»Después...

Calló un momento. Victoria escuchaba con atención, y Kirtash siguió hablando:

–Después, Ashran me utilizó para sellar su pacto con los sheks. Ellos aportaron a uno de los suyos, un shek joven, casi recién salido del huevo. Ashran ofreció a su propio hijo.

»Y nos fundió a los dos en un solo ser.

–¿Qué? –se le escapó a Victoria.

Kirtash la miró.

–Sabes de qué estoy hablando –le dijo–. Es el mismo conjuro que ha convertido a tu amigo Alexander en lo que es ahora. El hechizo que hace que dos almas, dos espíritus, se fusionen en uno solo. Elrion introdujo en su cuerpo el espíritu de un lobo. Ashran implantó en mi cuerpo el espíritu de un shek. Solo que, en mi caso, el conjuro salió bien, los dos espíritus se fusionaron totalmente en uno solo. Alexander, en cambio, es un híbrido incompleto; su cuerpo alberga dos espíritus, el del hombre y el del lobo, y los dos están en lucha permanente por el control de su ser. En mi caso, esa lucha nunca llegó a producirse. Al fin y al cabo, Ashran es poderoso, y sabe lo que hace.

–Un... híbrido –repitió Victoria, anonadada.

Kirtash asintió.

–Solo funciona con individuos muy jóvenes, no con adultos. Además, Alexander en concreto tiene una gran fuerza de voluntad, y su alma se rebeló con todas sus fuerzas contra la invasión del espíritu del lobo... y no solo eso, sino que hasta logra controlarlo la mayor parte del tiempo.

»De todas formas, incluso con niños, la mayoría de las veces la fusión de espíritus no sale bien. Yo era un niño y, sin embargo, lo pasé muy mal los primeros días.

–¿Duele? –preguntó Victoria en voz baja.

Kirtash asintió, pero no dio detalles.

–Después, ya no me importó. Decir que me había convertido en un humano con los poderes de un shek es simplificar las cosas, y, sin embargo, podría definírseme así. Solo que no son simplemente poderes. Soy un shek. Y también soy humano.

»Ashran llamó Kirtash a la nueva criatura nacida de su experimento. Los sheks me enseñaron a emplear mis capacidades. Los mejores mercenarios y asesinos humanos me enseñaron a pelear, a matar. El propio Ashran me enseñó a utilizar la magia que me entregó aquel unicornio antes de morir. Aprendí deprisa. Al fin y al cabo, algo en mi interior me hacía superior a todos ellos. Pronto aventajé a mis maestros, en todo excepto en la magia, que nunca se me dio bien, puesto que el poder mental del shek mantenía sometido al poder entregado por el unicornio; a pesar de este pequeño detalle, me convertí en el mejor agente de Ashran, en quien él más confiaba. Después de todo, era su hijo.

–¿Y nunca lo has odiado... por lo que te hizo?

–No. ¿Por qué? Soy lo que soy gracias a él. No me odio a mí mismo, no me arrepiento de lo que hago. El shek no es un parásito en mi interior, Victoria. Es parte de mí. La criatura que soy ahora es obra de Ashran el Nigromante. A él debo mi existencia... como híbrido, sí, pero mi existencia, al fin y al cabo. Y –añadió, mirándola fijamente– es justamente el híbrido lo que te provoca esos sentimientos. Si fuese un shek, te horrorizaría. Si fuese un humano, no te habrías fijado en mí. Es la mezcla lo que te atrae. Es a Kirtash a quien quieres, no al humano que podría haber sido si Ashran no me hubiera hecho como soy.

Victoria fue a protestar, pero calló, confusa, porque se dio cuenta de que él tenía razón.

–Me preguntabas por mis sentimientos –prosiguió Kirtash–. Los sheks no pueden amar a los humanos, como ya imaginabas. Y, sin embargo, me fijé en ti porque soy un shek. Si hubiera sido simplemente un asesino humano, te habría matado sin vacilar. Pero vi algo en ti que me llamó la atención primero, me intrigó después, y finalmente me fascinó.

»Pero si esa fascinación se convirtió en algo más, Victoria, es porque también soy humano y, como humano, puedo experimentar emociones. Esas emociones, que para Jack son su fuerza, para mí son una debilidad. Mi padre lo sabe; sabe lo que siento por ti, sabe que eres mi punto débil, y por eso ha decidido que debes morir.

Victoria sintió que le faltaba el aliento. Su historia la había conmovido profundamente, pero, sobre todo, había vuelto a desatar aquellos confusos sentimientos en su interior. Porque ahora sabía con certeza lo que, en el fondo, su corazón no había dudado ni un solo instante: que había algo entre ellos dos, una emoción intensa, real. Porque él era humano, en parte. Como ella.

Se acercó un poco más.

–Christian –susurró–. ¿Puedo llamarte Christian?

–¿Llamas Christian a mi parte humana? –preguntó él, sonriendo.

Victoria frunció el ceño, pensativa.

–Tal vez... no sé. Te llamo Kirtash cuando te odio. Te llamo Christian cuando te quiero. Es difícil definirse por uno u otro sentimiento, tratándose de ti.

La sonrisa de Christian se hizo más amplia.

–Es confuso –prosiguió ella–. Tienes razón. Si fueras un humano completo, no sentiría lo que siento por ti. Pero... tal vez tampoco te odiaría a veces. Me horroriza la forma que tienes de matar, como si la vida humana no fuera importante.

–No lo es. Al menos, no para un shek.

–A eso me refiero. No sé a qué atenerme contigo. Y tampoco ayuda el hecho de que estés obsesionado con matar a mi mejor amigo.

–Es mucho más que tu mejor amigo, Victoria.

–¿Eso te molesta?

–En absoluto. No estoy celoso, si es eso lo que piensas. No veo por qué tienes que amar a una sola persona, si en tu corazón hay espacio para dos. No me perteneces. Tan solo me pertenece lo que sientes por mí. Pero tú puedes sentir otras cosas... por otras personas. Los sentimientos son libres y no siguen normas de ninguna clase.

»Quiero matar a Jack por dos motivos. Uno, por ser lo que es; el otro, para salvarte la vida. Como ves, no tiene nada que ver el que estés enamorada de él. Y menos aún, que él te corresponda. Eso hará las cosas más fáciles, ya que es lo único en lo que Jack y yo estamos de acuerdo: en que queremos que no sufras ningún daño.

–¿Pero por qué... por qué dices que tienes que matar a Jack para salvarme la vida?

–Ashran os tiene en su lista negra, Victoria. Debéis morir. Mi misión consiste en matar a los renegados, ya lo sabes. Eso te incluye a ti... de una manera especial, por una serie de razones.

»Si le ofrezco a mi padre la vida de Jack, podrá perdonarte. No me preguntes por qué; es así.

Victoria calló un momento. Después dijo:

–¿Y si me voy contigo a Idhún, como me propusiste? ¿Salvaría eso la vida de Jack?

Christian negó con la cabeza.

–¿Por qué? –preguntó ella, desolada.

–Ya es demasiado tarde, Victoria. Antes me parecía la mejor opción para ti. Pero antes no sabía lo que sé ahora. Las cosas han cambiado.

–No entiendo nada –murmuró Victoria–. Yo... estoy cansada de esta guerra, estoy cansada de esta lucha, de tantas muertes. Y –añadió, mirándolo a los ojos– no quiero vivir en un mundo en el que no exista Jack.

–Lo sé –respondió Christian con suavidad–. Me di cuenta el otro día, cuando me viste como shek y, a pesar de eso, estabas dispuesta a morir para protegerlo.

–¿Te molestó?
–Me molestó, sí, porque quiero ver a Jack muerto, pero, por encima de todo, quiero que sigas viva. Y, como ya te dije una vez, eso me puede traer muchos problemas.
Victoria asintió, comprendiendo.
–Quédate con nosotros, entonces –le pidió–. No vuelvas con Ashran –inspiró hondo antes de mirarlo a los ojos y decir–: Ven conmigo.
–¿Que abandone mi bando, dices? –dijo Christian, casi riéndose–. Me pides que traicione a mi gente, a mi señor... a mi padre.
–Lo estás haciendo ya –le recordó Victoria con suavidad–. Ashran me quiere muerta. No sabe que estás aquí.
Pareció que Christian vacilaba.
–Porque, a pesar de todo, no puedo traicionarme a mí mismo –se volvió para mirarla–. Me dejaría matar antes que permitir que sufrieras ningún daño.
Victoria reprimió un suspiro. Sabía que hablaba en serio, sabía que era sincero cuando le decía aquello, y eso la confundía, pero también hacía que sus propios sentimientos hacia él se descontrolasen, como un río desbordado. Y, sin embargo, todavía no estaba segura de querer amar a alguien que no era del todo humano.
Pero deseaba de veras acercarse más a él, sentir su contacto... una vez más...
–¿Puedo abrazarte? –le preguntó, titubeando.
Christian la miró, indeciso. Victoria ya se había dado cuenta de que a él no le gustaba que lo tocasen, pero insistió:
–Por favor.
Él asintió casi imperceptiblemente. Victoria lo abrazó con todas sus fuerzas y, tras un instante de duda, Christian la abrazó también.
La muchacha cerró los ojos y disfrutó de aquel roce, y de las sensaciones que provocaba en su interior. Humano o no, comprendió que necesitaba estar junto a él. Y eso le recordó que Christian había acudido allí para despedirse.
–Cuando te vayas –susurró ella–, no volveré a verte, ¿verdad?
–¿Te esconderás en Limbhad, Victoria? ¿Me lo prometes?
–¿Qué pasará con Jack?
–Estamos condenados a enfrentarnos, criatura. Tarde o temprano, volveremos a hacerlo. Sabes que lucharé con todas mis fuerzas para acabar con su vida..., pero ahora, más que nunca, sé que es posible que

sea él quien me mate a mí –añadió, contemplando pensativo el círculo de árboles quemados y ennegrecidos que se veía más abajo, en el pinar.

–Pero yo no quiero perderos a ninguno de los dos –protestó ella.

–Si venzo en esa lucha –prosiguió Christian–, volverás a verme, porque estarás a salvo, y podré llevarte conmigo a Idhún, si todavía lo deseas. Pero es muy probable que me odies entonces, porque Jack estará muerto. Puedo asumir el riesgo, no obstante, si con ello consigo que Ashran se olvide de ti. Si vence Jack –añadió–, no volverás a verme, porque estaré muerto.

Victoria tragó saliva, y lo abrazó aún con más fuerza.

–Es horrible.

–Lo sé. Pero así son las cosas.

Victoria se tragó las lágrimas.

–Entonces –dijo– disfrutemos de este momento. Aún quedan varias horas hasta el amanecer.

Cerró los ojos y apoyó la cabeza en el pecho de Christian, y él la estrechó entre sus brazos, enredó sus dedos en el cabello oscuro de Victoria y la besó en la frente, con ternura.

Lejos de allí, lejos de su percepción, lejos de sus miradas, unos dedos largos y finos se deslizaban sobre un cuenco de agua, y una voz melodiosa susurraba unas palabras mágicas. El agua cambió de color, se oscureció, tembló durante un instante y después, lentamente, se aclaró hasta mostrar una imagen con nitidez.

Era de noche; bajo la luna y las estrellas se apreciaba una mansión; en la parte trasera se extendía un jardín, que acababa en un mirador que dominaba una extensión arbolada. Sobre el banco de piedra del mirador había dos figuras: una vestía de blanco; la otra, de negro. Y los dos se abrazaban con fuerza, como si aquella fuera la última noche de sus vidas.

Los dedos se crisparon sobre la imagen, y la voz melodiosa siseó, enfurecida.

X
El Ojo de la Serpiente

TENGO que irme –susurró Christian, separándose de Victoria con suavidad.

–No –suplicó ella–. No, por favor. Quiero volver a verte... –se calló enseguida, consciente de lo que significaban aquellas palabras–. No quiero volver a verte –se corrigió–. Lo que quiero es que no te marches.

Christian la miró.

–No me iré del todo –dijo–. Quiero hacerte dos regalos. Ven, mira.

Alzó la mano para mostrarle el anillo que llevaba. Victoria se estremeció. Lo recordaba bien; se había fijado en él dos años atrás, en Alemania. Era un anillo plateado con una pequeña esfera de cristal, de color indefinido, engastada en una montura con forma de serpiente, que enroscaba sus anillos en torno a la piedra. Victoria sabía que Christian siempre llevaba puesto ese anillo, pero a ella no le gustaba mirarlo, porque siempre tenía la sensación irracional de que era un ojo que la observaba.

–¿Sabes lo que es esto? –preguntó Christian en voz baja.

Victoria negó con la cabeza.

–Se llama Shiskatchegg –dijo él–. El Ojo de la Serpiente.

Victoria lanzó una exclamación ahogada.

–¡Shiskatchegg! He oído hablar de él. No sabía que fuera un anillo. Pero sé que en la Era Oscura, el Emperador Talmannon lo utilizó para controlar la voluntad de todos los hechiceros –añadió, recordando todo lo que Shail le había contado al respecto.

–Hace siglos que los sacerdotes lo despojaron de ese poder, una vez acabada la guerra. Pero los sheks lograron recuperar el anillo. Dicen que es uno de los ojos de Shaksiss, la serpiente del corazón del mundo, la madre de toda nuestra raza.

–No debe de ser una serpiente muy grande –se le ocurrió decir a Victoria.

–Shiskatchegg es mucho más grande por dentro que por fuera. Su pequeño tamaño es solo aparente. En cualquier caso, es uno de los símbolos de mi poder. El otro era Haiass –añadió tras un breve silencio.

–¿Qué... qué propiedades tiene?

–Es difícil de explicar. Digamos que recoge parte de mi percepción shek. Es como una extensión de mí mismo. También es uno de los emblemas de mi pueblo. Mi misión era vital para nosotros, y por eso me entregaron a mí el anillo –la miró a los ojos antes de decir–: Pero ahora yo quiero que lo tengas tú.

Victoria sintió que le faltaba el aire.

–¿Qué? –preguntó, convencida de que no había oído bien.

–Te dije que, aunque estuviera lejos, tendría un ojo puesto en ti. Me refería, en concreto, a este ojo.

Victoria lo miró, preguntándose si estaría de broma. Pero Christian no bromeaba.

–Mientras lo lleves puesto –le explicó–, yo estaré contigo, de alguna manera. Sabré si estás bien o te encuentras en peligro. Y si alguna vez te sintieras amenazada, no tienes más que llamarme a través del anillo, y yo acudiré a tu lado, estés donde estés, para defenderte con mi vida, si es necesario.

Mientras hablaba, Christian se quitó el anillo y lo puso, con suavidad, en uno de los dedos de Victoria. Ella tuvo la sensación de que le venía grande; pero, casi enseguida, se dio cuenta de que no era así: se le ajustaba a la perfección.

–¿Lo ves? –susurró Christian–. Le has caído bien; eso es porque sabe que eres especial para mí.

Victoria parpadeó varias veces para contener las lágrimas. Se sentía emocionada y tenía un nudo en la garganta, por lo que fue incapaz de hablar. De modo que le echó los brazos al cuello y lo estrechó con todas sus fuerzas. Christian la abrazó a su vez, apoyando su mejilla en la de ella.

–No te vayas –suplicó la chica–. Por favor, no te vayas. No me importa quién o qué seas, no me importa lo que hayas hecho, ¿me oyes? Solo sé que te necesito a mi lado.

–¿Es lo que te dice el corazón? –preguntó Christian con suavidad.

–Sí –susurró Victoria.

Él sonrió.

–Si no vuelvo –le dijo al oído–, quiero que, pase lo que pase, permanezcas junto a Jack. Él te protegerá cuando yo no esté. ¿Lo entiendes?

Victoria sacudió la cabeza.

–¿Por qué... por qué soy tan importante?

–Lo eres –Christian la miró a los ojos–. No te imaginas hasta qué punto.

Se separó de ella.

–Hasta siempre, criatura –le dijo–. Pase lo que pase, estaré contigo, lo sabes. Pero, antes de marcharme, quiero hacerte otro regalo. Mírame.

Victoria lo hizo, con los ojos llenos de lágrimas. Los ojos azules del shek seguían siendo igual de misteriosos y sugestivos, pero estaban llenos de ternura. Victoria sintió la conciencia de él introducirse en la suya, sondeando su mente, como aquella vez en Alemania, pero en esta ocasión no tuvo miedo. No quería tener secretos para él, ya no. Quería que supiese que, aunque ella regresara con Jack, aunque daría la vida para proteger la de su amigo, jamás olvidaría a Christian.

Sintió que la invadía el sueño, y que los párpados le pesaban. Luchó desesperadamente contra aquel súbito sopor, porque no quería separarse de Christian, porque sabía que, si se dormía, cuando despertase, él no estaría a su lado. Pero la mente del shek era demasiado poderosa, y finalmente Victoria se rindió al sueño y cayó dormida en sus brazos.

Christian la contempló un instante, con una expresión indescifrable. Después la alzó, con cuidado, y la llevó en brazos hasta la casa.

Todas las puertas se abrieron ante él. El shek no hizo el más mínimo ruido mientras se deslizaba por los pasillos con su preciada carga. Su instinto lo guió directamente hasta la habitación de Victoria y, una vez allí, la depositó sobre la cama. Se quedó mirándola un momento más, dormida, a la luz de la luna que entraba por la ventana. Le acarició el pelo y vaciló un instante, pero terminó por dar media vuelta y salir de la habitación.

Bajó las escaleras, silencioso como una sombra.

Pero en el salón se encontró con una figura que lo esperaba, de pie, serena y segura, junto a una de las ventanas. El joven se detuvo, en tensión, y se volvió hacia ella.

Christian y Allegra d'Ascoli se observaron un momento, en silencio. La mujer no hizo ningún gesto, ningún movimiento, no dijo una palabra. Solo miró al shek, con un profundo brillo de comprensión en la mirada.

Christian también pareció comprender. Alzó la mirada hacia la escalera, hacia la habitación donde había dejado a Victoria, dormida. Allegra asintió. Christian esbozó una media sonrisa y salió de la casa.

Allegra no dijo nada, no se movió. Solo cuando el shek abandonó la mansión, fue a la puerta principal para volver a cerrarla con llave.

Después se estremeció, como si hubiera sentido que unos ojos invisibles la observaban. Alzó la mirada, y dijo, con disgusto, pero también con firmeza:

–Fuera de mi casa.

Lejos de allí, el agua del cuenco se volvió turbia, y la espía emitió una exclamación de rabia y frustración. Se esforzó por recuperar la imagen de la mansión, pero las aguas siguieron mudas y oscuras como el fondo de una ciénaga.

Furiosa, arrojó al suelo el contenido del cuenco.

Después se tranquilizó y pensó que, después de todo, no necesitaba seguir observando a través del agua encantada.

Ya había visto bastante, y ya sabía todo lo que necesitaba saber.

Victoria se vio de pronto en un bosque frío y oscuro, y sintió miedo. Miró a su alrededor buscando a sus amigos: a Jack, a Christian, a Alexander, o incluso a Shail, aunque sabía que él no volvería. Pero estaba sola.

Avanzó a través de la espesura, pero su ropa se enredaba con las zarzas, las ramas más bajas arañaban su piel, y sus pies descalzos tropezaban con las raíces, una y otra vez. Por fin, Victoria cayó de bruces al suelo, y sus rodillas golpearon la fría y húmeda tierra. Temblando, se acurrucó junto al tronco de un árbol, sin entender todavía qué estaba haciendo allí.

Entonces, un suave resplandor avanzó hacia ella entre los árboles. Victoria se incorporó, alerta, dispuesta a huir o a pelear si era necesario. Pero aquella luz no parecía agresiva. Había algo en ella que la relajaba y que inundaba su corazón de una sencilla e inexplicable alegría.

La criatura luminosa salió entonces de la espesura y caminó hacia ella.

Victoria se quedó sin aliento.

Era un unicornio, inmaculadamente blanco, de crines plateadas como rayos de luna. Se movía con una gracia sobrenatural, e inclinaba el cuello delicadamente hacia delante, mirando a Victoria a los ojos mientras avanzaba hacia ella. La chica no podía moverse. Los ojos del unicornio reflejaban una extraña luz sobrenatural y le transmitían tantas cosas...

La criatura se detuvo ante ella. Su largo cuerno en espiral era hermoso, pero parecía un arma temible; y, sin embargo, Victoria no tuvo miedo. Le parecía que se reencontraba con un viejo amigo. Tuvo ganas de acariciar su sedosa y resplandeciente piel, de peinar con los dedos sus crines argénteas, pero solo pudo sostener la mirada de aquellos ojos oscuros que reflejaban su propia imagen.

Y entonces la conoció.

–Lunnaris –susurró.

Ella ladeó la cabeza y bajó los párpados en un mudo asentimiento. Tragando saliva, Victoria se acercó más a la criatura y pasó los brazos por su largo y esbelto cuello. El unicornio no se movió.

–¿Por qué he tardado tanto en encontrarte? –le preguntó Victoria–. Te he buscado en cinco continentes, Lunnaris; te he llamado en sueños; he gritado tu nombre a las estrellas. Pero tú no respondías.

El unicornio no dijo nada, pero bajó la cabeza y frotó la quijada contra ella, tratando de consolarla.

–Shail te quería, ¿lo sabes? –dijo Victoria, con los ojos llenos de lágrimas–. Te salvó la vida y luego consagró la suya a buscarte para salvarte otra vez. ¿Por qué lo abandonaste? ¿Por qué lo dejaste morir?

Lunnaris se apartó de ella con suavidad y volvió a mirarla a los ojos. Victoria se vio reflejada en ellos, dos pozos luminosos llenos de infinita belleza y antigua sabiduría, pero no comprendió lo que el unicornio quería decirle.

Entonces se oyó un ruido lejano, algo que sonó como una puerta al abrirse, y Lunnaris volvió la cabeza con una ligereza que habría envidiado cualquier cervatillo y alzó las orejas, alerta.

–No –le pidió Victoria–. No te vayas. Por favor, quédate.

Pero el bosque se iluminó de pronto, y Lunnaris se volvió hacia Victoria para mirarla una vez más, mientras su imagen se difuminaba y desaparecía bajo la luz de la mañana.

–¡Lunnaris! –la llamó Victoria.

–Lunn... –murmuró, dando la espalda a la ventana y tratando de taparse la cabeza con la manta.

–Arriba, dormilona –dijo la voz de su abuela–. ¿Sabes qué hora es? Son más de las doce.

Victoria abrió los ojos, parpadeando bajo la luz del día.

–¿Las doce? –repitió, desorientada–. ¿Por qué... por qué no ha sonado el despertador?

–Porque hoy es sábado y no lo has puesto. ¿O tenías pensado ir a alguna parte? Porque, si es así, me parece que tendrás que cambiar de planes.

–¿Por qué? –preguntó Victoria, despejándose del todo.

Su abuela estaba de pie junto a la ventana y miraba a través del cristal con expresión pensativa.

–Pues porque llueve a cántaros, hija. Mira qué día tan feo ha salido.

Victoria giró la cabeza. Efectivamente, un manto de pesadas nubes grises cubría el cielo, y una densa lluvia caía sobre la mansión.

–Da igual –dijo–. No tenía pensado ir a ninguna parte.

Su abuela se volvió hacia ella y le sonrió, pero de pronto la sonrisa se quedó congelada en su rostro. Se quedó mirando fijamente a Victoria, muy seria, y a la chica le pareció que se ponía pálida.

–¿Abuela? –preguntó, insegura–. ¿Qué pasa?

Allegra volvió a la realidad.

–Nada, niña –sonrió, pero a Victoria le pareció una sonrisa forzada–. Me ha parecido que hoy estás... diferente.

–¿Diferente? ¿En qué sentido?

–No me hagas caso, son tonterías mías –concluyó, dando por zanjada la cuestión–. Te doy dos minutos más. Pero no te quedes dormida otra vez, ¿eh? Que ya es muy tarde.

–No te preocupes, no tardaré –respondió Victoria, aún algo perpleja.

Su abuela salió de la habitación y cerró la puerta tras ella. Victoria se dio la vuelta y respiró hondo, intentando ordenar sus pensamientos. Su mano derecha descansaba sobre la almohada, y vio que en su dedo anular todavía relucía, misterioso e inquietante, Shiskatchegg, el Ojo de la Serpiente.

–No ha sido un sueño –murmuró, recordando su encuentro con Christian, la conversación, todo lo que había sucedido...

Y entonces se acordó de Lunnaris. La había visto en sueños. ¿Era ese el segundo regalo que le había prometido Christian? Victoria comprendió que sí. El shek había explorado su mente hasta dar con el recuerdo de su encuentro con Lunnaris, y lo había hecho salir a flote. Victoria se preguntó si de verdad había visto al unicornio en aquellas circunstancias, si aquel encuentro se había producido realmente, y, en caso de que así fuera, por qué lo había olvidado. En cualquier caso, ahora comprendía por qué Christian no había tratado de utilizarla para que lo guiara hasta Lunnaris; si aquellos eran todos sus recuerdos acerca de ella, no iban a ser de mucha utilidad.

Pero había sido hermoso. Lunnaris era una criatura bellísima, pura magia, y Victoria entendía ahora que Shail hubiera estado tan obsesionado con ella. Lo cual hacía todavía más inexplicable que Victoria no la hubiera recordado hasta aquella noche.

Se incorporó un poco; su cama estaba pegada a la pared, bajo la ventana, y ella se apoyó en la repisa, todavía sentada sobre las mantas, para contemplar la lluvia que caía sobre el jardín. Bajo aquella luz gris, el mirador parecía triste y solitario, y Victoria pensó en Christian y lo echó de menos.

Por alguna razón, pensar en Christian le hizo acordarse de Jack, que seguía recuperándose en Limbhad. La noche anterior no había ido a visitarlo, y el muchacho sin duda estaría deseando verla. Victoria sonrió, y notó que una agradable calidez inundaba su corazón al pensar en él. Por primera vez no se sintió confusa, tal vez por lo que Christian le había dicho al respecto. Los sentimientos no siguen reglas de ninguna clase, recordó Victoria. Estaba empezando a asumir que estaba enamorada de dos personas a la vez. Suspiró. Bien, lo aceptaba, podía vivir con eso.

El problema era que aquellas dos personas querían matarse el uno al otro. Victoria sabía que no podría evitar aquel enfrentamiento y que, fuera cual fuera el resultado, ella sufriría.

Evitando pensar en eso, miró el reloj; eran ya las doce y diez. Victoria decidió que bajaría a desayunar y luego iría a Limbhad a ver a Jack.

Antes de levantarse, se quedó un momento contemplando pensativa la pequeña esfera de cristal de Shiskatchegg; ahora parecía de color verde profundo, y relucía enigmáticamente. Seguía produciendo una extraña turbación en ella, pero Victoria empezaba a acostumbrarse. Acarició con la yema del dedo la piedra, que se volvió de un color parecido al granate. Victoria sonrió y besó el anillo con infinito cariño.

–Para ti, Christian –susurró–. Te quiero.

«Pero», añadió en silencio, «si haces daño a Jack, te mataré».

Aún sonriendo, se levantó, se puso una bata y bajó a desayunar.

Al otro lado del mundo, Christian se estremeció y sonrió a su vez. Estaba asomado a la terraza de su casa, un ático que dominaba parte de la ciudad de Nueva York. Era un piso pequeño y con pocos muebles, los justos, pero a Christian le bastaba. No pasaba mucho tiempo allí y, de todas formas, tampoco le gustaban las visitas.

Por eso, cuando sintió tras él una presencia embriagadora que olía a lilas, ni siquiera se molestó en volverse.

Gerde se dio cuenta enseguida de que no era bienvenida.

–Kirtash –dijo no obstante, con voz aterciopelada.

–¿Qué quieres? –preguntó él sin alzar la voz, pero con un tono tan gélido que el hada titubeó.

–Me envía nuestro señor, Ashran. Quiere verte.

El tono de su voz advirtió a Christian de que algo iba terriblemente mal.

–Infórmale de que me presentaré ante él de inmediato –murmuró, sin embargo.

Notó el aura seductora de Gerde todavía más cerca, y por eso no se sorprendió cuando ella le dijo, casi al oído, con voz suave y cantarina:

–Estás metido en un buen lío.

Christian se volvió con la rapidez del relámpago, la cogió por las muñecas y la arrinconó contra la pared.

–No sabes con quién estás hablando –siseó mirándola a los ojos.

Gerde apartó la mirada con un escalofrío, temerosa del poder del shek. Sin embargo, esbozó una sonrisa sugerente.

–Todavía podemos arreglarlo, Kirtash –le dijo en voz baja; se pegó a él, zalamera, y Christian sintió su turbadora calidez a través de las livianas ropas que llevaba ella–. Ashran sabe lo que has hecho, pero todavía no es demasiado tarde. Mátala y quédate conmigo; sabes que solo ella se interpone entre tú y tu imperio en Idhún. Ve y mátala, y ofrece su cabeza a Ashran. Te perdonará.

Christian entrecerró los ojos. La negra mirada de Gerde estaba cargada de promesas. Pero el shek replicó con frialdad:

–No me provoques, Gerde. Siento que a cada segundo que pasas aquí te debilitas cada vez más, que estás deseando volver corriendo a tu bosque, que el humo, el acero y el cemento de la gran ciudad marchitan tu aura feérica. Podría dejarte aquí paralizada, en este mismo lugar, y sentarme a ver cómo te consumes poco a poco. Sin remordimientos. Creo que hasta disfrutaría con el espectáculo.

Por los ojos de Gerde cruzó un relámpago de ira. Se apartó de Christian; este no dejó de notar, sin embargo, que su mirada se volvió, instintivamente, en la dirección en la que, varias calles más allá, se extendía Central Park, el pulmón verde de la ciudad, el único oasis donde Gerde podría refugiarse en muchos kilómetros a la redonda. La voz del hada, sin embargo, no traicionó su despecho cuando dijo:

–¿No la matarías... ni siquiera para salvar tu propia vida?

–Lo que yo haga o deje de hacer es asunto mío, Gerde –replicó él, pero su voz se había suavizado un tanto.

El hada negó con la cabeza.

–No, Kirtash. Ella ya no es asunto tuyo. Ya te lo he dicho: Ashran lo sabe. Sabe lo que le has estado ocultando todo este tiempo.

Christian no la miró, pero su voz tenía un tono peligroso cuando dijo:

–¿Qué es lo que pretendes? ¿Quieres que te mate por espiarme, eso es lo que quieres?

–Sé que no dudarías en hacerlo. Pero Ashran sabrá por qué has acabado conmigo. Y eso empeorará las cosas.

Hubo un largo silencio.

–Vete –dijo Christian finalmente.

Gerde sonrió, sin una palabra. Aquel halo cautivador que la envolvía había ido perdiendo fuerza en los últimos minutos, aplastado por el ambiente asfixiante de la ciudad, que debilitaba su poder; por lo que el hada no tardó en obedecer la orden del shek, y desapareció del ático, dejando en el aire un leve perfume a lilas.

Christian se dio la vuelta y entró en la casa. El fuego ardía en la chimenea, y se detuvo para contemplarlo.

Aquella chimenea había sido un capricho, dado que el ático no disponía de ella, y el joven la había hecho construir expresamente. Le gustaba sentarse a observar el fuego, que producía una extraña fascinación en él. Todos los sheks odiaban y temían el fuego, y quizá por eso a Christian le gustaba la chimenea, le gustaba ver el fuego prisionero en ella, esclavo de su voluntad.

Se sentó sobre el sofá, y las llamas iluminaron su rostro. Ladeó la cabeza, pensativo. Estuvo tentado de ir a buscar a Victoria, de contárselo todo, pero eso supondría dar la espalda a todo lo que conocía y, por otro lado, también él tenía su orgullo. No, era consciente de lo que había hecho, sabía perfectamente cuáles eran las consecuencias de traicionar a Ashran, y debía asumir su responsabilidad.

Se levantó. Acercó la palma de la mano al fuego, con suavidad. Hubo un breve destello de luz, y las llamas se apagaron. Con expresión sombría, Christian se dio la vuelta y salió de nuevo a la terraza. Dejó que la brisa revolviese su cabello castaño antes de desaparecer de allí para acudir al encuentro de Ashran el Nigromante.

Una suave música inundaba los pasillos de la Casa en la Frontera. Era una voz cantando una balada, y el sonido de una guitarra acompañándola. Victoria se dejó guiar por la música, y esta la llevó derecha a la habitación de Jack.

Se asomó con timidez, y descubrió que era él quien cantaba. Se había sentado sobre la cama, con la espalda apoyada en la pared, y tocaba su guitarra suavemente, con mimo, como si la acariciara. No se dio cuenta de que Victoria acababa de llegar, y ella no quiso interrumpirlo. Se quedó en la puerta, en silencio, escuchando.

La canción era una antigua balada, tal vez de los ochenta; Victoria no conocía el título ni el autor, pero sí estaba segura de que ya la había escuchado en alguna otra ocasión. De todas formas, interpretada por Jack tenía otro significado, mucho más profundo. Cerró los ojos y se dejó llevar por su voz, hasta que la canción acabó, el último acorde se difuminó en el aire y sobrevino de nuevo el silencio.

Entonces Jack alzó la mirada y vio a Victoria allí, en la puerta. Los dos sonrieron con cierta timidez.

–Es preciosa –dijo ella.

Jack desvió la mirada, azorado.

–No es mía –confesó–. No sé componer canciones. Pero a veces... –titubeó– me gusta tocar la guitarra. Y cantar. Aunque normalmente lo hago cuando no hay nadie escuchando.

–Lo siento –se disculpó Victoria–. Quizá debería haberte avisado de que estaba aquí. Aunque me ha gustado mucho escucharte –Jack sonrió–. ¿Puedo pasar?

–Por favor.

Victoria se acercó y se sentó junto a él. Los dos evitaron mirarse. No sabían qué decir, y a Victoria aquella situación le pareció muy extraña.

–¿Cómo te encuentras? –le preguntó por fin–. ¿Cómo va la herida?

–Casi está curada.

–No puede ser. ¿Tan pronto?

–Me curo muy rápido. Ya sabes que yo... –vaciló, y Victoria se dio cuenta de que había algo que le preocupaba.

–¿Qué?

–Ya sabes que yo no soy normal –concluyó él en voz baja.

Victoria respiró hondo, apoyó la cabeza en su hombro y le cogió la mano. Sabía que aquello era algo que había obsesionado a Jack desde la muerte de sus padres. Parecía que su largo viaje por Europa le había hecho olvidar un poco aquellas dudas, pero estas habían regresado inevitablemente, y con más fuerza, tras su reincorporación a la Resistencia. Después de dos años, había vuelto a provocar fuego de manera espontánea y, además, se había enfrentado a Kirtash... y lo había vencido.

–No lo veo tan grave –lo tranquilizó ella–. Mira a los que vivimos en esta casa. ¿Alguno de nosotros es normal, acaso?

El rostro de Jack se iluminó con una amplia sonrisa.

–Supongo que no –dijo.

–A mí... me gustas así, como eres –confesó Victoria con sencillez.

Jack la miró con infinito cariño. Le estrechó la mano con fuerza...

... pero entonces, una mueca de dolor cruzó por su rostro, y se apartó con brusquedad.

–¿Qué? –preguntó ella, asustada.

Jack no contestó, pero se miró la mano, confuso. Tenía en la palma algo parecido a una quemadura, y miró la mano de Victoria para ver qué la había provocado.

Los dos lo entendieron a la vez.

Shiskatchegg.

–¿Qué es eso? –preguntó Jack en voz baja, conteniendo la ira a duras penas.

Victoria tragó saliva.

–Es el anillo de Christ... de Kirtash –dijo en voz baja, desviando la mirada–. Lo siento mucho; a mí no me hace daño, no entiendo por qué a ti sí...

–Será por el poco aprecio que siento hacia su propietario –gruñó Jack–. ¿Me puedes explicar por qué llevas eso puesto?

Victoria respiró hondo, una, dos, tres veces. Después alzó la cabeza y miró fijamente a Jack.

–Lo llevo puesto porque me lo regaló. Es una muestra de cariño –añadió, desafiante.

–¡Cariño! –repitió Jack–. ¡Victoria, tú lo viste igual que yo, sabes lo que es! ¿De verdad crees que puede sentir algún tipo de cariño? ¿Por ti?

Victoria entrecerró los ojos, y Jack se dio cuenta de que la había herido. Se maldijo a sí mismo por ser tan bocazas. La atrajo hacia sí y la abrazó con fuerza.

–Eh –susurró–. Lo siento, Victoria. No quería decir eso. Es simplemente que no entiendo...

Sacudió la cabeza, confuso.

Victoria hundió la cara en su hombro y respiró hondo. No podía culparlo. Sabía lo mucho que él la quería, y en aquellas circunstancias era demasiado pedirle que aceptara su relación con Christian... un shek, un asesino, alguien que quería matarlo. Si ella misma se paraba a pensarlo, comprendía que todo aquello no era más que una gran locura.

Entendió que Jack merecía una explicación.

–Tengo muchas cosas que contarte –susurró–. ¿Me escucharás?

Jack la miró a los ojos, muy serio.

–Te escucharé –le prometió.

Victoria suspiró y, tras un breve silencio, empezó a hablar.

Y ya no pudo parar.

Le contó todo lo que había pasado entre ella y Christian, todos sus encuentros, todas sus palabras, con todo lujo de detalles. Pero también le habló de lo que sentía por él, por Jack. Mientras él la mecía entre sus brazos, escuchándola en silencio, Victoria le confesó abiertamente hasta dónde llegaban sus sentimientos; le habló de su corazón dividido, de sus dudas, pero, sobre todo, le dejó claro que para ella Jack era mucho más que un amigo, que lo quería, que lo amaba con locura, y que siempre lo haría, aunque llevara puesto el anillo de Christian, aunque acudiera al encuentro del shek cada vez que este la llamaba.

Por fin terminó de hablar, y sobrevino un incómodo silencio.

–Vaya... no sé qué decir –murmuró Jack, algo aturdido.

Victoria se separó de él y le cogió la mano, suavemente. Examinó la palma y vio la marca de la herida que le había producido Shiskatchegg. La rozó con los dedos y dejó que su energía curativa fluyera hasta él. Los dos contemplaron cómo la marca se difuminaba hasta desaparecer por completo.

–Pase lo que pase –dijo Victoria–, no dejaré que él te haga daño. ¿Me oyes? Y si se atreve a... –sintió un escalofrío al pensarlo, pero no llegó a pronunciar la palabra–. Si lo hace, Jack, te juro que lo mataré.

Él la miró un momento.

–¿Y qué me harás a mí si soy yo quien acaba con su vida?

Victoria vaciló y apartó la mirada, temblando. Por primera vez, Jack intuyó los turbulentos sentimientos que habitaban en el corazón de su amiga, y comprendió su dolor. La abrazó de nuevo.

–Puede ser que todo sea una trampa, Victoria –le dijo a media voz–. ¿Lo has pensado? ¿Cómo sabes que Kirtash no nos espía a través de ese anillo que te ha dado? ¿Cómo sabes que no es una treta para llegar hasta Limbhad?

–Porque tuvo ocasión de matarnos a los dos, Jack, a ti y a mí. Y no lo hizo.

–Eso es cierto –reconoció Jack, tras un momento de silencio–. Y, además, te salvó la vida –añadió.

–¿Me salvó la vida? –repitió Victoria, sin comprender.

Jack asintió.

–Te salvó de mí. Me di cuenta, Victoria. La noche en que os vi a los dos juntos y me volví... loco. Y quemé la arboleda que hay detrás de tu casa –la miró, muy serio–. El fuego que generé estuvo a punto de alcanzarte, y podrías haber ardido como aquellos árboles. Él te apartó de las llamas, te protegió... con su propio cuerpo. No he querido pensar en ello hasta ahora y nunca pensé que diría esto, pero... es algo que tengo que agradecerle.

Victoria se apretó más contra él. Jack la abrazó con fuerza.

–¿Por qué tenéis que enfrentaros, Jack? ¿No hay otra manera?

Jack sacudió la cabeza.

–Es extraño lo que me pasa con Kirtash. Lo he odiado desde la primera vez que lo vi, porque lo asociaba a la muerte de mis padres. Y, sin embargo, fue Elrion quien los mató, a ellos y a Shail, y convirtió a Alexander en lo que es ahora... un... híbrido incompleto, si tenemos en cuenta lo que te ha contado Kirtash. Elrion hizo todo eso, y fue el propio Kirtash quien acabó con él y, de alguna manera, nos vengó a todos. Sin embargo... nunca he odiado a ese condenado mago tanto como detesto a Kirtash. Es casi irracional, es como si lo odiara por...

–... ¿instinto? –lo ayudó Victoria.

Jack asintió.

–Puede que tenga que ver con el hecho de que siempre he sentido aversión por las serpientes. Quizá intuía que Kirtash era una especie de serpiente gigante. No creo que eso ayudara.

–Supongo que no.

–Y, sin embargo –añadió Jack–, estaría dispuesto a... olvidarlo todo –pudo decir, no sin esfuerzo–, a renunciar a matar a Kirtash... si tú me lo pides. Porque sé que, aunque a mí me cueste entenderlo, él te importa mucho, y lo pasarías muy mal si yo... le hiciera daño.

Victoria tragó saliva.

–El único problema –prosiguió Jack– es que él parece empeñado en matarme a mí. Tendré que defenderme. Eso no me lo puedes negar.

–Claro que no –murmuró Victoria, desolada–. Ojalá las cosas fueran diferentes.

Hubo un breve silencio.

–¿Por qué dice Kirtash que estarás a salvo si yo muero?

–No lo sé. No me lo ha querido explicar.

–Si fuera verdad... –calló y desvió la mirada.

–¿Qué?

–Si fuera verdad –prosiguió Jack en voz baja–, si fuera cierto que puedo salvarte de esa manera... lo haría, Victoria. En serio.

–No... no digas tonterías –tartamudeó ella, con un nudo en la garganta–. ¿Crees que te dejaría hacer algo así? ¿Sacrificarte por mí?

–¿Acaso no es lo que hiciste tú cuando te plantaste delante de esa serpiente y le dijiste algo así como «si quieres matar a Jack, tendrás que matarnos a los dos»? Me siento fatal por haberte puesto en peligro de esa manera.

–No, Jack; en el fondo, yo sabía que él no me haría daño. Y además...

«No quiero vivir en un mundo en el que no exista Jack», le había dicho a Christian. Y lo había dicho de verdad, y seguía sintiendo lo mismo. Pero no se atrevió a decírselo a él.

–Tiene que haber otra forma de solucionar esto –concluyó.

–¿Crees que Kirtash se uniría a nosotros? –preguntó Jack con esfuerzo; Victoria sonrió, agradecida, sabiendo lo que le costaba aceptar o considerar siquiera aquella posibilidad–. ¿Por ti?

–No sé si me quiere hasta ese punto, Jack. Son muchas las cosas que lo atan a Ashran. Es su padre. Y los sheks... son su gente. Pero ojalá... ojalá decida abandonarlos. Tengo miedo de pensar en lo que puede pasarle si descubren que me está protegiendo.

–Sí –asintió Jack–. Ese Ashran no parece un tipo con el que se pueda bromear.

Victoria desvió la mirada.

–Sigo sin entender... qué me veis –dijo entonces, en voz baja–. Shail... murió por protegerme, Christian traiciona a los suyos por mí, y tú... me dices todas estas cosas... Pero yo no soy nadie. No soy nada, solo soy una niña de catorce años que ni siquiera es capaz de hacer magia como es debido. No entiendo...

Calló porque Jack la había hecho alzar la barbilla y la miraba a los ojos.

–Yo sí lo entiendo –dijo con suavidad–. Hasta entiendo que Kirtash traicione a los sheks, incluso a su padre... por unos ojos como los tuyos.

Victoria enrojeció, incómoda y halagada.

–¿Sabes lo que veo en tus ojos, Victoria? –prosiguió Jack–. Veo... algo muy hermoso. Como una estrella iluminando la noche. Hay algo en ti que brilla con luz propia, algo que te hace diferente a todas las demás. Y lo veo tan claro que no me explico cómo hay gente que no se da cuenta.

Victoria se quedó sin aliento.

–Jack, eso es... muy bonito.

Jack pareció volver a la realidad y enrojeció, avergonzado.

–Bueno... puede parecer un poco tonto, pero es lo que pienso.

Le cogió la mano y la levantó para ver más de cerca el Ojo de la Serpiente, pero cuidándose mucho de no tocarlo.

–Es... feo –comentó.

–Yo en cambio lo veo hermoso... a su manera –respondió Victoria, y se preguntó dónde habría oído antes aquellas palabras.

Jack no insistió. Vio que la otra mano de Victoria jugueteaba nerviosamente con la Lágrima de Unicornio, el colgante que Shail le había regalado dos años atrás, antes de morir.

–Todos los chicos que te quieren te hacen regalos –comentó sonriendo–. Yo aún no te he dado nada... como símbolo de mi cariño –añadió, un poco cortado.

Victoria lo miró y sonrió.

–Hay algo que puedes darme y que me hará muy feliz –dijo en voz baja.

–¿El qué?

Ella se sonrojó un poco, pero no bajó la mirada cuando le pidió:

–Regálame un beso.

Jack creyó que el corazón se le iba a salir del pecho. Por un instante sintió pánico, porque nunca había besado a ninguna chica, y tuvo miedo de hacerlo mal. Pero Victoria seguía mirándolo, y Jack había soñado demasiadas veces con aquel momento como para dejarlo escapar ahora.

Tragó saliva, cogió suavemente el rostro de Victoria con las manos y le hizo alzar la cabeza. Seguía perdido en su mirada, y le sorprendió descubrir que los ojos de ella rebosaban un amor tan intenso como el que él sentía en aquellos momentos. Que a ella también le costaba respirar, que se había ruborizado, que su corazón latía a mil por hora, igual que el de él.

Quiso decir algo, pero no encontró las palabras apropiadas. Temblando como un flan, se inclinó hacia ella para darle el regalo que le había pedido.

Fue un beso un poco torpe, pero muy dulce, y Victoria supo en ese instante y sin lugar a dudas que, por extraño que pudiera parecer, era cierto: estaba enamorada de él, igual que lo estaba de Christian, o quizá de manera un poco distinta, pero no con menos intensidad. Se dejó llevar por el fuego del cariño de Jack, que no era enigmático y electrizante, como el de Christian, pero que la envolvía como un manto protector que le daba calor y seguridad. Y Victoria intuyó que, aunque Christian había sido el primero en besarla, semanas atrás, en Seattle... de alguna manera, el beso de Jack era otro primer beso para ella.

Alexander llegó en aquel momento, buscando a Jack, pero los vio juntos y se detuvo en seco en la puerta; y dio media vuelta y se apartó de la entrada, antes de que lo vieran. Una vez en el pasillo, lejos del campo de visión de los chicos, echó una mirada hacia atrás por encima del hombro, sacudió la cabeza, sonrió y se alejó de puntillas.

XI

«DIME QUIÉN ERES...»

KIRTASH –dijo Ashran.

El joven no se movió, no dijo nada. Tampoco levantó la mirada. Permaneció allí, con la cabeza baja y una rodilla hincada en tierra, inclinado ante su señor.

–He oído cosas sobre ti –prosiguió el Nigromante–. Cosas que no me han gustado nada pero que, por otro lado, sé que son ciertas.

Se volvió hacia él y lo miró, y Christian sintió un escalofrío.

–Sabías quién era ella –dijo Ashran, y no era una pregunta–. Lo supiste desde el principio.

–Lo supe desde la primera vez que la miré a los ojos –murmuró Christian sin alzar la mirada–. Hace dos años.

Percibió la ira de su padre, a pesar de que este no la manifestaba abiertamente.

–No me lo dijiste. ¿Eres consciente de lo que significa eso?

–Soy consciente, mi señor.

El Nigromante cruzó los brazos ante el pecho.

–Por mucho menos de esto, cualquier otro estaría ya muerto, Kirtash. Pero a ti te concederé la oportunidad de explicarte. Y espero, por tu bien, que sea una buena explicación.

–No deseo matarla.

–¿A pesar de saber lo que sabes acerca de ella?

–O quizá precisamente por eso.

Christian alzó la cabeza y sostuvo la mirada de Ashran, sereno y seguro de sí mismo, cuando añadió:

–No deseo que muera. Y la protegeré con mi vida, si es necesario.

Ashran entrecerró los ojos.

–¿Sabes lo que estás diciendo, muchacho? Me has traicionado...

–No me he unido a la Resistencia –explicó Christian con suavidad–. Sigo sirviéndote, mi señor. Esperaba poder suplicarte que perdonaras a Victoria, que me permitieras conservarla a mi lado... pero quería ofrecerte a cambio algo tan valioso como la vida de ella, o incluso más.

Ashran comprendió.

–¿Puedes ofrecerme ese... algo... ahora mismo, Kirtash?

–Sé dónde se encuentra –respondió el muchacho–. Sé que tarde o temprano podré poner su cuerpo sin vida a tus pies, mi señor.

–Te refieres al guerrero de la espada de fuego, ¿verdad? ¿Es él el que buscamos?

–Sí, mi señor. La próxima vez lo mataré, y cuando lo haga... la muerte de Victoria ya no será necesaria.

–Victoria –repitió Ashran; dio la espalda a Christian para asomarse al ventanal–. Ahora entiendo muchas cosas, muchacho. Muchas cosas.

»Entiendo tus motivos, y sé que no me mientes. Solo por eso te perdonaré la vida esta vez. Pero te has convertido en un ser débil, sacudido por tus emociones humanas; ahora no eres más que un títere de esa criatura, que te maneja a su antojo. ¿Serías capaz de dar tu vida por ella? Sí, Kirtash, no me cabe duda. Pero así... no me sirves.

Christian entornó los ojos, tratando de adivinar cuál era el castigo que el Nigromante tenía reservado para él. Fuera cual fuese, estaba preparado para afrontarlo. Aunque le costara la vida. Pero algo en el tono de voz de Ashran sugería que podía ser peor que eso. Mucho peor.

Sintió de pronto su presencia tras él, pero no se movió.

–Kirtash –susurró Ashran, mientras deslizaba sus largos dedos por la nuca del muchacho–. Hijo mío, te he hecho como eres. Te he convertido en el hombre más poderoso de Idhún, después de mí. Eres el heredero del mundo que hemos conquistado para ti. He hecho todo eso por ti y, sin embargo, tú me ocultas una información de vital importancia, un secreto que puede dar al traste con todo aquello por lo que he trabajado durante media vida. ¿Por qué? ¿Por un... *sentimiento*?

Los dedos de Ashran se cerraron sobre el cabello de Kirtash. El Nigromante tiró del pelo del joven para hacerle levantar la cabeza y mirarlo a los ojos.

–Eres patéticamente humano, hijo. Lo leo en tu mirada. Esto es lo que esa criatura ha hecho contigo... ¿y aún osas suplicarme por su vida?

La voz de Ashran era peligrosa y amenazadora, y sus ojos relampagueaban con una furia tan terrible como la ira de un dios. Pero Christian no apartó la mirada, ni tampoco le tembló la voz cuando dijo:

–La amo, padre.

El rostro de Ashran se contrajo en una mueca de cólera. Arrojó a su hijo sobre las frías baldosas de piedra. Christian no se quejó, pero tampoco se movió.

–No mereces llamarme «padre» –siseó Ashran.

Se inclinó junto a él, lo agarró por el cuello del jersey y tiró de él hasta incorporarlo y hacerle quedar, de nuevo, de rodillas sobre el suelo.

–Pero no todo está perdido todavía –le susurró al oído–. Aún puedes volver a ser mi guerrero más poderoso, el más leal a mi causa... lo que has sido siempre, Kirtash.

El joven sintió que el poder de Ashran lo asfixiaba lentamente; a pesar de todo, consiguió decir, a duras penas:

–No voy a hacer nada que pueda perjudicar a Victoria.

Ashran esbozó una sonrisa siniestra.

–Claro que vas a hacerlo. Ya lo verás.

Sus dedos oprimieron el cuello de Christian, y él sintió que algo se introducía en su propio cuerpo a través de ellos, algo invisible pero terrible, maligno y poderoso, que despertaba en él su parte más oscura y letal.

–N... no –jadeó Christian.

–Sí –sonrió el Nigromante.

Clavó las uñas en su piel, con más fuerza. Obedeciendo a su voluntad, aquello que recorría a Christian por dentro se introdujo en los rincones más recónditos de su ser, revolviendo instintos y pautas que se habían aletargado tiempo atrás, aplacados por la luminosa mirada de Victoria. Y la parte más inhumana y mortífera de su ser se alzó de nuevo, estrangulando los sentimientos y las emociones que habían guiado a Christian en los últimos tiempos.

Era doloroso, muy doloroso. Christian apretó los dientes para no gritar.

Ashran lo soltó. El joven cayó temblando al suelo, a sus pies.

–Dime quién eres –ordenó su señor.

Christian tragó saliva. Sabía lo que estaba sucediendo. Ashran estaba intentando sepultar sus sentimientos humanos bajo la capa de hielo e indiferencia que le otorgaba su ascendencia shek, que le permitía matar sin remordimientos y que le hacía estar por encima de los simples humanos, por encima de las emociones, de la vida y de la muerte. Se rebeló contra ello. Si el Nigromante se salía con la suya, Christian iría directo a matar a Victoria... y lo haría sin dudarlo ni un solo momento. Tal vez dedicaría un breve pensamiento a lamentar la desaparición de algo hermoso, pues los sheks eran especialmente sensibles a la belleza.

Pero nada más.

Tenía que impedirlo. Recordó a Victoria, el nombre que ella le había dado y que simbolizaba todo lo que ella había visto de bueno y bello en él.

–Christian –pudo decir con un jadeo–. Me llamo Christian.

Ashran frunció el ceño, y aquello que lo estaba martirizando por dentro volvió a atacarlo con más saña. Christian lanzó un agónico grito de dolor y se retorció a los pies de su señor.

–... buen tiempo en toda España para todo el fin de semana, que durará hasta...

Victoria levantó la mirada del libro que estaba leyendo, extrañada, y miró la pantalla del televisor. El mapa de España mostraba un enorme sol sobre la Comunidad de Madrid. Perpleja, pero sin moverse del sillón, echó un vistazo a través de la ventana, hacia los negros nubarrones que cubrían su casa, hacia la pesada lluvia que no había dejado de caer en toda la mañana.

–¿Qué les pasa a los del tiempo? –dijo–. ¿No tienen ojos en la cara, o qué?

Allegra no contestó. Estaba de pie junto a la ventana, contemplando la lluvia, con expresión profundamente preocupada. Victoria se dio cuenta entonces de que estaban ellas dos solas en casa... y habían estado solas toda la mañana.

–Abuela, ¿dónde están Nati y Héctor?

–Les he dicho que se fueran, hija.

Victoria iba a preguntar algo más cuando, de pronto, algo atravesó su alma y su mente como una daga de hielo. Se quedó sin aliento y trató de respirar. El libro cayó al suelo.

Allegra se volvió hacia ella como movida por un resorte.

–¿Victoria?

Victoria jadeó, con los ojos muy abiertos. Las manos le temblaban con violencia cuando se las llevó a la cabeza, se echó hacia atrás y lanzó un gemido de dolor.

Su abuela llegó corriendo junto a ella y la abrazó con fuerza.

–¿Qué es, niña? ¿Qué tienes? –preguntó con ansiedad, sacudiéndola por los hombros.

Victoria movió la cabeza, desesperada. No era un dolor físico, era mucho más sutil, pero, aun así, resultaba espantoso. Sentía algo parecido a una agónica llamada en algún rincón de su mente, sabía que alguien que le importaba muchísimo estaba sufriendo lo indecible, y aquella certeza era insoportable, como si una garra de hielo le oprimiese las entrañas, como si el alma le pesase como un bloque de plomo.

–Christian –musitó, desolada; Shiskatchegg le oprimía el dedo, intentando decirle algo, pero, aunque no lo hubiera hecho, de alguna manera sabía que era él–. Oh, no, Christian.

–¿Qué le pasa, Victoria? ¿Qué ves?

La muchacha se volvió hacia su abuela, con semblante inexpresivo. Estaba demasiado trastornada como para darse cuenta de que ella no parecía extrañada por su conducta ni por sus palabras, sino que la miraba muy seria, con un brillo de profunda inquietud en sus ojos pardos.

–Lo está pasando mal y... oh, no... –se sujetó la cabeza con las manos y gimió cuando percibió que, en un mundo distante, Christian sufría de nuevo su tormento.

No pudo más. Se levantó con lágrimas en los ojos, pero su abuela la retuvo por el brazo.

–¡Tengo que ir a rescatarlo!

–No vas a ir a ninguna parte, Victoria.

–¡No lo entiendes! –chilló ella, revolviéndose con furia–. ¡Me necesita!

–Está muy lejos de ti, no podrás alcanzarlo, ¿no te das cuenta?

–¡¡No!! –gritó Victoria, desesperada.

–No vas a salir de aquí, Victoria. Es peligroso. Si están torturando a Christian, es que ellos ya saben quién eres. Pronto vendrán por ti.

Victoria se volvió hacia su abuela. En otras circunstancias se habría dado cuenta de lo que implicaban aquellas palabras, pero estaba demasiado furiosa y desesperada como para atender a razones.

–¡No me importa! –chilló–. ¡SUÉLTAME!

Hubo un destello de luz y algo brilló en la frente de Victoria como una estrella, algo que cegó a Allegra por un instante y la hizo soltar el brazo de la chica.

Victoria no fue consciente de ello. Libre ya para marcharse, dio media vuelta y subió corriendo las escaleras. Su abuela corrió tras ella, pero, cuando llegó a su habitación, se encontró con la puerta cerrada, y tardó unos segundos preciosos en abrirla. Para cuando logró entrar en la estancia, esta estaba vacía: Victoria se había marchado.

Allegra respiró hondo. Sabía perfectamente adónde había ido Victoria. Hacía mucho que estaba al tanto de sus escapadas nocturnas, y sabía que ella estaría a salvo en el lugar al que se había marchado. Pero la misión de Allegra consistía en crear otro espacio seguro para la muchacha, y hasta aquel momento lo había conseguido...

Hasta aquel momento. Porque sabía que algo invisible llevaba ya tiempo acechando la casa, que no tardaría en atacar... y ella debía estar preparada para cuando eso sucediera.

Sus ojos relucieron, coléricos, y por un momento aparecieron completamente negros, dos inmensas pupilas como pozos sin fondo; sin embargo, pronto adquirieron su aspecto habitual, ojos pardos, severos pero sabios. Sobreponiéndose al acceso de ira, Allegra d'Ascoli salió de la habitación y se dispuso a organizar las defensas mágicas de la mansión.

–Gerde –dijo entonces Ashran con interés.

En medio de su tormento, Christian consiguió abrir los ojos. Vio al hada allí, en la puerta, contemplando la escena con una mezcla de curiosidad, miedo y fascinación. El Nigromante se acercó a ella, la cogió del brazo y la obligó a acercarse y a mirar al shek, indefenso, a sus pies.

–¿Ves lo que tengo que hacerle a mi hijo, Gerde, por no serme leal? –le susurró al oído–. ¿Qué crees que te haría a ti si me fallases?

Gerde temblaba con violencia, pero no fue capaz de hablar.

–¿Por qué no me has traído el cadáver de la muchacha? –preguntó Ashran.

–Está... protegida por una magia antigua y poderosa, mi señor. Una magia que, no obstante, conozco muy bien, porque es semejante a la mía.

Los ojos de Ashran centellearon un breve instante.

–Mira, Gerde –dijo señalando a Christian–: Este es mi hijo, Kirtash, tu señor, príncipe de nuestro imperio. Mira en qué lo ha convertido esa criatura que se hace llamar Victoria. Míralo, débil, indefenso, humillado a mis pies. ¿Todavía te interesa? ¿Todavía lo encuentras atractivo?

–Sigue siendo mi príncipe, mi señor –musitó ella desviando la mirada.

–Y volverá a ser el príncipe orgulloso e invencible que todos recordamos. Entonces será tuyo. A cambio, solo quiero que me traigas a esa muchacha... muerta –cogió al hada por los hombros y la obligó a mirarlo a los ojos; Gerde no pudo sostener aquella mirada, y bajó la cabeza, intimidada–. No me importa cuántos hechizos la protejan. Estás aquí porque eres una maga poderosa. Demuéstrame que no me has hecho perder el tiempo, Gerde. Demuéstrame que puedes serme útil. Y cuando Victoria esté muerta, Kirtash será tuyo.

Gerde inclinó la cabeza.

–Se hará como deseas, mi señor –respondió, con una ambigua sonrisa.

Ashran le indicó que podía retirarse, y el hada se alejó hacia la puerta. Se quedó allí un momento, sin embargo, para ver qué sucedía a continuación.

Ashran se había vuelto de nuevo hacia Christian, que trataba de ponerse en pie.

–Dime quién eres.

El muchacho consiguió levantar la cabeza y miró a su padre por debajo de los mechones de cabello castaño, húmedos de sudor, que le caían sobre los ojos.

–Me llamo... Christian –repitió con un tremendo esfuerzo.

Ashran cerró el puño. El dolor volvió, intenso, lacerante. Christian no pudo soportarlo más: echó la cabeza atrás y gritó, torturado por aquella magia oscura y retorcida que lo estaba destrozando por dentro. En esta ocasión, el tormento duró mucho más.

Gerde sonrió, complacida, y salió en silencio de la sala, para cumplir la misión que le habían encomendado.

Victoria cruzó el pasillo de Limbhad como una bala y tropezó con Alexander.

–¿Qué...? –pudo decir el joven, perplejo–. Victoria, ¿qué te pasa?

–... Christian... báculo... –pudo decir ella.

Y echó a correr sin más explicaciones. Alexander no entendía nada, pero intuyó que era algo grave, y salió corriendo tras ella.

–¡Victoria! –la llamó.

Se encontró con Jack en el pasillo.

–¿Qué pasa, Alexander?

–No lo sé. Victoria se ha vuelto loca. Creo que ha ido abajo, a por el Báculo de Ayshel.

Jack lo miró, alarmado.

–Tenemos que detenerla –dijo–. No sé qué le pasa, pero no debe ir a ninguna parte, ¿me oyes? Hay alguien que intenta matarla.

–¿Qué? ¿A qué te refieres?

–Te lo contaré más tarde. ¡Vamos!

Alcanzaron a Victoria en la sala de armas. La muchacha ya había cogido el báculo e iba a salir corriendo. Jack trató de retenerla, pero no lo consiguió. La chica lo miró un momento, con una profunda desesperación pintada en sus ojos. Se entendieron sin palabras.

Victoria dio media vuelta y salió corriendo pasillo abajo.

–¡Victoria! –la llamó Alexander, dispuesto a salir tras ella.

–Espera –lo detuvo Jack–. No vas a poder pararla.

–¿La vas a dejar marchar así? –preguntó Alexander, estupefacto.

Jack negó con la cabeza.

–No, amigo. Coge a Sumlaris: vaya donde vaya, nosotros nos vamos con ella.

Victoria cayó de rodillas ante la esfera del Alma, sollozando. Christian seguía sufriendo, ella lo sabía con espantosa certeza, y no podía hacer nada para ayudarlo. Estaba en un mundo al que el Alma no podía llegar.

–Por favor... por favor... –musitó–. Por favor...

Pero no había manera. La Puerta interdimensional estaba cerrada. La había cerrado el Nigromante poco después de que Alsan y Shail la cruzaran, tiempo atrás, en su viaje a la Tierra, y ahora estaba controlada por él y los sheks, y pocas personas podían atravesarla a su antojo.

Una de estas personas era, precisamente, Christian.

Victoria se llevó a los labios el Ojo de la Serpiente, que palpitaba en un tono rojizo, y sintió como si cada pulsación de la joya fuera un grito de auxilio al que ella no podía responder.

–Aguanta, Christian, por favor, aguanta –susurró al anillo–. Iré a buscarte, te sacaré de allí, en cuanto sepa cómo llegar hasta ti.

–Está en Idhún, ¿verdad? –dijo una voz tras ella.

Victoria se volvió. Vio en la puerta a Jack y Alexander. Este se había ceñido Sumlaris al cinto, mientras que Jack se había ajustado a la espalda una vaina que contenía su preciada Domivat. Ella comprendió sus intenciones y les dirigió una mirada de agradecimiento.

–Sí –musitó–. El Alma no puede mostrarme su imagen, pero...

–Lo han descubierto, ¿no es así?

Victoria asintió, con los ojos llenos de lágrimas.

–Jack, le están haciendo algo, no sé qué es... Lo están... torturando...

–¿De quién estáis hablando? –intervino Alexander, ceñudo.

–De Kirtash –murmuró Jack–. Ha arriesgado su vida para proteger a Victoria, vino a advertirla de que el Nigromante había enviado a un asesino a buscarla... y ahora paga las consecuencias de su traición.

–¡Qué! –exclamó Alexander.

Jack había cruzado la habitación en dos zancadas para ir a abrazar a Victoria.

–Él lo sabía, Jack –sollozó ella–. Sabía que acabarían descubriéndolo, y, sin embargo... se arriesgó por mí.

–Sí –reconoció Jack, a su pesar–. No hay duda de que el muy canalla es valiente.

–Mi abuela tenía razón: es inútil, no voy a poder llegar hasta él... –se calló de pronto y miró a Jack, con los ojos muy abiertos.

–¿Tu abuela? –repitió Jack, desconcertado.

–¡Es verdad! –exclamó Victoria, recordando su conversación con Allegra e intuyendo muchas cosas–. ¡Tenemos que volver a casa!

–Dime quién eres –dijo el Nigromante por tercera vez.

Christian se dejó caer al suelo, exhausto. Respiraba con dificultad y temblaba como un niño bajo el poder del Nigromante. Sería tan fácil... ceder... y dejar de sufrir...

Acarició por un momento la idea de dejarse llevar y volver a ser una criatura poderosa, ajena a las emociones y a las dudas, libre de las debilidades humanas, un ser casi invencible.

Pero pensó en Victoria. Y apretó los dientes.

–¡Mi nombre es... Christian! –exclamó, y aquella palabra sonó como un grito de libertad y le hizo sentirse mucho mejor.

Pero no duró mucho. Ashran cerró el puño con más fuerza. El dolor se hizo más intenso. Espantosamente intenso. Insoportable. Y Christian sabía que se alargaría mucho, mucho más.

Pronto, los gritos del joven shek se oyeron por toda la Torre de Drackwen.

Encontraron a Allegra de pie junto a la ventana, contemplando la lluvia. Victoria se sintió inquieta por un momento. ¿Y si no había oído bien? ¿Y si todo habían sido imaginaciones suyas, y su abuela era exactamente lo que ella había creído siempre, es decir, una adinerada anciana italiana? Podría presentarle a Jack (y, de hecho, ella estaría encantada de conocerlo), pero sería más difícil explicar la presencia de Alexander. Nadie se sentía cómodo cerca de él.

–Abuela... –titubeó Victoria.

Allegra se volvió hacia ellos y les dirigió una larga mirada pensativa. No pareció sorprenderse al ver a los dos jóvenes que acompañaban a su nieta adoptiva.

–Bienvenidos a mi casa –dijo en perfecto idhunaico–. Os estaba esperando. Príncipe Alsan –añadió mirando a Alexander–, te veo un poco cambiado. Tienes que contarme qué te ha sucedido desde la última vez que te vi.

Alexander se quedó de una pieza. Por la expresión de su rostro, no parecía que él la hubiese reconocido. Pero Allegra no había terminado de hablar.

–Y tú debes de ser Jack –dijo, volviéndose hacia él–. Victoria me ha hablado de ti.

Jack enrojeció un poco, sin saber qué decir. Victoria también se había quedado sin habla. Llevaba un rato sospechando que su abuela sabía más de lo que aparentaba, pero... ¿de qué conocía a Alexander?

–¿Qué...? –pudo decir, perpleja–. ¿Cómo sabes...?

Pero en aquel momento el dolor de Christian volvió a sacudir sus entrañas, y gimió, angustiada. Jack la sostuvo para que no cayera al suelo. Allegra los miró con un profundo brillo de comprensión en los ojos. Vio cómo Jack ayudaba a Victoria a sentarse en el sillón, percibió la inquietante mirada de Alexander clavada en ella. Nada de esto pareció extrañarla ni intranquilizarla lo más mínimo.

–Lo sé porque yo no soy terrestre, niña –dijo con gravedad–. Soy idhunita y llegué a este mundo hace varios años, huyendo del imperio de Ashran y los sheks.

–¡Qué! –exclamó Victoria–. ¿Eres... una hechicera idhunita exiliada? ¿Entonces sabías...?

Allegra la miró y sonrió con cariño. Se sentó junto a ella en el sofá. Victoria la miró con cautela. Se sentía muy confusa, como si estuviera viviendo un extraño sueño. Había pasado tres años esforzándose por ocultarle a su abuela todo lo referente a su doble vida, la que tenía que ver con Idhún, Limbhad y la Resistencia. Resultaba demasiado extraño pensar que ella pertenecía también a ese mundo. Sintió que se mareaba.

–Sabía quién eras desde el principio, Victoria –dijo Allegra–. Desde que empezaron a manifestarse tus poderes en el orfanato. Y por eso te adopté. Para cuidarte y protegerte hasta que pudiéramos regresar juntas a Idhún.

Victoria sintió que le faltaba el aire.

–No, no es verdad. No... tú no puedes ser idhunita. Es... demasiado extraño.

Allegra sonrió.

–Mírame –dijo.

La chica obedeció. Y entonces, algo en su abuela se transformó, y Victoria vio su verdadero rostro, un rostro etéreo, hermoso, enmarcado por una melena plateada, y sobre todo viejo, muy viejo, aunque no hubiera arrugas en él. Pero eran los enormes ojos negros de Allegra, todo pupila, como los de Gerde, los que habían contemplado durante siglos el mundo de Idhún bajo la luz de los tres soles, los que hablaban de secretos y profundos misterios, los que parecían conocer la respuesta a todas las preguntas, porque habían visto mucho más que cualquier mortal.

–Eres...

–En Idhún, a los de mi raza se nos llama feéricos. Soy un hada, Victoria.

Entonces, Alexander la reconoció:

–¡Aile! –exclamó, sorprendido.

Jack y Victoria los miraron a los dos, atónitos.

–¿Ya os conocíais? –preguntó Jack.

–Nos conocimos en la Torre de Kazlunn –explicó ella, recuperando de nuevo su aspecto humano–. Yo pertenecía al grupo de hechiceros que enviaron al dragón y al unicornio a la Tierra. Después, ellos decidieron mandar a Alsan y a Shail a buscarlos, pero nosotros, los feéricos, intuíamos que era una tarea demasiado ingente para dos personas nada más, de manera que decidimos por nuestra cuenta... que yo viajaría también a la Tierra, para echar una mano.

–Entonces, ¿por qué no te pusiste en contacto con nosotros? –preguntó Alexander, frunciendo el ceño.

–Porque Shail y tú llegasteis a la Tierra diez años después que yo, muchacho. Llegué a creer que os habíais perdido por el camino.

–¿¡Diez años!? –exclamó Alexander–. ¡Eso es imposible! Eso querría decir que...

–Hace quince años que los sheks gobiernan sobre Idhún, príncipe Alsan. Y no hace ni cinco años que vosotros llegasteis a la Tierra y organizasteis la Resistencia. De hecho... llegasteis a la vez que Kirtash...

–... que tenía solo dos años el día de la conjunción astral que mató a dragones y unicornios –recordó Jack de pronto–. Hace... quince años... Pero esto... esto es una locura.

–Por alguna razón que desconozco, hubo un desajuste temporal en vuestro viaje. Y ese tiempo no ha pasado por vosotros. Alsan, tú tendrías dieciocho años cuando te vi por primera vez en la torre, y... ¿cuántos tienes ahora? ¿Veintidós, veintitrés? Deberías tener más de treinta.

–No es... posible –murmuró Alexander, atónito.

–¿Pero por qué no me dijiste nada? –estalló Victoria–. Si lo sabías todo, ¿por qué me lo ocultaste?

Allegra suspiró.

–Porque quería que vivieses una vida normal, como cualquier niña normal. Luego llegó Kirtash, y antes de que me diera cuenta ya te escapabas todas las noches a un lugar donde yo no podía encontrarte. Yo había oído hablar de la Resistencia y también conocía las leyendas sobre Limbhad: no tuve más que atar cabos. Me di cuenta de que ya conocías gran parte de la información que yo había tratado de ocultarte. Pero también advertí que regresabas todas las mañanas para ir al colegio, para estar aquí, conmigo, para llevar una vida normal. Y eso es lo que he intentado darte, Victoria, porque era lo que necesitabas de mí. Hasta que llegara el momento...

–¿El momento? –repitió Victoria, mareada.

–El momento en que todo será revelado –respondió Allegra, levantándose con decisión–. Y ese momento está cerca. Ya no queda mucho tiempo, así que más vale que dejemos las explicaciones para más tarde.

–¿Por qué? –quiso saber Alexander, irguiéndose–. ¿Qué es lo que va a pasar?

–Nuestros enemigos están preparando una ofensiva a la casa –explicó Allegra–. He creado una protección mágica alrededor, una burbuja que nos separa del resto del mundo y que, por el momento, nos mantiene a salvo. Pero ellos no tardarán en traspasarla, y debemos estar preparados –miró a Jack y Alexander–. Hemos de defender esta casa. Si nos obligan a retroceder hasta Limbhad, ya no quedará un solo sitio seguro en la Tierra para Victoria.

Victoria abrió la boca para preguntar algo... muchas cosas, en realidad; pero no podía seguir ignorando el tormento de Christian, no podía seguir hablando cuando él estaba sufriendo.

–No me importa la casa –dijo levantándose–. Tenemos que volver a Idhún ahora. Están torturando a Christian y, si no hacemos algo pronto, lo matarán...

–Christian es Kirtash –explicó Jack, algo incómodo.

–Lo había supuesto –asintió Allegra–. Lo he visto rondar por aquí más de una vez.

–¿Cómo? –rugió Alexander; sus ojos se encendieron con un fuego salvaje–. ¿Lo sabías? ¿Y has permitido que se acercase a ella? ¿Qué clase de protectora eres tú?

Allegra sostuvo su mirada sin pestañear.

–Kirtash es un aliado poderoso, Alsan. Y ha decidido proteger a Victoria. No soy tan estúpida como para rechazar una ayuda tan providencial como esa. Te recuerdo que no andamos sobrados de recursos.

–¡Pero es un shek, por todos los dioses! ¡No pienso...!

–¡Dejad de discutir! –gritó Victoria, desesperada–. ¡Mientras nosotros estamos aquí hablando, Christian se está muriendo! ¡No me importa lo que penséis al respecto, yo voy a...!

No pudo terminar la frase porque, de pronto, algo parecido a un poderoso trueno pareció desgarrar los cielos. Allegra alzó la cabeza, inquieta.

–Ya está –dijo–. Han pasado.

Corrió hasta la ventana y se asomó al exterior, preocupada. Alexander no entendía lo que estaba sucediendo, pero siempre había reaccionado con sensatez en momentos de crisis, y se acercó a ella.

–¿Cuál es la situación? –preguntó con frialdad.

–Juzga por ti mismo –respondió Allegra, sacudiendo la cabeza.

Alexander se asomó al exterior. Y no le gustó nada lo que vio.

La casa estaba rodeaba por docenas de extrañas criaturas que avanzaban hacia ellos bajo la lluvia torrencial. Eran seres andrajosos, de piel pardusca, dientes y garras afilados y ojillos que relucían como ascuas.

–Trasgos –murmuró Alexander, con un escalofrío.

Allegra asintió.

–No me enorgullece decir que son parte de la gran familia de los feéricos –murmuró–. La magia que poseen es limitada, pero son temibles cuando atacan en grandes grupos, porque eso los hace más fuertes. Normalmente, las hadas y los silfos mayores podemos controlarlos, pero estos sirven ahora a una hechicera poderosa, y no tengo dominio sobre ellos.

–¿Una hechicera poderosa? –repitió Alexander en voz baja.

Allegra señaló una figura que se erguía más allá, en el jardín, detrás del círculo de trasgos. La lluvia calaba sus finas ropas, que se pegaban a su cuerpo, revelando las formas de su esbelta figura. Su cabello aceitunado caía por su espalda como un pesado manto, chorreando agua. Pero a ella no parecía importarle. Había alzado las manos hacia la casa, y su rostro mostraba una mueca de sombría determinación. Alexander casi pudo sentir la intensa irritación que mostraban sus enormes pupilas negras.

–Gerde –murmuró Allegra–. Una traidora a nuestra raza. Una de las más poderosas magas feéricas, que ha abandonado la resistencia contra Ashran y se ha unido a él.

En aquel momento, el trasgo más adelantado llegó a menos de tres metros de la puerta trasera de la mansión; se oyó entonces algo parecido a un estallido, y la criatura lanzó un alarido de dolor y retrocedió, chamuscada.

–Las defensas de la casa todavía funcionan –murmuró Allegra–, pero no sé por cuánto tiempo.

No había acabado de decirlo cuando se oyó la voz de Gerde, un grito agudo y autoritario, y todos los trasgos atacaron a la vez. Docenas de espirales de energía brotaron de sus dedos ganchudos y se unieron en un rizo todavía mayor, resplandeciente.

Alexander reaccionó deprisa, agarró a Allegra del brazo y la apartó de la ventana. Algo chocó contra la mansión con increíble violencia y la sacudió hasta los cimientos. Las paredes temblaron. Pero la casa resistió.

Jack, que se había quedado en el sofá, abrazando a Victoria, alzó la cabeza, preocupado.

–¿Qué está pasando?

–Nos atacan, chico –dijo Alexander, muy serio, desenvainando a Sumlaris–. Saca tu espada y vamos a destrozar a unos cuantos bichos verdes.

Jack asintió y se levantó, ayudando a Victoria a incorporarse.

–Victoria –le dijo–, ¿estás bien? Gerde está aquí. Tenemos que defender la casa.

Victoria alzó la cabeza y se aferró a la mirada de los ojos verdes de Jack como a una tabla salvadora. Sobreponiéndose, trató de olvidarse del sufrimiento de Christian y asintió.

–Vamos a salir fuera –decidió Alexander–. Lucharemos mejor al aire libre y defenderemos las puertas.

–¡Vale! –aceptó Jack, decidido, y corrió hacia la puerta del jardín.

–Yo cubriré la entrada principal –le dijo Alexander a Allegra–. ¿Qué vas a hacer tú?

–Seguiré sosteniendo la magia de la mansión desde dentro –respondió ella–. Pero, si la barrera cayese, saldría a luchar con vosotros.

Alexander asintió y, sin una palabra más, corrió hacia la puerta principal.

Victoria fue a seguirlo, pero vaciló un momento y se acercó a Allegra. Las dos se miraron un momento. La muchacha observaba a la hechicera como si la viera por vez primera.

–Pase lo que pase –dijo entonces–, tú siempre serás mi abuela.

Y, antes de que Allegra pudiera contestar, Victoria la abrazó con fuerza.

–Siento haberte ocultado todo esto... –murmuró el hada–. Pero era necesario...

–Lo sé, abuela –la tranquilizó Victoria; hizo un nuevo gesto de dolor cuando, en lo más profundo de su ser, Christian gritó otra vez, en plena agonía–. Christian... –musitó, desolada.

–Lo sé, Victoria –susurró Allegra.

Victoria abrió la boca para decir algo, pero oyó que Jack la llamaba desde el jardín. Titubeó un momento.

–Ve con él –la animó Allegra–. También te necesita. Tal vez no puedas ayudar a Christian ahora... pero sí puedes echarle una mano a Jack.

Victoria asintió, con una sonrisa, y salió corriendo en pos de su amigo.

En aquel momento, un nuevo ataque convulsionó los cimientos de la mansión, y Allegra frunció el ceño, irritada.

–Oh, no, Gerde –murmuró–. No entrarás en mi casa. Ni lo sueñes.

–Tu nombre, hijo –insistió Ashran, irritado.

–Chris... tian –jadeó el muchacho.

El sufrimiento volvió. Christian apenas tenía ya fuerzas para gritar, y su cuerpo, roto de dolor, destrozado por dentro, se retorció sobre las baldosas de piedra.

–Eres obstinado, muchacho –dijo el Nigromante–. Pero doblegaré tu voluntad, no me cabe duda.

Hubo una nueva descarga de dolor, más violenta y salvaje que las anteriores, y Christian dejó escapar un alarido.

Pero no cedió. Una parte de su ser estaba con Victoria y, aunque ella se hallara lejos, en un universo remoto, sentía su calor, su luz, que lo guiaba como una estrella en la más oscura de las noches, y sabía que no estaba solo. Y eso le daba fuerzas. Logró incorporarse un momento para mirar a Ashran a los ojos, respirando con dificultad. El Nigromante aguardó a que hablara.

Christian sabía que sería castigado por su osadía, pero alzó la cabeza para decir, con sus últimas fuerzas, pero con orgullo y coraje:

–Me llamo... Christian.

Ashran entornó los ojos.

–Como quieras, hijo. Tendrá que ser por las malas.

No tardó en escucharse un nuevo alarido de agonía que sacudió la Torre de Drackwen hasta sus cimientos.

En el jardín, Jack y Victoria peleaban bajo una lluvia torrencial. La espada de Jack ardía como el corazón del sol, y ni siquiera la lluvia lograba apagar su llama. Había visto a Gerde un poco más allá e intentaba avanzar hacia ella, pero la horda de trasgos parecía dispuesta a defender a su señora con la vida; el muchacho tenía que detenerse constantemente a pelear contra aquellas desagradables criaturas, que lo atacaban con hondas, puñales, picos, espadas cortas y, por supuesto, con su magia, que, aunque tosca, era agresiva y resultaba efectiva.

Victoria, en cambio, tenía muchos problemas. Su corazón seguía sangrando y se veía incapaz de concentrarse en la pelea. El sufrimiento de Christian era cada vez más intenso, y casi le parecía escuchar en su alma sus gritos de dolor. Veía a los trasgos a través de un velo de lágrimas, y todo aquello le parecía demasiado fantástico, demasiado irreal, como si se tratase de un sueño. Lo único que le parecía auténtico y verdadero era el tormento de Christian, que, en alguna lejana estrella, estaba pagando muy caro su amor por ella.

Entonces, algo la golpeó por la espalda y la hizo caer sobre el suelo embarrado. Jadeó de dolor y trató de recuperar el báculo, que había caído un poco más lejos. Algo la levantó con brusquedad y casi le cortó la respiración.

Alzó la cabeza y vio los ojos negros de Gerde fijos en ella.

–¿Y eres tú la criatura por la que Kirtash se ha tomado tantas molestias? –dijo el hada con voz cantarina, pero con un leve tono irritado–. Vaya cosa. Y pensar que nos ha traicionado por ti... que ni siquiera sabes quién eres.

La arrojó al suelo, y Victoria cayó de nuevo de bruces sobre el barro.

–Christian –dijo el hada con una risita burlona y cruel–. No tardarás en morir, Victoria, y tu *Christian* morirá contigo. No mereces a alguien como él.

–No –jadeó Victoria.

Logró incorporarse lo bastante como para alzar la cabeza hacia ella, y descubrió el brillo de la muerte en sus ojos, totalmente negros y llenos de rabia, rencor... y celos.

Gerde alzó la mano. Entre sus dedos apareció una llama de fuego azul, que chisporroteó bajo la lluvia mientras se hacía más y más grande.

–Demasiado fácil –comentó el hada con desdén.

Y lanzó la bola de energía contra Victoria.

Ella cerró los ojos, deseando haber podido hacer algo por Christian, deseando haber podido decirle a Jack que...

Se oyó algo parecido al chasquido de una enorme hoguera, y Victoria sintió una presencia ante ella. Abrió los ojos.

Y vio a Jack, plantado entre Gerde y ella, sosteniendo a Domivat en alto, orgulloso y fiero, seguro de sí mismo y, sobre todo, muy enfadado.

–No te atrevas a tocarla –le advirtió el muchacho, muy serio.

Gerde había tenido que saltar a un lado para esquivar la magia que había lanzado contra Victoria, y que la espada de Jack había hecho rebotar contra ella. Lo miró un momento, desconcertada, pero Jack no esperó a que ella se recuperara de la sorpresa. Lanzó una estocada directa al corazón del hada.

Ella reaccionó deprisa. Alzó las manos con las palmas abiertas, generó algo parecido a un destello de luz, y la espada de Jack chocó contra un escudo invisible. Saltaron chispas.

Los dos se miraron un momento. Jack captó, de pronto, el halo sensual que rodeaba a Gerde, y se quedó contemplándola, fascinado. El hada era ligera y delicada como una flor, pero su rostro, de rasgos extraños y sugestivos, lo atraía con la fuerza de un poderoso imán; los labios de ella se curvaron en una sonrisa cautivadora, y Jack deseó besarlos, sin saber por qué.

La sonrisa de Gerde se hizo más amplia.

–Acércate... –canturreó, y su voz sonó tan seductora como el canto de una sirena.

Jack bajó la espada y dio un par de pasos hacia ella, embelesado. Pero entonces, la miró a los ojos y se vio reflejado en ellos, dos enormes pozos negros llenos de secretos y misterios. Y se dio cuenta de que no había luz en aquellos ojos, y echó de menos la clara mirada de Victoria.

Y despertó del hechizo, justo a tiempo de ver a Gerde entrelazando las manos en un gesto extraño. Jack lanzó un grito de advertencia, retrocedió y asestó un golpe en el aire con su espada; sintió que algo muy tenue se rompía, y supo que acababa de desbaratar el hechizo que Gerde había intentado arrojar sobre él. El hada lanzó un grito de rabia y frustración y lo miró con odio, y Jack se dio cuenta de que su rostro ya no le parecía tan hermoso. Blandió a Domivat y se lanzó contra ella.

En aquel momento, Victoria gritó, arrodillada sobre el barro, bajo la lluvia inmisericorde. El dolor de Christian era cada vez más intenso, y la muchacha sabía que él no aguantaría mucho más. La sola posibilidad de que Christian pudiera morir por su culpa le resultaba insoportable.

Y, en su dedo, Shiskatchegg seguía transmitiéndole las emociones de Christian, y Victoria no pudo aguantar más. Echó la cabeza atrás y volvió a gritar por Christian, por no poder hacer nada por él y tener que verse obligada a saber lo mucho que estaba sufriendo.

Jack se volvió hacia ella, desconcertado, y eso casi le costó la vida. Gerde lanzó un ataque mágico contra él, y aquella energía le dio de lleno en el hombro, lanzándolo violentamente hacia atrás.

–¡Jack! –gritó Victoria.

Se incorporó a duras penas. Vio que Jack se levantaba, tambaleándose; vio que miraba a Gerde con un brillo de determinación en los ojos, y supo que debía ayudarlo. Intentó correr hacia él, pero el anillo volvió a decirle, una vez más, lo mucho que estaba sufriendo Christian, y Victoria tropezó con sus propios pies y cayó al suelo. Sintió que la invadían la ira y la impotencia. Alzó la cabeza para mirar a Jack, le vio lanzar estocadas contra la hechicera, ignorando su hombro herido, y supo que tenía que hacer algo. No serviría de nada que se quedase ahí, sufriendo por Christian, sin poder hacer nada por él. Se levantó de nuevo.

Otra vez, el dolor de Christian la sacudió como una descarga, y en esta ocasión fue mucho más intenso. Victoria gritó y, sin poder soportarlo más, se arrancó el anillo del dedo.

Y entonces, silencio.

Shiskatchegg titiló un momento, y su luz se apagó.

Muy lejos de allí, en la Torre de Drackwen, Christian gritó de nuevo. Buscó la luz en la oscuridad, pero en esta ocasión no la encontró. Y se sintió de pronto muy solo y vacío, y un soplo helado le apagó el corazón.

«¿Victoria?», la llamó, vacilante. Pero ella no contestó.

Podía estar muerta, o tal vez lo había abandonado a su suerte. Cualquiera de las dos posibilidades resultaba angustiosa.

«Victoria...», repitió Christian.

Pero, de nuevo, solo se escuchó el silencio. Y Christian se vio solo, solo entre tinieblas, demasiado débil para resistir aquel manto de hielo que poco a poco se iba apoderando de su alma.

Victoria notó como si la hubieran liberado de una pesada carga. Sabía que Christian seguía sufriendo, pero ya no lo sentía de la misma manera que antes.

Miró a su alrededor; vio que todo el jardín estaba sembrado de cadáveres de trasgos, y que apenas quedaban unos cuantos en pie, y contempló a Jack con un nuevo respeto.

Con todo, el chico empezaba a estar cansado, y Gerde era una enemiga peligrosa.

Victoria recogió su báculo y acudió en ayuda de su amigo.

Tres trasgos le salieron al encuentro, pero Victoria, furiosa, volteó el báculo y los hizo estallar a todos en llamas.

Jack la vio y sonrió. Y ya no le hizo falta la ayuda de nadie. Seguro de que Victoria sabría cuidarse sola, lanzó un nuevo golpe hacia Gerde, liberando gran parte de su energía oculta a través de la espada. La hechicera intentó defenderse, pero Domivat resquebrajó su defensa mágica, al igual que, días atrás, había quebrado a Haiass.

Hubo una llamarada y un grito y, cuando Victoria pudo volver a mirar, vio a Gerde en el suelo, contemplando, temerosa, a Jack, que se alzaba ante ella, temblando de cólera, con la espada todavía irradiando energía ígnea y un extraño fuego iluminando sus ojos verdes.

Victoria se reunió con él; algo en su frente centelleaba como una estrella, y su aura parecía proyectar una energía pura y antigua, una magia que estaba más allá de la comprensión humana. Gerde los miró y los vio diferentes, más poderosos, seres formidables contra los que no podía luchar. Sacudió la cabeza y lanzó un amargo grito de rabia.

Y su cuerpo generó una luz tan intensa que Jack y Victoria tuvieron que cerrar los ojos y, cuando los abrieron, el hada ya no estaba allí.

Jack y Victoria se miraron. Quedaron atrapados en los ojos del otro durante un segundo en el que el tiempo pareció detenerse; y después, heridos y agotados, pero satisfechos, se abrazaron con fuerza.

Habían vencido.

Ashran rió suavemente. A sus pies, el muchacho seguía temblando, encogido sobre sí mismo. Parecía que nada había cambiado y, sin embargo, el Nigromante intuía que sus esfuerzos por fin empezaban a dar fruto.

–Dime quién eres –exigió, por enésima vez.

El joven se levantó, vacilante. Logró ponerse de pie. Sacudió la cabeza para apartar el pelo de la frente y clavó en el Nigromante una mirada tan fría como la escarcha.

–Soy Kirtash, mi señor –dijo, con una voz demasiado indiferente para ser humana.

Ashran asintió, complacido. Se volvió un momento hacia la puerta, donde aguardaba, en un silencio respetuoso, un szish, uno de los hombres-serpiente de su guardia personal, y le hizo una seña. La criatura avanzó hacia él y le tendió el bulto estrecho y alargado que portaba entre las manos. Ashran lo cogió y se lo entregó a Kirtash, que lo tomó con sumo cuidado y lo desenfundó. El suave brillo glacial de Haiass iluminó su rostro, y el joven sonrió, satisfecho. La espada volvía a estar entera.

–Bienvenido a casa, hijo –dijo Ashran, sonriendo también.

Victoria cayó de rodillas sobre el barro. Había dejado de llover, y unos tímidos rayos de sol empezaban a iluminar el jardín.

–Por favor... –suplicó la muchacha, con los ojos llenos de lágrimas–. Por favor, dime que estás ahí. Dime que existes todavía. Te lo ruego.

Pero Shiskatchegg, que adornaba de nuevo su dedo, permaneció mudo y frío. Victoria se encogió sobre sí misma y se llevó la piedra a los labios.

–Christian –susurró–. Christian, lo siento. Por favor, dime que no te has ido. Por favor... perdóname...

Se le quebró la voz y se echó a llorar, encogiéndose sobre sí misma. La luz de Christian se había apagado, no sentía a nadie al otro lado. Y eso quería decir que, probablemente, el joven shek estaba muerto. Victoria gritó a los cielos el nombre de Christian, mientras Allegra y Alexander la observaban, sin saber qué hacer para consolarla.

Jack se acercó, se arrodilló junto a ella y la abrazó por detrás. Victoria siguió llorando la pérdida de Christian, mientras pronunciaba su nombre una y otra vez, y besaba el anillo, ahora muerto y frío; y Jack la abrazaba con fuerza, en silencio, meciéndola suavemente, tratando de calmar con su presencia aunque solo fuera una mínima parte de su dolor.

Victoria alzó la mirada hacia lo alto y aún susurró:

–Christian...

Pero en el fondo sabía que él ya no podía escucharla.

XII
Traición

HAS fracasado –siseó el Nigromante, y Gerde se encogió de miedo ante él.

–Esos dos... son seres poderosos, mi señor. Mi magia no ha podido derrotarlos.

–Ni podrá –intervino la fría voz de Kirtash desde el fondo de la sala–. Ya han despertado; Gerde ya no es rival para ellos.

Ashran se volvió hacia su hijo, que estaba de espaldas a él, asomado al ventanal.

–¿Insinúas que tengo que enviarte a ti otra vez?

Kirtash se dio la vuelta y lo miró.

–Puedes enviar a cualquier otro, mi señor, pero sabes que fracasará.

–Eso es cierto –reconoció Ashran–. Pero no quiero correr riesgos, Kirtash. Deben morir, al menos uno de los dos. Y me parece que la chica es la más vulnerable.

–Y la única a la que podemos utilizar –murmuró Kirtash.

–¿Qué quieres decir? –Ashran le dirigió una mirada peligrosa, pero el muchacho se había asomado de nuevo a la ventana, pensativo, y señaló el bosque de Alis Lithban, que se extendía ante él.

–Mira, mi señor. Alis Lithban está muriendo, y es el lugar más mágico de toda nuestra tierra.

Ashran contempló el paisaje que Kirtash le mostraba. El antaño exuberante bosque de los unicornios aparecía ahora mustio, marchito y gris bajo la luz de los tres soles.

–Se debe a la desaparición de los unicornios –dijo el Nigromante, sin entender adónde quería llegar a parar Kirtash–. Ellos canalizaban la energía de la tierra de Alis Lithban y la repartían por todo el bosque. Sin ellos, la energía se ha estancado, ya no fluye.

–Pero sigue ahí –dijo Kirtash en voz baja; alzó la cabeza para clavar en su padre la mirada de sus ojos azules–. Y, si sigue ahí, nosotros podemos extraerla. Y concentrarla en un punto, como por ejemplo... esta torre.

Ashran entornó los ojos, considerando la propuesta del muchacho.

–Si renováramos la magia de la Torre de Drackwen –dijo, despacio–, se convertiría en una fortaleza inexpugnable. Como lo fue en tiempos antiguos.

Kirtash asintió.

–Y, por fin, todo Idhún caería en tus manos, mi señor. Incluyendo a los feéricos renegados del bosque de Awa y a los pocos hechiceros que resisten todavía en la Torre de Kazlunn. Y después... podrías conquistar otros mundos.

–Otros mundos... como la Tierra, ¿no es cierto? He observado que te gusta mucho la Tierra.

Kirtash se encogió de hombros.

–Es un buen lugar para vivir –comentó solamente.

El Nigromante se separó de la ventana.

–Ya veo lo que quieres decir. La chica podría hacerlo.

Kirtash asintió.

–Y solo ella, mi señor. La mataré si ese es tu deseo, pero, si lo hago, perderíamos la oportunidad de resucitar la Torre de Drackwen. Decide, pues, si deseas que muera, o que viva para servirnos, y yo actuaré en consecuencia.

Ashran lo miró fijamente.

–¿Puedes traerla hasta aquí? ¿Hasta la Torre de Drackwen? Si es cierto que ha despertado, su poder será mucho mayor que antes.

–Tal vez. Pero tiene un punto débil.

–¿De veras? –el Nigromante alzó una ceja, con interés–. ¿Y cuál es ese punto débil?

Kirtash esbozó una fría sonrisa.

–Yo –dijo solamente.

Allegra recorrió en silencio los pasillos de su casa, agotada. Era ya de noche y la mansión estaba tranquila. Pero ella se sentía inquieta, y dudaba que pudiera dormir como lo hacían sus invitados.

Se deslizó por el corredor y se detuvo ante la habitación de Victoria. Se asomó sin hacer ruido para no despertar a Jack y a la muchacha.

Los vio tendidos sobre la cama, dormidos el uno junto al otro, exhaustos. El brazo de Jack rodeaba la cintura de Victoria, en ademán protector, y Allegra sonrió.

Había sido una tarde muy larga. Victoria estaba destrozada y no tenía fuerzas para hacer más preguntas. Incluso cuando había llorado tanto que ya no le quedaban más lágrimas, había seguido encogida sobre sí misma, en un rincón, con la mirada perdida y la cabeza gacha, repitiendo en voz baja: «Es culpa mía, es culpa mía...».

Jack la había llevado a su habitación para que descansara. Allegra la había oído llorar otra vez desde el salón, había oído las palabras de consuelo que le susurraba Jack, y cómo los sollozos de ella se iban calmando poco a poco hasta que la joven, agotada, había terminado por dormirse en brazos de su amigo, que se había quedado junto a ella para velar su sueño.

Allegra no dudaba de que Victoria soñaría con Christian, y agradeció que estuviera Jack a su lado para reconfortarla con su presencia.

Se apoyó en el marco de la puerta y se quedó mirándolos un rato más. Pudo percibir el fuerte lazo que los unía, un afecto tan intenso, tan palpable, que Allegra no pudo evitar preguntarse de dónde procedía.

Contempló a Jack con un nuevo interés, y se preguntó quién era él en realidad. Debía de ser alguien especial o, de lo contrario, Victoria jamás se habría fijado en él. Allegra movió la cabeza, preocupada. Victoria estaba tan distante del resto de los mortales como lo estaba la Luna de la Tierra, pero nunca se lo había dicho y, aunque había ensayado miles de veces las palabras que emplearía, ahora que había llegado el momento de revelarle cuál era el misterio de su existencia, le faltaba valor. Victoria necesitaba descansar, y por ello Allegra había decidido dejar las conversaciones importantes para el día siguiente, para decepción de Alexander, que había exigido varias veces saber qué estaba ocurriendo exactamente. Pero Allegra no consideraba justo que él se enterase antes que Victoria, y se había mantenido firme.

Contempló a la chica dormida con infinito cariño. Había pasado siete años buscándola en el caótico mundo en el que se había perdido, pero al final la había encontrado. Al igual que Gerde, Allegra tenía una habilidad especial para reconocer a las criaturas como Victoria.

La había sacado de aquel orfanato y le había proporcionado un hogar seguro. Había elegido una casa grande a las afueras de una gran ciudad. Una gran ciudad, porque a sus enemigos les resultaría más difícil detectarlas que si viviesen en un lugar más aislado. A las afueras, porque la naturaleza feérica de Allegra se marchitaría si pasara demasiado tiempo en el corazón de la urbe. Había escogido precisamente aquella mansión porque tenía un bosquecillo en la parte trasera, y Allegra supuso que un ser como Victoria necesitaría un espacio como aquel para refugiarse y renovar su energía.

La casa estaba pensada para ser una fortaleza, para mantener a salvo a Victoria mientras crecía e iba, poco a poco, preparándose para afrontar el papel que el destino tenía reservado para ella. Pero aquella casa no podía protegerla de la poderosa criatura que Ashran había enviado tras sus pasos. Allegra se había dado cuenta de ello cuando, cuatro años atrás, en Suiza, Kirtash había estado a punto de alcanzar a la muchacha. Se había reprochado una y mil veces aquel descuido; pero Victoria se había unido a la Resistencia, y ahora no era Allegra la única que la protegía. Estuvo tentada de hablar con ella entonces, de contárselo todo, de contactar con la Resistencia. Pero Victoria estaba de vuelta en su cuarto todas las mañanas, y su luz propia, aquella luz que se reflejaba en sus ojos y que solo algunos, como Allegra, como Kirtash, podían detectar, brillaba con más intensidad. Su abuela sabía que había encontrado otro lugar mejor, un refugio aún más seguro que su propia casa, un espacio donde renovar su energía y sentirse a salvo de todo, incluso de Kirtash. Y supo entonces que tenía que guardar el secreto, porque Victoria necesitaba una vida tranquila, rutinaria, una vida como la de otras chicas de su edad, para mantener su equilibrio emocional. Limbhad era más seguro que la mansión de Allegra, eso era cierto. Pero la vida que esta le había proporcionado era más segura que la que le ofrecía la Resistencia, y ambas vidas, ambos espacios, se compensaban mutuamente.

De modo que Allegra se limitó a observar, no sin inquietud, cómo su protegida se iba preparando para ocupar su lugar en la historia de Idhún. Era arriesgado, porque había entrado en juego antes de tiempo, pero tenía sus ventajas. Victoria ya no era una niña inocente. Había sufrido, había aprendido mucho, había madurado. Estaba más preparada ahora de lo que lo hubiera estado si Shail, Jack y Alexander no hubiesen entrado en su vida, si se hubiese conformado con la protección que Allegra le ofrecía.

Pero luego había entrado Kirtash en escena.

Allegra sabía quién era él, había detectado su interés por Victoria. Fue consciente de las reuniones clandestinas de los dos jóvenes, y las observó con inquietud, pero también con interés. Resultaba alarmante, pero no tenía la menor duda de que Kirtash ya conocía la identidad de Victoria y, a pesar de eso, no había tratado de matarla todavía. Comprendió entonces que el shek había quedado cautivado por la luz de Victoria; porque, aunque Kirtash pensara que seguía siendo fiel a su señor, lo cierto era que, protegiendo a la muchacha, se había convertido en un importante aliado de la Resistencia.

Allegra cerró los ojos, cansada. Era una lástima haberlo perdido. No solo para la Resistencia, sino también por Victoria. Estaba claro que lo que ambos habían sentido el uno por el otro era muy intenso y muy real. De no ser así, Victoria no habría podido sufrir de aquella manera con el suplicio del joven, con o sin el Ojo de la Serpiente brillando en su dedo. Era, hasta cierto punto, lógico. Victoria y Kirtash eran dos seres muy semejantes, pero también radicalmente opuestos. Era inevitable que sintieran atracción el uno por el otro. Ashran debería haber previsto algo así.

En tal caso... ¿dónde encajaba Jack? Porque era evidente que Victoria también sentía algo muy profundo hacia él; por tanto, no era un simple muchacho humano, debía de ser mucho más. Allegra lo había visto blandir a Domivat y había dado por sentado que era un hechicero poderoso, o tal vez un héroe. Pero ahora ya no estaba tan segura. Porque aquello no justificaba el inmenso afecto que Victoria sentía hacia él. Y tampoco lo que estaba contemplando en aquellos instantes.

Para un observador humano, en la habitación solo había dos adolescentes dormidos, muy cerca el uno del otro. Pero Allegra veía perfectamente cómo sus dos auras se entrelazaban tratando de fusionarse en una sola, cómo se comunicaban entre ellas, cómo se acariciaban la una a la otra, y no le cupo la menor duda de que necesitaban desesperadamente estar juntos, y que separarlos sería lo más cruel que podrían hacerles a ambos.

Entrecerró los ojos. El aura de Jack era intensa, resplandeciente como un sol. No, aquel no era un muchacho corriente. No más que Victoria. ¿Sería posible, entonces, que...?

Se sobresaltó. No, no podía ser cierto. Por otro lado, si lo era...

... Si lo era, Kirtash debía de haberlo adivinado tiempo atrás. Algo así no podía haber escapado a la aguda percepción del shek. Y, si Kirtash lo sabía, Ashran debía de saberlo también.

Sintió un escalofrío. Si sus sospechas eran acertadas, lo único que se interponía entre el Nigromante y su victoria total estaba en aquella casa... en aquella habitación.

No era un pensamiento tranquilizador. Allegra estuvo tentada de despertar a Alexander, que descansaba en una de las habitaciones de invitados, pero lo pensó con calma y decidió que era mejor dejarlos dormir a todos. Los necesitaría despejados para enfrentarse a lo que se avecinaba.

Las defensas mágicas de la casa habían quedado muy debilitadas después del ataque de Gerde y los suyos. Allegra se dio cuenta de que no podía esperar al día siguiente para reforzarlas, de modo que decidió ponerse a ello inmediatamente. Pondría en juego todo su poder para convertir la mansión en una fortaleza inexpugnable en la que nadie pudiera entrar.

Pero no cayó en la cuenta de que eso no impediría que los ocupantes de la casa salieran al exterior.

Y, por desgracia, Kirtash ya había contado con ello.

La piedra de cristal de Shiskatchegg relució durante un breve instante. Después se apagó, pero no tardó en iluminarse de nuevo, con un leve resplandor verdoso.

Victoria abrió los ojos lentamente. Vio el anillo justo frente a ella, porque su mano izquierda reposaba sobre la almohada, junto a su rostro. Lo vio relucir en la semioscuridad y jadeó, sorprendida, cuando se dio cuenta de lo que ello significaba. Estuvo a punto de ponerse en pie de un salto, pero se contuvo cuando sintió una presencia junto a ella. Se dio la vuelta y vio a Jack, dormido, a su lado. Por un momento se olvidó del anillo y sonrió con ternura. Suspiró imperceptiblemente y apartó con suavidad el brazo de Jack, que le rodeaba la cintura. El muchacho se movió en sueños, pero no se despertó. Victoria se inclinó sobre él para darle un beso de despedida en la mejilla.

–Enseguida vuelvo –susurró, con el corazón latiéndole con fuerza.

No tardó en salir de la habitación.

Se deslizó por la casa sin hacer ruido. Pasó por el salón, donde su abuela, agotada, se había quedado dormida en un sillón. Pero apenas se dio cuenta de que estaba allí. El Ojo de la Serpiente relucía mágicamente en la oscuridad, y ello podía significar que Christian estaba vivo. Nada, absolutamente nada, podría haber impedido que Victoria acudiese a su encuentro aquella noche.

Salió al jardín y se detuvo, con el corazón latiéndole con fuerza. Sintió un escalofrío al ver el terreno destrozado y recordar la pelea de aquella tarde. Sin embargo, no tardó en sacudir la cabeza y volverse hacia el mirador, iluminado por la luna.

Pero Christian no estaba allí. Victoria se llevó la mano a los labios, angustiada. Sin embargo, Shiskatchegg seguía brillando, y la muchacha se aferró a la esperanza de que no fuera un sueño, de que Christian se hubiera salvado y hubiera encontrado la manera de llegar hasta ella.

Bajó corriendo las escaleras de piedra hasta el pinar. Se adentró entre los árboles, buscando a la persona a quien creía haber perdido. Se detuvo, indecisa, y miró a su alrededor.

–¿Christian? –jadeó.

Vio su figura un poco más allá, una sombra más fundiéndose con la noche; la habría reconocido en cualquier parte.

–¡Christian!

Victoria sintió que algo le iba a estallar en el pecho y corrió hacia él. Se lanzó a sus brazos, con tanto ímpetu que estuvo a punto de hacerle perder el equilibrio. Con los ojos llenos de lágrimas, lo abrazó con todas sus fuerzas y enterró el rostro en su hombro.

–Christian, estás bien... Pensaba que te había perdido, y no te imaginas... oh, menos mal que has vuelto...

Él no dijo nada, no se movió y tampoco correspondió a su abrazo. Y Victoria sintió de pronto...

... frío.

Alzó la cabeza y trató de descifrar la mirada de él en la semioscuridad.

–¿Christian? ¿Estás bien?

–Estoy bien, Victoria –pero su voz carecía de emoción, y su tono era tan inhumano que la muchacha se estremeció.

–¿Qué... qué te han hecho? –musitó.

Intentó bucear en sus ojos, pero chocó contra una pared de hielo.

Y, de alguna manera, supo que acababa de perder a Christian por segunda vez en el mismo día. Se le rompió el corazón en mil pedazos, quiso llorar todas sus lágrimas, quiso decir muchas cosas, pero no había palabras capaces de expresar su dolor; quiso entonces gritar al mundo el nombre de Christian para hacerlo volver de donde quiera que estuviera en aquellos momentos, aunque tal vez hubiera muerto ya, sepultado para siempre bajo la fría mirada de Kirtash.

Quiso hacer todo eso, pero el instinto fue más poderoso. Victoria dio media vuelta y echó a correr como una gacela hacia la casa, lejos de aquella criatura que tenía el aspecto de Christian, pero no sus ojos.

Apenas una fracción de segundo después, Kirtash ya corría tras ella. Y Victoria supo que, hiciera lo que hiciese, la alcanzaría.

El dolor y la tristeza se convirtieron en miedo, rabia, frustración. Y cuando sintió la fría mano de Kirtash aferrándole el brazo, se volvió hacia él, furiosa, y le lanzó una patada en la entrepierna.

Kirtash abrió mucho los ojos y se dobló, sorprendido, pero no la soltó. Victoria echó la pierna atrás para coger impulso y le disparó una nueva patada, esta vez al estómago, con toda la fuerza de su desesperación. Logró liberarse y echar a correr otra vez, pero Kirtash consiguió agarrarla por el jersey, y la hizo caer de bruces al suelo, sobre la hierba. Victoria se revolvió, desesperada, cuando sintió al shek caer sobre ella. Chilló, y algo estalló en su interior. Hubo una especie de destello de luz, un resplandor que salía de su frente y que cegó a Kirtash por un breve instante. Victoria se dio la vuelta y trató de arrastrarse lejos de su perseguidor, pero pronto sintió la mano de Kirtash aferrándole el tobillo. Se debatió, asustada y furiosa. Kirtash se lanzó sobre ella y la sujetó contra el suelo por las muñecas. Estaban muy cerca el uno del otro y, sin embargo, Victoria solo podía sentir aquel terror irracional que no tenía nada que ver con el ambiguo sentimiento que le había inspirado Christian, ni siquiera en sus primeros encuentros.

La muchacha cerró los ojos y llamó al Alma de Limbhad. Era la única manera de escapar de allí.

Sintió que ella acudía a su encuentro, pero Victoria estaba demasiado asustada y no lograba conservar la calma necesaria para fusionar su aura con la del Alma.

Kirtash se dio cuenta de sus intenciones. La cogió por la barbilla y la obligó a girar la cabeza y a mirarlo a los ojos. Estaba prácticamente echado sobre ella, y Victoria pensó, de manera absurda, que en otras circunstancias, apenas un día antes, su corazón habría latido a mil por hora de haber estado tan próxima a él, habría deseado que la besara, se habría derretido entera al mirarlo a los ojos.

Pero ahora sentía solo... terror, desesperación... e incluso... odio.

–Mírame –dijo él, con voz suave pero indiferente.

–No... –susurró ella.

Pero era demasiado tarde. Se quedó prendida en la hipnótica mirada de Kirtash y supo, sin lugar a dudas, que él la había atrapado.

Jack se despertó de golpe, con el corazón latiéndole con fuerza. Había tenido un sueño muy desagradable. No recordaba qué era, pero sí sabía que en él perdía algo muy importante, algo vital, y todavía sentía esa angustiosa sensación de pérdida.

Tardó un poco en ubicarse y en darse cuenta de que se encontraba todavía en la mansión de Allegra d'Ascoli, en la habitación de Victoria, para más datos.

Pero ella no estaba allí.

Fue como si algo atravesara el corazón de Jack de parte a parte. Porque en aquel momento, de alguna manera, supo que su amiga estaba en peligro.

Se precipitó fuera de la habitación, sin ponerse las zapatillas siquiera, pero sin olvidarse de recoger a Domivat, que descansaba en un rincón. Pasó como una tromba por el salón, corrió hacia la puerta de entrada y la abrió con violencia.

Allegra se despertó, sobresaltada. Llegó a ver a Jack saliendo de la mansión con la espada desenvainada, llameando en la semioscuridad, y comprendió lo que estaba sucediendo. Se levantó de un salto y corrió a despertar a Alexander.

Jack atravesó el jardín trasero como una bala. Sabía por instinto adónde debía dirigirse y, en su precipitación, por poco cayó rodando por los escalones de piedra. Pero consiguió llegar al pinar a tiempo de ver la figura de Kirtash, que se incorporaba, llevando a Victoria en brazos. Jack supo, de alguna forma, que lo que pretendía hacer el shek con ella, fuera lo que fuera, no podía ser bueno.

–¡Suéltala, bastardo! –gritó, furioso.

Kirtash se volvió hacia él, aún sosteniendo a Victoria. Algo en su mirada centelleó en la penumbra. Dejó a la muchacha sobre la hierba y se enfrentó a Jack, desenvainando a Haiass.

Jack se quedó sorprendido. No esperaba que Kirtash hubiera conseguido reparar la espada; pero, en cualquier caso, ahora debía luchar, luchar por Victoria.

De nuevo, Domivat y Haiass se encontraron, y el aire tembló con el impacto. Y Jack se dio cuenta, alarmado, de que la llama de su espada vacilaba ante el implacable hielo de Haiass. Retrocedió un par de pasos, en guardia todavía, y trató de visualizar cuál era la situación. Recordó entonces que su contrario era el mismo joven por el que Victoria había llorado tan amargamente aquella tarde, el mismo que había traicionado a los suyos para protegerla, el mismo que había sufrido por ello un horrible castigo. Intentó pensar con claridad.

–¡Espera! –pudo decir–. ¿Qué te ha pasado? ¿Qué... qué vas a hacer con Victoria?

Pero Kirtash no respondió. Se movió como una sombra en la oscuridad, y Jack se apresuró a alzar su arma para defenderse de Haiass, que caía sobre él con la rapidez de un relámpago. Un poco desconcertado, se limitó a defenderse, mientras intentaba comprender qué estaba sucediendo exactamente.

Fuera lo que fuese, no podía ser bueno. Kirtash lanzó una poderosa estocada, y, ante la consternación de Jack, Domivat salió volando de sus manos para ir a caer sobre la hierba, un poco más lejos. El chico retrocedió unos pasos. Ambos se miraron. Kirtash sonrió, y Jack pensó que allí, de pie ante él, con Haiass en la mano, palpitando con un suave brillo blanco-azulado, parecía más alto, más fuerte, más seguro de sí mismo, más frío si cabe, e incluso más... inhumano.

Pero en aquel momento llegaban corriendo Allegra y Alexander. Este último blandía a Sumlaris, y se lanzó contra Kirtash con un grito de advertencia. El joven shek se puso en guardia, y Jack aprovechó para recuperar su propia espada.

Mientras, Alexander se las arregló para hacer retroceder a Kirtash, apenas unos pasos. Cuando este tomó la iniciativa de nuevo, Jack ya estaba otra vez frente a él, junto a Alexander, enarbolando a Domivat.

Kirtash les dirigió una breve mirada. Y entonces, con una helada sonrisa de desprecio, se transformó.

De nuevo, la enorme serpiente alada se alzó ante ellos, amenazadora y magnífica, y fijó sus ojos tornasolados en Jack. Este sintió un escalofrío al comprender que Kirtash había decidido matarlo por fin, y que no iba a poder escapar fácilmente en aquella ocasión. Tampoco podía contar con Alexander, de momento; se había quedado paralizado al ver a la inmensa criatura.

Jack también debería haber tenido miedo, pero solo sintió que hervía de ira y de odio al ver a Kirtash bajo su verdadero aspecto. Con un grito salvaje, alzó a Domivat y corrió hacia el shek. La criatura batió las alas para elevarse un poco más, y la corriente de aire que generó casi logró desequilibrar a Jack. El muchacho saltó a un lado en el último momento, justo a tiempo para evitar los mortíferos colmillos del shek, que se había abalanzado sobre él. Titubeó, dándose cuenta de que era un enemigo demasiado formidable, y se preguntó, por primera vez, cómo iban a salir todos vivos de aquel enfrentamiento.

Pero entonces Kirtash se volvió con brusquedad, y Jack entrevió qué era lo que había distraído su atención.

Allegra había llegado junto a Victoria, que seguía tendida sobre la hierba, mirándolos con los ojos abiertos y llenos de lágrimas, pero, por lo visto, incapaz de moverse, como si estuviera paralizada.

Kirtash sacudió la cola como si fuera un látigo y barrió literalmente a Allegra del suelo, lanzándola lejos de allí. Jack la vio aterrizar con violencia un poco más allá y deseó que hubiera sobrevivido al golpe. Sin embargo, le había dado una oportunidad, y no pensaba desaprovecharla; descargó su espada contra el cuerpo anillado de la criatura.

La serpiente emitió un agudo chillido, y Jack pensó por un momento que le estallarían los tímpanos; pero, cuando pudo volver a mirar, se dio cuenta de que Kirtash había recuperado su apariencia humana y se sujetaba una pierna, con gesto de dolor. Jack no pudo evitar una sonrisa de triunfo; pero se le borró rápidamente de la cara cuando descubrió que el shek todavía enarbolaba a Haiass, y precisamente en ese momento lanzaba una estocada mortífera, rápida y certera. Jack logró interponer a Domivat, pero demasiado tarde. El golpe de Kirtash lo alcanzó en el hombro, y Jack gimió de dolor y dejó caer la espada. Kirtash avanzó para dar el golpe de gracia; en esta ocasión fue Alexander quien acudió a cubrir a Jack, con el cabello revuelto y los ojos iluminados por un extraño brillo amarillento. Descargó un golpe contra Kirtash, con un grito que sonó como el aullido de un lobo. Sumlaris no logró hacer flaquear a Haiass, pero la pierna de Kirtash vaciló un instante. El shek empujó a Alexander hacia atrás y retrocedió también, cojeando. Tuvo que volverse rápidamente para interceptar con la espada un hechizo de ataque que le había lanzado Allegra, que, a pesar de estar herida de gravedad, se había incorporado y aún plantaba cara.

Kirtash retrocedió un poco más. Les dirigió una fría mirada y llegó junto a Victoria. Se inclinó junto a ella.

–¡NO! –gritó Jack.

Kirtash sonrió con indiferencia. Sus dedos apenas rozaron el cabello de Victoria, en una cruel parodia de caricia. Jack trató de correr hacia él, pero el shek, todavía sonriendo, entornó los ojos... y él y su prisionera desaparecieron, se esfumaron en el aire, como si jamás hubieran estado allí.

Jack sintió que algo se desgarraba en su alma. Corrió hacia el lugar donde habían estado Victoria y Kirtash, a pesar de que sabía que era inútil, y se volvió hacia todos lados, buscándolos, furioso y desesperado. Gritó al bosque el nombre de Victoria, pero ella no respondió. Y cuando se dio cuenta de que la había perdido, tal vez para siempre, se dejó caer sobre la hierba, anonadado, sin acabar de creer lo que acababa de suceder.

–Victoria... –susurró, pero se le quebró la voz, y no pudo decir nada más.

Era como si, de repente, el sol, la luna y todas las estrellas hubieran sido arrancados del cielo, sumiendo su mundo en la más absoluta oscuridad.

Victoria había presenciado toda la pelea, aunque la mirada de Kirtash la había paralizado y se había visto incapaz de moverse para ayudar a sus amigos. Había perdido el sentido justo después, durante el viaje.

Porque sabía que había habido un viaje, aunque no lo hubiera percibido. Se notaba extraña, y no solo a causa de la debilidad que todavía sufría su cuerpo y que la impedía moverse, sino...

Intentó sacudir la cabeza, pero no pudo moverse. Sentía la cabeza embotada y el cuerpo muy pesado, como si de repente hubiera cambiado el ambiente, el aire, todo. Era desconcertante y, sin embargo, le resultaba familiar.

Miró a su alrededor y el estómago se le encogió de miedo.

Estaba ataba de pies y manos en una especie de plataforma redonda que se alzaba en el centro de una habitación circular, de paredes de piedra. Había cuatro ventanales, uno en cada punto cardinal, y a través de uno de ellos se veían dos soles, no uno. Victoria parpadeó, pero no era una alucinación. Uno de los dos, una esfera roja, era más pequeña que la otra, de color anaranjado; y aún percibió el brillo del tercer sol, que acababa de ocultarse tras el horizonte.

Así pues, estaba en Idhún. Cerró los ojos, mareada. No, no era posible. Todavía no estaba preparada, no debería haber cruzado el umbral sin antes saber qué era exactamente lo que la relacionaba con aquel mundo, y mucho menos, haberlo hecho completamente sola.

¿Sola...?

Abrió los ojos y, con un soberano esfuerzo, logró volver la cabeza.

Y vio que allí, de pie, junto a ella, estaba Kirtash, mirándola. Estuvo a punto de llamarlo por el nombre de la persona a la que ella amaba, Christian, pero se mordió el labio y se contuvo a tiempo. Aquel ser ya no era Christian.

–¿Qué vas a hacer conmigo? –logró preguntar.

Kirtash no dijo nada. Solo alzó la mano y le acarició la mejilla con los dedos, como solía hacer.

No, no como solía hacer, comprendió Victoria enseguida. No había ternura ni cariño en aquel contacto. Kirtash la había acariciado como quien roza los pétalos de una flor, admirando su belleza, pero sin sentir nada por ella.

Victoria parpadeó para contener las lágrimas, recordando lo que había perdido. Se las arregló para no llorar. No iba a derramar una sola lágrima, no delante de él.

–Dime, ¿por qué? –susurró.

–Es mi naturaleza –respondió él con suavidad.

–Antes no eras así.

–Siempre he sido así, Victoria. Y tú lo sabías.

Ella trató de soltarse, pero no lo consiguió.

–No es un recibimiento muy amable –murmuró–. ¿Qué vas a hacer conmigo?

Él alzó la cabeza y echó un vistazo por la ventana, hacia el crepúsculo trisolar.

–Yo, no –respondió tras un breve silencio–. Es Ashran, el Nigromante, quien tiene planes para ti.

Victoria respiró hondo, ladeó la cabeza y se le quedó mirando.

–¿Vas a dejar que me haga daño? –preguntó en voz baja–. ¿Después de todas las molestias que te has tomado para protegerme?

–Eso ya pertenece al pasado –repuso Kirtash–. Lo cual me recuerda una cosa.

Se acercó a ella y tomó su mano izquierda. Victoria se estremeció, pero el contacto había sido totalmente desapasionado... indiferente. La muchacha cerró los ojos un momento, destrozada por dentro. Era demasiado lo que había perdido... en demasiado poco tiempo.

–¿Qué haces?

Kirtash no respondió; intentó quitarle del dedo el Ojo de la Serpiente, pero Victoria notó un cosquilleo, y el joven apartó la mano con brusquedad y un brillo de cólera en la mirada.

La muchacha sonrió para sus adentros, perpleja pero complacida. Shiskatchegg había reaccionado contra Kirtash, no quería abandonarla a ella. Se preguntó qué podría significar aquello. En cualquier caso, se alegraba de conservar el anillo. Le recordaba a Christian, al Christian que se lo había dado como prueba de su afecto.

La mirada de Kirtash volvía a ser un puñal de hielo.

–No importa –dijo–. Lo recuperaré de tu cadáver.

Victoria tragó saliva.

–No puedo creerlo –musitó–. ¿De verdad vas a matarme?

–Todavía no. Solo cuando dejes de ser útil.

Victoria apartó la mirada. Sí, aquella era la forma de pensar del asesino que ella había conocido en los primeros tiempos de la Resistencia. Se odió a sí misma por haberse dejado engatusar tan fácilmente. Era obvio que aquella parte de Kirtash que tanto detestaba nunca había desaparecido del todo, por más que ella hubiera tratado de convencerse a sí misma de lo contrario.

Kirtash alzó entonces la mirada hacia la puerta, y Victoria se giró también para ver a la persona que acababa de entrar.

Se quedó sin aliento.

Ante ella se alzaba Ashran el Nigromante. Tenía que ser él, puesto que Kirtash había inclinado la cabeza en señal de sumisión, y Victoria no sabía de nadie más a quien él rindiese pleitesía. Y ahora empezaba a comprender por qué.

Ashran era un hombre muy alto, de cabello gris plateado y rostro frío, perfecto y atemporal como una estatua de mármol. Podría haber resultado atractivo, de no ser por sus ojos, cuyas pupilas eran de un extraño y desconcertante color plateado, como si fuesen metálicas, y de una intensidad que producía escalofríos. Y, sin embargo, era humano, Victoria podía percibirlo de alguna manera, aunque había algo maligno y poderoso que se agazapaba en algún rincón de su alma.

Victoria no pudo seguir mirando. Volvió la cabeza hacia otra parte, mientras el estómago se le retorcía de terror.

–¿Está lista la muchacha? –oyó decir al Nigromante.

–Todo está preparado, mi señor –respondió Kirtash con indiferencia.

–Bien –sonrió Ashran–. Ve a avisar a Gerde. Voy a necesitar un hechicero de apoyo.

Kirtash asintió y se encaminó hacia la puerta, cojeando ligeramente; Victoria supuso que era debido a la herida que le había infligido la espada de Jack apenas unas horas antes. Cuando pasó junto a la plataforma en la que se encontraba la muchacha, esta volvió la cabeza hacia él y le dijo:

–Christian, lo siento.

Él se detuvo un momento junto a ella, pero no la miró.

–¡Lo siento! –repitió ella, con un nudo en la garganta–. Siento haberte dejado solo, siento haberme quitado el anillo, ¿me oyes? Por favor, perdóname...

No obtuvo respuesta. Kirtash sonrió con cierto desdén y prosiguió su camino, sin dedicarle una sola mirada. Victoria le vio salir de la habitación, y supo que una parte de su ser se iba con él.

Cuando se quedó a solas con el Nigromante, fue la presencia de este lo que percibió con más intensidad, y se estremeció, aterrorizada. Ashran se acercó a ella y Victoria trató de alejarse, pero estaba bien atada, y no lo consiguió.

La fría mano del Nigromante agarró su barbilla y le hizo alzar la cabeza. Victoria se encontró de pronto ahogada por la mirada plateada de él; quiso gritar, quiso salir huyendo, pero estaba paralizada de miedo.

–Esa luz –comentó el Nigromante–. Has elegido un buen escondite, no me cabe duda, pero te delata la luz de tus ojos.

La soltó. Victoria se dejó caer de nuevo sobre la fría piedra, jadeando.

–No podías ocultarte de mí –añadió Ashran–. Ahora, por fin, podré hacerte pagar lo que le has hecho a Kirtash. Pero antes... me vas a prestar un pequeño servicio.

–No voy a hacer nada por ti –replicó ella con fiereza; el nombre de Kirtash la había enfurecido, porque le había hecho recordar lo mucho que Christian había sufrido, apenas unas horas antes, a manos de aquel hombre–. Y no te atrevas a hablar de él. Lo has maltratado, has estado a punto de matarlo. ¿Qué clase de padre se supone que eres?

Esperaba que Ashran se encolerizara, y estaba preparada, pero su reacción la sorprendió, porque respondió con una carcajada burlona.

–Soy la clase de padre que quiere lo mejor para su hijo –respondió el Nigromante– y que no soporta verlo convertido en una marioneta que baila al son que tú le dictas, Victoria. Kirtash es un ser poderoso, algún día gobernará sobre Idhún. Tú has estado a punto de echar a perder todo eso, lo habías convertido en una criatura débil, dependiente de sus emociones humanas. ¿En serio sentías algo por él? Permite que lo dude.

Victoria se mordió el labio inferior y volvió la cabeza, temblando de rabia. No estaba dispuesta a hablar de sus sentimientos por Christian, no con aquel hombre.

Lo sintió cerca de ella, examinando las cuatro altas agujas de piedra negra que se alzaban en torno a la plataforma a la que estaba amarrada, y en las que Victoria no había reparado antes. Se preguntó para qué servirían, y algo le dijo que no le gustaría saberlo.

Como si hubiese leído sus pensamientos, Ashran dijo:

–Mientras llega Gerde, supongo que no te molestará que hagamos una pequeña prueba.

–¿Una prueba? –repitió Victoria, cautelosa–. No sé de qué estás hablando. No pienso hacer nada que...

Pero algo parecido a un calambre recorrió toda su espina dorsal y la hizo arquearse sobre la plataforma. Se contuvo para no gritar.

–Parece que funciona –comentó Ashran–. Bien, veamos qué sabes hacer.

Rodeó la plataforma, y salió del campo de visión de Victoria. Esta se preguntó, inquieta, que andaría tramando, pero no tardó en averiguarlo.

Las puntas de dos de las cuatro agujas negras parecieron acumular durante un momento... ¿oscuridad? Victoria contempló, fascinada, cómo las agujas creaban tinieblas sobre ella, hasta formar una espiral oscura que empezó a girar sobre sí misma. Y la chica no tardó en sentir una especie de movimiento de succión...

Jadeó y trató de escapar, pero no lo consiguió. Las tinieblas tiraban de ella, le arrebataban algo que, aunque no sabía qué era, sí intuía que se trataba de una parte vital de su ser. No tardó en reconocer la sensación.

Era lo mismo que sentía cuando utilizaba su poder de curación. La energía fluía a través de ella, hacia fuera, como en ondas. Pero había una diferencia aterradora.

Victoria no estaba entregando aquella energía voluntariamente, sino que esta le estaba siento arrebatada de forma violenta, tosca, grosera. La muchacha gimió y trató de escapar. Era desagradable, era doloroso, era incluso humillante. Para ella, el acto de curar era algo muy íntimo porque, de alguna manera, cuando lo hacía, entregaba parte de su ser a la persona que recibía su don; y aquello que le estaban haciendo era horrible, porque le estaban robando con brutalidad algo que ella no quería dar. Se retorció sobre la plataforma y dejó escapar otro gemido, sintiendo que se vaciaba y sabiendo que, si aquello continuaba, no tardaría en quedarse sin fuerzas y morir de agotamiento.

–No te preocupes –dijo Ashran–. Ya viene.

«¿Qué es lo que viene?», quiso preguntar Victoria, pero la angustia de la extracción la ahogaba, y fue incapaz de pronunciar una sola palabra.

Pronto lo descubrió, de todas formas.

La energía manó como un surtidor, procedente de la misma tierra, y pasó a través de ella, atravesándola, como si hubiera metido los dedos en un enchufe. Y no fluía con la calma de un arroyo, sino con la fuerza y la violencia de un torrente desbordado. Victoria gritó, sintiéndose avasallada, maltratada, utilizada. Dolía, pero lo peor era aquella sensación de indefensión, de vergüenza, de vejación incluso. Quería parar, quería dejar de entregarles energía, pero no era algo sobre lo que pudiera decidir, y eso era lo peor de todo: que ella intuía que aquello debía ser un acto de libre entrega, que no debía ser arrebatado por la fuerza.

–¡Parad! –gritó con desesperación–. ¡No quiero seguir con esto!

Se calló cuando vio a Kirtash de pie junto a ella. Jadeó y lo miró, tratando de descubrir algo de compasión en sus ojos, pero lo único que encontró fue, si acaso, cierta curiosidad, como quien observa un experimento científico.

–Christian –suspiró ella.

De repente, el flujo de energía cesó, y Victoria se dejó caer sobre la plataforma, desmadejada y muy débil.

–No está utilizando toda su capacidad –comentó Kirtash.

–Porque solo estamos usando dos de los extractores –respondió Ashran–. ¿Quieres ver cuánta energía es capaz de succionar este artefacto a través de ella?

En los ojos de Kirtash apareció un destello de interés.

–¿Por qué no?

–Gerde –llamó el Nigromante.

Victoria giró la cabeza al oír el nombre del hada. La vio pasar junto a Kirtash, sonriendo. La vio ponerse de puntillas para susurrarle algo al oído, mientras sus largos dedos acariciaban el brazo de él. Y vio a Kirtash sonreír y responder a su insinuación, besándola breve pero intensamente. Tampoco se le escapó la mirada de soslayo que el hada le dirigió mientras besaba al muchacho. Victoria parpadeó para contener las lágrimas. Sabía que Kirtash no sentía nada por ella, que era solo una diversión para él, pero...

Respiró hondo y dirigió a Gerde una mirada en la que esperó haber puesto una buena dosis de desprecio y desdén. Pero, cuando Kirtash se volvió también hacia ella para mirarla, todavía con Gerde muy pegada a él, giró la cabeza con brusquedad para no tener que volver a ver aquella indiferencia que tanto daño le hacía. Habría preferido mil veces que él la odiara, que la despreciara incluso... pero no soportaba la idea de haber desaparecido por completo de su corazón.

Gerde se separó de Kirtash y ocupó la posición que le correspondía, entre las dos agujas que todavía permanecían inactivas. Victoria la vio colocar las manos sobre ellas y, apenas unos instantes después, percibió de nuevo la espiral de oscuridad, pero en esta ocasión no se movió. Nada tenía sentido. No valía la pena luchar.

Sin embargo, cuando el torrente de energía volvió a atravesarla, ahora con mucha más intensidad, Victoria no pudo reprimir un grito, no pudo contener las lágrimas, e hizo todo lo posible por seguir mirando en otra dirección, para que Kirtash, que seguía observándola en silencio, no la viera llorar, no la viera sufrir, no viera aquella angustia reflejada en su rostro.

Porque podía soportar el dolor, la humillación, pero no la inhumana impasibilidad con que él la contemplaba.

XIII
La luz de Victoria

Tiene que haber algo que podamos hacer –dijo Jack por enésima vez.

–Ya te lo he explicado, chico. No podemos volver a Idhún. El Nigromante controla la Puerta interdimensional. Y siéntate de una vez. Me pones nervioso.

–¡Pero tiene que haber algo que podamos hacer! –insistió Jack, desesperado.

–Solo podemos esperar, Jack –dijo Allegra con cierto esfuerzo–. Esperar a que alguien la traiga de vuelta.

–Nadie la va a traer de vuelta, Allegra. No entiendo lo que quieres decir.

–Siéntate. Intentaré explicártelo, ¿de acuerdo?

Jack se dejó caer sobre el sofá y clavó una mirada en la dueña de la casa. Allegra se estaba curando a sí misma con su propia magia, pero el proceso era lento, y parecía claro que tardaría bastante en recuperar las fuerzas. Con todo, se había negado a encerrarse en su habitación para descansar. La Resistencia estaba en una situación de crisis y todos necesitaban respuestas.

–Nuestra única esperanza de recuperar a Victoria –explicó Allegra– se basa en que ella sigue viva todavía.

–¿Cómo lo sabes? –preguntó Jack, comido por la angustia.

–Porque se la han llevado viva, Jack. Eso significa que quieren utilizarla para algo, no sé exactamente qué; pero apostaría lo que fuera a que, sea lo que sea, ha sido idea de Kirtash.

–Sigo sin entender adónde quieres ir a parar –intervino Alexander, frunciendo el ceño.

Allegra movió la cabeza con impaciencia.

–Lo único que le interesa a Ashran es matar a Victoria, Alexander. Ella es lo único que se interpone entre él y el dominio absoluto de Idhún. No se habrá planteado ni por un momento que pueda hacer con ella otra cosa que no sea eliminarla del mapa. La idea de secuestrarla viva tiene que haber sido de otra persona, y me inclino a pensar que ha sido cosa de Kirtash. Si eso es cierto... puede que, en el fondo, una parte de él todavía quiera protegerla.

–Pero... ¿por qué es tan importante Victoria? –preguntó Jack, confuso.

Allegra los miró a los dos fijamente y sonrió, con infinita tristeza, pero también con cariño. Cuando habló, sus palabras cayeron sobre lo que quedaba de la Resistencia como una pesada losa:

–Porque ella, Jack, es el unicornio de la profecía. El unicornio que, según los Oráculos, acabará con el poder del Nigromante.

Sobrevino un silencio incrédulo.

–¿Qué? –soltó finalmente Alexander–. ¿Victoria, un unicornio? Pero... no es posible.

Jack se quedó sin aliento. Le costó un poco asimilar las palabras de Allegra, pero, cuando lo hizo, todas las piezas empezaron a encajar.

–Ella es... Lunnaris –murmuró conmocionado–. Claro, eso... eso lo explica todo.

–¿El qué? –murmuró Alexander, confuso–. Sigo sin entender...

Pero Jack sacudió la cabeza.

–La luz... esa luz de sus ojos. Es... mágica. Es única. Nunca había visto nada igual. Pensé que era porque yo... porque yo... –dijo, sintiéndose un poco violento; al final no llegó a terminar la frase, sino que concluyó–: Pero no, es verdad. No es que yo la vea así, es que ella es así.

–La luz de Victoria –asintió Allegra–. Un unicornio puede ocultarse en un cuerpo que no es el suyo verdadero, pero lo delatará su mirada, siempre. Con todo, los humanos en general son ciegos a la luz del unicornio. Nosotros, los feéricos, sí podemos detectarlo –hizo una pausa–. Y las criaturas como Kirtash también pueden. Él supo quién era ella la primera vez que la miró a los ojos.

–Pero eso es absurdo –barbotó Alexander–. Él vino a este mundo expresamente para matar a Yandrak y Lunnaris. No tiene sentido que cometiera el error de perdonar la vida al unicornio... o, incluso, de salvarlo.

–Kirtash sabe, en el fondo –murmuró Allegra–, que matar a Victoria es el mayor crimen que puede cometer... porque ella es la última, Alexander. El último unicornio. Cuando ella muera, morirá la magia en Idhún. A los sheks en general no les importa, ya que ellos no obtienen su poder de los unicornios, sino de su propia mente, superior a la de las razas que consideran inferiores. Y sospecho que también Ashran tiene otra fuente de poder.

»Pero nuestro mundo nunca se recobrará del todo de la extinción de los unicornios. Y dudo mucho que nadie, ni siquiera un shek como Kirtash, quiera cargar con la responsabilidad de haber acabado con el último de la especie.

Jack enterró la cara entre las manos, agotado.

–Por eso el báculo no podía encontrar a Lunnaris. Porque ya estaba con ella.

–Exacto, el báculo –asintió Allegra–. Solo puede ser utilizado por semimagos... o por unicornios, que, al fin y al cabo, fueron quienes lo crearon. La magia de Victoria no existe para ser utilizada, sino para ser entregada. Fluye a través de ella y de momento se manifiesta en forma de poder de curación, pero en un futuro, cuando sea más fuerte, será capaz de otorgar la magia a otras personas...

–¿... de consagrar a más magos? –preguntó Alexander en voz baja.

Allegra asintió.

–Esta es la razón por la cual no se le daba bien la magia. Porque ella es una canalizadora, un puente, no un recipiente. Y no fue capaz de utilizar su poder hasta que el báculo cayó en sus manos. Ese objeto recoge la energía que pasa a través de ella para que no se pierda.

–¿Pero cómo... cómo es posible? –dijo Alexander, todavía confuso–. Victoria nació en la Tierra...

–... Hace quince años, Alexander –completó Allegra–. Cuando Lunnaris atravesó la Puerta interdimensional.

»Shail y tú llegasteis a la Tierra diez años después de que esto sucediera. Por eso, tal vez, nunca sospechasteis que Victoria era el unicornio que estabais buscando. Porque ella llevaba ya diez años viviendo aquí cuando la encontrasteis, y vosotros pensabais que Lunnaris acababa de atravesar la Puerta interdimensional. Victoria nació ya siendo Lunnaris, ¿lo entendéis? Los unicornios no emplean la magia y, por tanto, Lunnaris no podía camuflarse bajo un hechizo. En este mundo no hay unicornios. Para sobrevivir, la esencia de Lunnaris tuvo que encarnarse en un cuerpo humano. En el cuerpo de Victoria, para ser exactos. Ambas son una misma criatura y, sin embargo, las dos esencias conviven en su interior.

–¿Quieres decir... que ella es un... híbrido, como Kirtash?

–De alguna manera, sí. Pero hasta hace dos días era más humana que unicornio. Ahora... ha despertado.

–La luz de sus ojos es más intensa –murmuró Jack, asintiendo–. Me di cuenta enseguida.

–También yo, hijo –sonrió Allegra–. En el último encuentro que tuvo con Christian, cuando él le entregó su anillo... creo que le dio algo más. De alguna manera, despertó al unicornio que dormía en su interior. Y me parece que fue entonces cuando Gerde los vio juntos y los delató al Nigromante –añadió, pensativa.

–¿Gerde?

–Tuvo que ser ella, Jack. Es un hada, como yo. Reconoció a Lunnaris nada más verla... como hice yo, hace más de siete años. Y le faltó tiempo para revelarle a Ashran el secreto que su hijo llevaba tanto tiempo ocultándole.

Jack hundió el rostro entre las manos.

–Sabía que Victoria era especial, lo sabía –musitó–. Tendría que haber adivinado...

Allegra lo miró con cariño; abrió la boca para decir algo más, pero cambió de idea y guardó silencio. Era demasiada información, y Jack necesitaría asimilarla antes de estar preparado para saber más cosas... como la verdad acerca de sí mismo.

–¿Entendéis ahora? –dijo, echando una mirada circular–. Ashran tiene a Victoria; tiene a Lunnaris, el último unicornio. Si ella muere, la profecía no se cumplirá, y el Nigromante nunca será derrotado. Para él y sus aliados, la muerte de Victoria es de vital importancia. Y, sin embargo... Kirtash pudo matar a Victoria esta noche y acabar con la amenaza, pero no lo hizo. De alguna manera, ha convencido a Ashran para que la conserve con vida... un poco más.

–Entiendo. Por eso crees que tal vez, en el fondo...

–... en el fondo, la luz de Victoria todavía brille en el corazón de ese muchacho, Jack. Me aferro a esa esperanza. Porque –añadió Allegra dirigiéndoles una intensa mirada– es lo único que nos queda ahora.

Victoria abrió los ojos lentamente, agotada. Era ya de noche, y hacía un rato que la habían dejado sola, aún atada a aquella especie de plataforma de tortura. Cuando se había desmayado de agotamiento, Ashran había decidido interrumpir el proceso para continuar un poco más tarde. Ahora estaba sola, y la luz de una de las lunas bañaba aquella helada habitación en la que la habían dejado. Era grande y muy blanca, y Victoria supuso que sería Erea, la luna mayor. Shail le había contado que, según la tradición, Erea era la morada de los dioses. Victoria ladeó la cabeza y contempló el suave resplandor de la luna idhunita, preguntándose si de verdad estarían allí todos los dioses: la luminosa Irial, el poderoso Aldun, la enigmática Neliam, el místico Yohavir, la caprichosa Wina, el sabio Karevan. Victoria sonrió levemente y repitió para sí los nombres que Shail le había enseñado años atrás: Irial, Aldun, Neliam, Yohavir, Wina, Karevan. Entonces solo eran nombres, solo ideas, igual que Idhún. Pero ahora, Idhún era real, y Victoria se preguntó si aquellos dioses de las leyendas lo serían también.

Percibió una presencia tras ella, una presencia sutil, que no había hecho el más mínimo ruido al entrar pero que, a pesar de todo, ella podía sentir.

–¿Qué quieres? –murmuró sin volverse a mirarlo.

–Hablar –dijo Kirtash con suavidad.

–¿Y si resulta que yo no quiero hablar contigo?

–No estás en situación de elegir, Victoria.

–Supongo que no –suspiró ella; tenía los brazos entumecidos y se retorció sobre la plataforma, intentando encontrar una posición más cómoda, pero no lo consiguió.

Kirtash se sentó junto a ella, y la luz de Erea bañó su rostro. Victoria vio cómo él volvía la cabeza para mirarla. Esperó a que dijera algo, pero no lo hizo.

–¿Qué estás mirando?

–A ti. Eres hermosa.

Victoria volvió la cabeza, molesta. Kirtash había pronunciado aquellas palabras como si se estuviera refiriendo a un jarrón de porcelana china, y no a una mujer; pero no tenía fuerzas para discutir, no tenía fuerzas para enfadarse, por lo que permaneció en silencio durante un rato, hasta que al final susurró:

–Kirtash... ¿qué estáis haciendo conmigo?

–Renovar la energía de la torre –respondió él–. Es un conjuro mediante el cual extraemos la magia de Alis Lithban y la canalizamos a través de ti. Se recoge en esas agujas –señaló los cuatro estrechos obeliscos que rodeaban la plataforma, y cuyos extremos todavía vibraban– y se transmite a la torre entera, envolviéndola en un manto de poder. ¿No lo notas? ¿No percibes que ya no está tan muerta y fría como antes?

Victoria ladeó la cabeza y entrecerró los ojos. Era cierto, podía sentir con claridad que las piedras centenarias parecían rezumar energía y la torre entera palpitaba casi imperceptiblemente.

–No lo entiendo. ¿Yo he hecho esto? No puede ser.

–Te subestimas, Victoria. Dentro de ti hay mucho más de lo que tú conoces.

–Pero... ¿por qué yo?

–Porque eres la única criatura en el mundo capaz de extraer la energía de Alis Lithban. No queda nadie más como tú. Eres la última de tu especie.

–No sé... de qué me estás hablando.

Esperó que él se explicara, pero no lo hizo. Siguió contemplándola, y Victoria se vio obligada a romper de nuevo el silencio.

–No es por eso, ¿verdad? –musitó con los ojos llenos de lágrimas–. Es un castigo por lo que te hice. Porque te dejé solo.

Kirtash sonrió con indiferencia.

–¿Qué te hace pensar que me importas tanto como para querer vengarme de ti?

Victoria ladeó la cabeza y cerró los ojos.

–No, es verdad. Jamás debí quitarme el anillo. Te perdí para siempre, pero lo peor es que... te abandoné. Por eso... me merezco todo esto que me estáis haciendo, ¿no es cierto? Lo diste todo por mí y yo te fallé a la primera oportunidad. Gerde tenía razón: no te merezco.

–Victoria, eres muy superior a Gerde en todos los aspectos –dijo él; pero no lo dijo con calor ni con cariño, sino con la voz desapasionada de quien describe los resultados de una operación matemática–. Eres lo que eres, y yo te respeto como a una igual. Por eso estoy aquí, hablando contigo. Si fueses una humana cualquiera, o incluso un hada como Gerde, no perdería mi tiempo contigo.

–Pero vas a matarme, a pesar de todo.

Kirtash se encogió de hombros.

–Así es la vida.

–Sigo sin entender qué haces aquí.

–Aprovechar tus últimas horas para aprender de ti. No tendré otra oportunidad porque, como ya te dije, eres única en los dos mundos.

–¿Qué esperas aprender? Soy yo la que he aprendido de ti... tantas cosas...

Kirtash no contestó. Acercó la mano al rostro de Victoria, y algo relució en la frente de ella como una estrella, iluminando el rostro del shek con su suave resplandor. Kirtash apartó la mano, y la luz de la frente de Victoria menguó, pero no se apagó.

–Ya has despertado –observó él con suavidad.

Alzó la mano de nuevo y le acarició la mejilla.

–Esa luz de tus ojos... –comentó–. Me gustaría saber de dónde procede.

La miró a los ojos, y Victoria trató de transmitirle todo lo que sentía con aquella mirada. Pero en los ojos de Kirtash no había afecto, sino simple curiosidad.

–Ojalá pudiera volver atrás –dijo Victoria–. Ojalá no me hubiera quitado nunca ese anillo. Daría lo que fuera... por recuperarte, por tener otra oportunidad...

Kirtash sacudió la cabeza.

–Victoria, no vale la pena que te tortures de esa manera. No te va a llevar a ninguna parte. Soy un shek y no puedo sentir nada por ti.

–Dime al menos que me perdonas. Por favor, dime que no me guardas rencor. Después puedes matarme si quieres, pero...

–No te guardo rencor –dijo él–. Ya te he dicho que no siento nada por ti.

–Entonces –susurró ella–, ¿por qué yo no puedo dejar de quererte?

Kirtash la miró, pensativo, pero no respondió. Se volvió hacia la puerta, unas centésimas de segundo antes de que llegara Ashran.

La figura del Nigromante se recortaba, sombría y amenazadora, contra la luz que provenía del pasillo. Se había detenido en la puerta y observaba a Kirtash con una expresión indescifrable.

–Kirtash –su voz rezumaba ira contenida, y Victoria sintió un escalofrío–, ¿qué estás haciendo?

El joven se incorporó y le devolvió una mirada serena.

–Solo quería... –empezó, pero se interrumpió a la mitad y frunció el ceño, un poco desconcertado.

–Ya veo –replicó Ashran–. Apártate de ahí. No quiero volver a verte cerca de esa criatura. Y mucho menos a solas.

–¿No confías en mí, mi señor? –preguntó el muchacho con suavidad.

–Es en ella en quien no confío.

Victoria sonrió para sus adentros, pero se le encogió el corazón al ver que Kirtash asentía, conforme, y se alejaba de ella. Vio también que Gerde había entrado en la estancia y estaba encendiendo de nuevo las antorchas con su magia. Kirtash dirigió a su padre una mirada interrogante.

–Nos atacan –dijo Ashran solamente.

–¿Qué? –pudo decir Victoria–. ¿Quién?

Nadie le prestó atención.

–Imaginaba que intentarían algo así –comentó Kirtash–. Aunque es un ataque desesperado. No tienen ninguna posibilidad, y lo saben.

–Tampoco tienen ya nada que perder –dijo Ashran echando una breve mirada a Victoria, amarrada a la plataforma–. Saben que tenemos a la muchacha y que, si muere, su última esperanza morirá con ella.

–Pero ¿cómo pueden haberlo adivinado? –intervino Gerde frunciendo el ceño.

–Estamos resucitando el poder de la Torre de Drackwen –explicó Kirtash–. Eso no es tan difícil de detectar. Habrán adivinado enseguida cómo lo estamos haciendo.

–Reúne a tu gente y organiza las defensas, Kirtash –ordenó Ashran–. Gerde y yo reforzaremos el escudo en torno a la torre.

–Para eso vamos a necesitar mucha más energía –hizo notar Gerde–. ¿Qué pasará si ella no lo aguanta?

Las pupilas plateadas de Ashran se clavaron en Victoria, que se estremeció de terror.

–Que morirá –dijo simplemente–. Pero, al fin y al cabo, eso era lo que pretendíamos desde el principio.

Gerde sonrió; asintió y se dirigió hacia la plataforma. Victoria entendió lo que estaba a punto de pasar.

–¡No! –gritó, debatiéndose furiosa; pero solo consiguió que las cadenas se clavasen más en su piel–. ¡No os atreváis a volver a...! ¡No lo permitiré!

Quiso llamar a Kirtash, pero el joven ya salía de la habitación, sin mirar atrás. Sin embargo, Victoria oyó la voz de él en su mente: «Vas a tener que esforzarte mucho, Victoria. Puede que incluso tu cuerpo no lo soporte esta vez. Pero piensa en Jack. Eso te dará fuerzas».

Ella se volvió hacia él, sorprendida. Pero el shek ya se había marchado.

Aún le llegó un último mensaje telepático, sin embargo.

«Es una lástima...»; el pensamiento de Kirtash fue apenas un susurro lejano en su mente, y Victoria tuvo que concentrarse para no perderlo. «Eres hermosa», añadió él, por último.

Victoria aguardó un poco más, pero la voz de Kirtash no volvió a introducirse entre sus pensamientos. En aquel momento vio que las agujas vibraban otra vez, con más intensidad, y comenzaban a generar sobre ella aquella espiral de oscuridad que ya conocía tan bien. Se le encogió el estómago de angustia y terror, pero Gerde y Ashran estaban delante, y no pensaba darles la satisfacción de verla de nuevo en aquella situación tan humillante, de manera que les dirigió una mirada llena de antipatía. Gerde esbozó una de sus encantadoras sonrisas, se colocó junto a ella y se asió con las manos a dos de las agujas. Victoria percibió tras ella la presencia de Ashran, entre las otras dos agujas.

De inmediato, el artefacto comenzó a succionar energía a través de Victoria. Ella jadeó e intentó frenar aquel torrente de energía que la atravesaba, pero fue como si se hubiera plantado de pie bajo una violenta catarata.

Apretó los dientes y pensó en Jack, como le había aconsejado Kirtash. Y, para su sorpresa, funcionó. Evocó la dulce mirada de sus ojos verdes, su cálida sonrisa, su reconfortante abrazo, la ternura con la que él había cantado aquella balada, acompañado de su guitarra. Recordó el tacto de su pelo, su primer beso y la agradable sensación que había experimentado al despertar, apenas unas horas antes, y verlo dormido tan cerca de ella. Sonrió con nostalgia y se preguntó si volvería a verlo. En cualquier caso, se alegraba de haber podido decirle lo que sentía por él, antes de morir.

–Jack... –suspiró Victoria en voz baja, mientras el poder del Nigromante se aprovechaba de ella, una vez más, y la forzaba a extraer hasta la última gota de la magia de Alis Lithban.

Y aunque no era consciente de ello, la estrella de su frente brillaba con la pureza e intensidad de la luz del alba.

Jack acarició el tronco del sauce.

–Te dije que te esperaría aquí mismo... –susurró, aun sabiendo que Victoria no podía escucharlo–. Que te esperaría... aquí mismo...

Desolado, se dejó caer sobre la raíz en la que solía sentarse cuando Victoria estaba allí. Ni siquiera la suave noche de Limbhad era capaz de mitigar su dolor.

Habían regresado a la Casa en la Frontera gracias a Allegra, que era una maga; incluso el Alma la había reconocido como aliada, pese a que era la primera vez que contactaba con ella, y le permitió la entrada en sus dominios, acompañada de Jack y de Alexander. Tal y como estaban las cosas, era mejor volver a Limbhad; si Victoria lograba regresar a la Tierra, aquel era el primer lugar al que acudiría.

Jack había rondado por toda la casa como un tigre enjaulado y, finalmente, había optado por dar un paseo por el bosque. Pero todos los rincones de aquel lugar le recordaban a Victoria, y en especial aquel sauce. Se le llenaron los ojos de lágrimas al comprender, por fin, por qué su amiga pasaba tantas noches en aquel lugar. Era un unicornio, una canalizadora. La energía pasaba a través de ella, y eso a la larga agotaba su propia energía; necesitaba, por tanto, recargarse, como se recarga una batería, y en aquel lugar se respiraba más vida que entre las cuatro paredes de una casa. Jack la recordó allí, acurrucada al pie del sauce, y evocó la noche en que le había dicho lo que sentía por ella. Entonces le había parecido que la muchacha brillaba con luz propia.

Tragó saliva. Ahora que sabía que Victoria era un unicornio, una criatura sobrehumana, comprendía mejor su relación con Kirtash. Ambos eran seres excepcionales en un mundo poblado por humanos, mediocres en comparación con ellos. Recordó que Victoria le había dicho a él, a Jack, que lo quería también; el chico se preguntó qué había visto en él. Seguramente, cuando ella asumiera su verdadera naturaleza, no se molestaría en volver a mirarlo dos veces.

Y, sin embargo, Jack no podía dejar de quererla, no podía dejar de sufrir su ausencia. En aquel momento no le importaban nada Idhún, la Resistencia ni la profecía. Solo quería que Victoria regresase sana y salva, aunque la perdiera para siempre. Deseó que Allegra estuviese en lo cierto y Kirtash la estuviera protegiendo en el fondo. «Renunciaría a ella», se dijo. «Si Kirtash la trae a casa, si nos la devuelve... me resignaría a verla marchar con él, no me entrometería más en su relación... Solo quiero verla viva, una vez más».

Se recostó contra el tronco del sauce y levantó el rostro hacia las estrellas. Llevaba un buen rato sintiendo una horrible angustia, y tenía la espantosa sensación de que, en alguna parte, Victoria lo estaba pasando muy mal. Y él no podía hacer nada por ayudarla, porque no podía llegar hasta ella. Lo cual era frustrante, sobre todo teniendo en cuenta que estaba dispuesto, sin dudarlo, a dar su vida por salvarla. Y aún más.

Se secó las lágrimas y murmuró a la oscuridad:

–Hola, Alexander.

Su amigo retiró las ramas del sauce, que colgaban como una cortina entre los dos, para llegar hasta él.

–¿Por qué no duermes un poco, chico? Debes de estar agotado.

Jack se volvió hacia él para mirarlo a los ojos.

–¿Crees que podría dormir? Ella lo está pasando mal, Alexander, lo sé. Y yo no puedo hacer nada.

–Maldita sea, yo también me siento impotente. Tanto tiempo buscando al unicornio de la profecía, y resulta que lo teníamos a nuestro lado y lo dejamos escapar... nuestra última esperanza de ganar esta guerra...

Jack se volvió bruscamente hacia él y un destello de cólera brilló en sus ojos verdes.

–¿Eso es todo lo que te importa? ¿La guerra y la profecía?

Alexander lo miró.

–Claro que no –dijo despacio–. Pero tengo que pensar en ella como Lunnaris, el unicornio, porque es la única manera de conservar un mínimo de calma. Si la recuerdo como Victoria, nuestra pequeña y valiente Victoria, me volveré loco de rabia.

Jack bajó la cabeza y se puso a juguetear con el colgante que llevaba, el que la propia Victoria le había dado el día en que se conocieron.

–Ahora lo entiendo –dijo a media voz–. Ahora entiendo lo que sentía ella cuando estaban torturando a Kirtash y no podía hacer nada para ayudarlo. Es... –no encontró palabras para describirlo y hundió la cara entre las manos, desolado–. Aún me cuesta creer que él la haya traicionado, después de todo –concluyó.

–Ya sabíamos que era un shek –murmuró Alexander–. Y aunque Allegra diga que ha sido por culpa de Ashran, que sigue teniendo poder sobre él... yo no sé hasta qué punto esa cosa es humana. Maldita sea... –añadió apretando los dientes–, si Shail estuviera con nosotros, esto no habría pasado. Él conocía muy bien a Victoria, la comprendía, habría sabido qué hacer para ayudarla.

–Alexander –dijo Jack tras un momento de silencio–. ¿Crees que Shail sabía que Victoria es un unicornio?

El joven meditó la respuesta y finalmente sacudió la cabeza.

–No, no lo creo. Pero adoraba a Lunnaris, y puede que en el fondo... eso le hiciera sentir un afecto especial por Victoria.

–A lo mejor inconscientemente sí lo sabía –opinó Jack–. Quizá por eso... quizá por eso dio su vida para salvarla hace dos años. ¿No crees?

–Puede ser. Los magos suelen decir que quien ve a un unicornio no lo olvida jamás. Debían de ser criaturas maravillosas.

–Si todos eran como Victoria, seguro –murmuró Jack; recordó entonces una cosa y alzó la cabeza para mirar a su amigo–. Kirtash le contó a Victoria que vio una vez un unicornio, cuando era niño. ¿Crees que lo habrá olvidado?

–Por el bien de Victoria, espero que no.

Jack sintió que la angustia volvía a apoderarse de él y giró bruscamente la cabeza para que Alexander no lo viera llorar. Pero sus hombros se convulsionaron con un sollozo, y su amigo se dio cuenta. Le pasó un brazo por los hombros.

–Sé fuerte, chico. Ten fe.

–¿Fe? ¿En qué? ¿En quién? –replicó él con amargura–. Lo único que puedo pensar ahora, Alexander, es que quiero verla otra vez, quiero ver su sonrisa y esos ojos tan increíbles que tiene, quiero... abrazarla de nuevo... y no dejarla marchar, nunca más.

Alexander lo miró con tristeza, pero no dijo nada.

–No soporto estar aquí sentado sin hacer nada –murmuró Jack–. No se me da bien esperar. Tengo ganas de gritar, de pegarle a algo, de destrozar cualquier cosa... Por eso estoy aquí. Si vuelvo a entrar en la casa, es muy probable que la emprenda a puñetazos con lo primero que encuentre.

Alexander lo observó un momento y entonces se levantó de un salto y le tendió un objeto estrecho y alargado. Jack lo miró en la semioscuridad, lo reconoció y comprendió lo que quería decir. Asintió y se puso en pie de un salto, con decisión. Cogió aquello que le entregaba su amigo y lo siguió a través del bosque.

Alexander se detuvo en la explanada que se extendía entre el bosque y la casa y se volvió hacia Jack.

–En guardia –dijo, desenvainando la espada que había traído.

No era una espada de entrenamiento. Era Sumlaris, la Imbatible. Y el acero que desenvainó Jack tampoco era uno cualquiera. Se trataba de Domivat, la espada de fuego.

–Listo –murmuró Jack alzando su arma.

Alexander atacó primero. Jack se defendió. Los dos aceros chocaron, y la violencia del encuentro estremeció la noche. Retrocedieron unos pasos, pero Jack volvió a la carga casi enseguida.

Al principio se contuvo. Sabía que, aunque estaban peleando con sus espadas legendarias, aquella no era más que otra práctica. Pero el dolor y la impotencia que sentía por la pérdida de Victoria fueron liberándose poco a poco a través de Domivat. Casi sin darse cuenta, fue imprimiendo cada vez más fuerza y más rabia a sus golpes y, cuando por fin descargó una última estocada sobre Alexander, con toda la fuerza de su desesperación, fue consciente de que tenía los ojos llenos de lágrimas. Gritó el nombre de Victoria y dejó que su poder fluyera a través de la espada.

Pero Sumlaris lo estaba esperando, sólida como una roca, y aguantó a la perfección el golpe de Domivat. La violencia del choque los lanzó a los dos hacia atrás. Jack cayó sentado sobre la hierba y sacudió la cabeza para despejarse. Entonces se dio cuenta de lo que había hecho.

Vio a Alexander un poco más allá, con una rodilla hincada en tierra, respirando fatigosamente. También él había liberado toda la rabia de su interior. Sus ojos relucían en la noche y su rostro era una máscara bestial, una mezcla entre las facciones de un hombre y los rasgos de un lobo. Gruñía, enseñando los colmillos, y la mano que sostenía a Sumlaris parecía más una zarpa que una mano humana.

Pero, por encima de todo aquello, Jack vio que la ropa de Alexander estaba hecha jirones y que su piel mostraba graves quemaduras, aunque él no pareciera notarlo. Titubeó y, aunque percibía el peligro que implicaba tener cerca a Alexander en aquel estado, dejó caer la espada.

Domivat creó un círculo de fuego a su alrededor, calcinando la hierba en torno a ella; pero no tardó en apagarse. Jadeando, Jack miró a su amigo.

–Lo siento, Alexander –dijo–. No... no quería hacerte daño.

Hubo un tenso silencio. Alexander dejó de gruñir por lo bajo y el brillo de sus ojos se extinguió. Jack vio cómo el joven recuperaba, poco a poco, su aspecto humano.

–No importa, chico –dijo él entonces, con voz ronca–. Si tienes que pegarte con alguien, mejor que sea conmigo.

Jack hundió el rostro entre las manos.

–Y lo peor de todo –murmuró– es que con esto no voy a ayudar a Victoria. Porque no es contigo con quien tengo que luchar, Alexander –movió la cabeza, abatido, pero cuando alzó la mirada, el fuego del odio llameaba en sus ojos–. La próxima vez que vea a Kirtash, lo mataré. Juro que lo mataré.

Desde las almenas de la Torre de Drackwen, Kirtash, pensativo, contempló el paisaje que se extendía más allá.

Fuera se había desencadenado una terrible batalla entre las fuerzas de Ashran y el grupo de renegados que estaba atacando la torre. Se trataba de una coalición liderada por los magos de la Torre de Kazlunn, uno de los pocos lugares de Idhún que resistía al imperio del Nigromante. Junto a ellos luchaban también feéricos, humanos y celestes, que, a pesar de ser un pueblo pacífico, atacaban ahora desde el cielo montados en unos enormes y hermosos pájaros dorados. Kirtash había visto también varios gigantes en las filas de los renegados, lo cual no dejaba de resultar sorprendente. Los gigantes, seres robustos y fornidos como rocas, de más de tres metros de altura, vivían en las heladas cordilleras del norte, amaban la soledad y no solían frecuentar la compañía de las demás razas.

Pero aquella alianza no tenía nada que hacer contra el poder de Ashran. Un ejército de szish, los temibles hombres-serpiente, defendía la torre de los ataques por tierra, mientras que un grupo de sheks atacaba desde el aire, y los bellos pájaros dorados de los celestes caían ante ellos como moscas. Kirtash dirigía todos sus movimientos desde lo alto de la torre. Podía comunicarse telepáticamente con los sheks; en cuanto a los hombres-serpiente, si bien su mente no era tan sofisticada como la de las serpientes aladas, sí podían captar las órdenes de Kirtash. Jamás se habría atrevido a desobedecerlo, porque ellos sabían que aquel muchacho no era un simple humano ni, sencillamente, el hijo de Ashran... sino una de aquellas poderosas criaturas que atacaban a los renegados desde los cielos.

En alguna parte, los magos estaban asaltando la torre, poniendo en juego todo su poder, y sus cimientos temblaban de vez en cuando, sacudidos por una magia furiosa y desesperada, que ya no tenía nada que perder.

Kirtash era consciente de ello. Sabía que, por mucho que la magia de aquellos hechiceros golpease la Torre de Drackwen, jamás lograrían quebrar el escudo que estaba generando la energía extraída a través de Victoria.

Victoria...

Kirtash intentó apartar aquel nombre de su mente. Llevaba un buen rato sintiendo una ligera e incómoda angustia en el fondo de su corazón, y comprendía muy bien a qué se debía. Shiskatchegg, el Ojo de la Serpiente, todavía relucía en el dedo de la muchacha y, a través de él, Kirtash podía percibir parte de su dolor. Y no debería afectarle, pero el caso era que, de alguna manera y en algún recóndito rincón de su alma, lo hacía. Entornó los ojos, pensando que habría debido quitarle a la fuerza aquel condenado anillo cuando había tenido la oportunidad. Por más que Shiskatchegg no pareciera dispuesto a regresar con su legítimo dueño.

Kirtash vio cómo el sinuoso cuerpo de un shek se abalanzaba sobre uno de los pájaros dorados; una de sus enormes alas tapó su campo de visión, pero él sabía perfectamente cuál iba a ser el resultado de aquel enfrentamiento. Nadie podía plantar cara a los sheks. Solo los dragones... y ya no quedaban dragones.

Excepto uno.

Los ojos de Kirtash emitieron un breve destello de odio. Cuando Victoria muriese, ya no sería necesario destruir al dragón, pero Kirtash pensaba hacerlo de todos modos.

Cuando Victoria muriese...

Algo en su corazón se estremeció ante aquel pensamiento, y el joven hizo lo que pudo para reprimir la emoción que empezaba a despertar en su interior. Pero era cada vez más y más consciente del sufrimiento de Victoria, de que su vida se apagaba poco a poco, y de que pronto la luz de sus ojos se extinguiría para siempre.

Entonces vio que una de las aves doradas se había acercado peligrosamente a las almenas, y se obligó a sí mismo a centrarse en la defensa de la torre. Pero enseguida se dio cuenta de que aquel pájaro no quería luchar. Su jinete lo conducía directamente hacia las almenas, tratando de esquivar a los sheks... y Kirtash comprendió que él era el objetivo. Se puso en guardia y desenvainó a Haiass.

Pero el ave se detuvo en el aire, a escasos metros de él. La persona que la montaba se quedó mirando a Kirtash un breve instante. Cubría su rostro con una capucha, y solo la luz de las tres lunas bañaba su figura, pero el joven supo inmediatamente quién era y a qué había venido.

En el fondo de su corazón, Victoria seguía sufriendo. Su luz era cada vez más débil.

Kirtash vaciló.

Ashran entrecerró los ojos y se apartó de la plataforma. Victoria sintió que el caudal de energía que pasaba a través de ella se reducía considerablemente.

–Alguien ha entrado en la torre –dijo.

–¡No puede ser! –susurró Gerde.

Ashran cerró los ojos un momento, intentando comunicarse con su hijo.

–Kirtash no responde –murmuró–. Si ese intruso es tan poderoso como para traspasar las defensas de la torre, es posible que haya tenido problemas con él.

Gerde desvió la mirada, pero no dijo lo que estaba pensando: que también cabía la posibilidad de que Kirtash hubiera vuelto a traicionarlos, franqueando el paso a sus enemigos. Pero Ashran parecía demasiado seguro de su propio dominio sobre Kirtash, e insinuar que el muchacho se hubiera liberado de él supondría poner en duda el poder de su señor.

De modo que no dijo nada.

Ashran salió de la habitación sin una palabra. Gerde sabía que iba a ver qué había sucedido con Kirtash, y sabía también que ella debía encargarse ahora de seguir extrayendo la magia de Alis Lithban a través de Victoria. La muchacha estaba tan agotada que no tardaría en morir. Pero, para cuando lo hiciera, la Torre de Drackwen ya sería inexpugnable.

Faltaba tan poco para que eso sucediera que ya no eran necesarios dos hechiceros junto a los obeliscos. De todas formas, Gerde pensó que no había nada de malo en acelerar las cosas. Se aferró a dos de las agujas y, con una sonrisa aviesa, puso en juego todo su poder para hacer que el artefacto succionase toda la energía posible. Victoria reprimió un grito. En aquel instante sintió como si algo se desgarrase en su interior, y supo que iba a morir.

Pensó que habría sido hermoso morir mirando los cálidos ojos verdes de Jack, pero él no estaba allí. Y, casi sin darse cuenta, volvió la cabeza hacia la puerta, deseando que regresase Kirtash para, al menos, poder llevarse con ella una imagen de él... porque, a pesar de todo, una vez había sido Christian, y su recuerdo todavía le quemaba el corazón.

Pero la energía la atravesó de nuevo, con tanta violencia que ella no pudo evitar lanzar un grito de angustia y dolor, con las pocas fuerzas que le quedaban. Sus ojos se le llenaron de lágrimas y, aunque trató de contenerlas, en esta ocasión no lo consiguió. Notó que las fuerzas la abandonaban definitivamente, y pensó en Jack, pensó en Christian, y los rostros de ambos fueron lo último a lo que se aferró antes de perder el sentido.

Volvió en sí, y lo primero que notó fue una inmensa sensación de alivio. Y agotamiento.

La energía ya no la atravesaba. Todo había terminado. Pero ella estaba cansada, tanto que ni siquiera tenía fuerzas para moverse. Sintió algo muy frío junto a su mano, y abrió los ojos con esfuerzo. Se le escapó un débil gemido cuando vio el filo de Haiass justo junto a ella.

Pero la espada se limitó a rozar las cadenas que la retenían, y estas estallaron al contacto con aquella hoja de hielo puro.

Victoria alzó la mirada y vio a Kirtash inclinado junto a ella; el rostro de él estaba muy cerca del suyo, y la miraba con seriedad y una chispa de emoción contenida en sus fríos ojos azules.

–Qué... –pudo decir.

El shek sacudió la cabeza.

–No podía dejarte morir, criatura –murmuró.

La alzó con cuidado y la abrazó suavemente, y Victoria, con los ojos llenos de lágrimas, le echó los brazos al cuello con sus últimas fuerzas y susurró:

–Christian...

XIV
Alianza

El joven ayudó a Victoria a ponerse en pie. La muchacha se apoyó sobre su hombro, temblorosa, y miró a su alrededor. No estaban solos. Gerde temblaba en un rincón, entre furiosa y asustada, con la vista fija en el filo de Haiass. Victoria supuso que Christian había tenido que luchar contra ella para poder liberarla. Estaba claro cuál había sido el resultado.

–Pagarás muy cara tu traición, Kirtash –susurró la hechicera, mirándolos con odio a los dos.

Christian le dirigió una breve mirada, pero no dijo nada. Ayudó a Victoria a caminar hacia la puerta.

Los momentos siguientes fueron confusos para la muchacha. Por lo visto, la inesperada rebelión de Christian no había pasado desapercibida a los ocupantes de la torre. En el pasillo les salieron al paso varios hombres-serpiente y un par de hechiceros, y Christian dejó a Victoria apoyada contra la pared de piedra mientras enarbolaba a Haiass y se enfrentaba a todos ellos.

Victoria quiso ayudar, pero no tenía modo de hacerlo. Su magia resultaba inútil sin el báculo de Ayshel, que se había quedado en la casa de su abuela. Y se sentía demasiado débil como para pelear. Odiaba tener que permanecer inactiva, pero no tuvo más remedio que quedarse allí, viendo cómo Christian acababa con sus contrarios, rápido, certero y letal, y tratando de asimilar todo lo que estaba sucediendo.

Christian había cambiado de idea con respecto a ella, eso estaba claro. Victoria estaba demasiado confusa como para intentar comprender los motivos de su extraña conducta, pero había algo que, desde luego, no se le escapaba: Christian se estaba enfrentando a los soldados de su propio bando, estaba luchando por salvarla... abiertamente.

Ashran no se lo perdonaría jamás. Contempló un momento el semblante impenetrable del shek, sus ojos azules, que brillaban a través del flequillo de color castaño claro; lo vio moverse con la agilidad de un felino, y se preguntó, una vez más, qué habría visto en ella aquel joven tan extraordinario.

–Vía libre, Victoria –dijo él entonces, tendiéndole la mano.

Victoria lo miró un momento, de pie en el pasillo, blandiendo a Haiass, cuyo filo todavía temblaba con su propia luz blanco-azulada; sabía que aquel era el joven que la había traicionado, sabía que podía volver a hacerlo. Pero alzó la cabeza para mirarlo a los ojos y decidió que, si tenía que morir, prefería hacerlo a su lado. De modo que esta vez, sin dudarlo ni un solo instante, le cogió la mano. El muchacho sonrió levemente y echó a andar por el corredor, arrastrándola tras de sí.

–Christian –preguntó ella con dificultad–. ¿Por qué... por qué me estás ayudando?

–Porque tú no debes morir, Victoria. Pase lo que pase, debes continuar con vida. Y no importa lo que digan, no importa la profecía, ni siquiera el imperio de mi padre es importante, comparado con el hecho de que tu muerte sería para Idhún como si se apagara uno de los soles. ¿Lo entiendes?

–No –murmuró ella, un poco asustada.

Christian sonrió.

–No importa –dijo–. Ya lo entenderás.

Bajaron por la escalera de caracol tan rápido como el estado de Victoria lo permitía. Pero, al llegar a uno de los pisos inferiores, se toparon con todo un pelotón de hombres-serpiente esperándolos. Christian retrocedió unos pasos.

–¡Christian! –dijo ella–. Tú puedes abrir la Puerta interdimensional, ¿no? ¡Volvamos a la Tierra!

–No se puede abrir una Puerta interdimensional en este lugar –respondió el shek–. La magia de mi padre controla la torre entera y no permite entrar ni salir por medios mágicos. Es una norma elemental de seguridad, ¿entiendes?

–Entonces, ¿qué hacemos?

–Tenemos que salir fuera de la torre y abrir la Puerta en el bosque.

Victoria asintió y se apoyó en la pared, desfallecida. Era consciente de que estaba perdiendo las pocas fuerzas que le restaban, pero se negaba a dejar a Christian solo, peleando contra todos aquellos que antes habían sido sus aliados.

De pronto, Victoria sintió una presencia tras ella y se volvió con rapidez. Aún tuvo tiempo de descargar instintivamente una patada contra la esbelta figura que se le acercaba. Oyó una exclamación de sorpresa cuando su pie se clavó en un estómago desprotegido; era la voz de Gerde, y Victoria sonrió con siniestro placer. Pero pronto se le congeló la sonrisa en los labios, porque sintió que algo la paralizaba sin saber por qué, y miró al hada, horrorizada. Ella le sonrió mientras sus negros ojos relucían con un brillo perverso en la semioscuridad.

Victoria sintió que le faltaba el aire y se llevó las dos manos a la garganta. Cayó de rodillas sobre el suelo, boqueando y tratando de respirar. No sabía qué era lo que le estaba pasando, pero sospechaba que se trataba de algún tipo de hechizo. En cualquier caso, ella no podía contrarrestarlo.

Percibió la ligera silueta de Christian pasando como una sombra junto a ella, y le vio arremeter contra Gerde. Pero el hada retrocedió, lo miró con odio y, simplemente, desapareció. Estaba claro que aún no se atrevía a enfrentarse a él directamente.

Christian se volvió hacia Victoria y trató de hacerla reaccionar. Pero había más soldados en el corredor, soldados szish, humanos e incluso algún yan, y el muchacho se volvió hacia ellos, con un brillo amenazador en la mirada.

Estaban en un apuro. Victoria se estaba asfixiando, Christian no sabía qué hacer para ayudarla, y la guardia lo superaba ampliamente en número.

–Ve, despeja la salida –dijo entonces una voz junto a ellos–. Yo cuidaré de ella.

Christian se volvió sobre sus talones. Entre las sombras había alguien que ocultaba su rostro bajo una capucha. El shek lo reconoció enseguida; era la persona que se había dirigido a él en las almenas. Asintió y dejó a Victoria al cuidado del extraño, dándoles la espalda para enfrentarse a los soldados.

La muchacha no las tenía todas consigo, por lo que trató de alejarse del desconocido, pero se estaba quedando sin aire y su vista comenzó a nublarse.

–Respira –murmuró entonces el encapuchado, pasando una mano sobre su rostro.

Y el bloqueo desapareció, y Victoria inhaló una intensa bocanada de aire. Pero eso fue apenas unos segundos antes de que pensara que aquella voz le resultaba extrañamente familiar y perdiera el sentido.

El desconocido la cogió en brazos y se apresuró a correr junto a Christian, que ya había derrotado al último guardia.

–No he podido entretener a Ashran por más tiempo –dijo–. Creo que ya ha adivinado lo que está pasando.

El shek se volvió hacia él.

–Lo sabe desde hace un buen rato –respondió–. Nos está esperando en la salida. No podremos escapar de aquí sin enfrentarnos a él.

El otro asintió, sin un comentario. Los dos siguieron descendiendo, Christian delante, con Haiass desenvainada, y su misterioso aliado detrás, llevando en brazos a Victoria.

Antes de llegar a la planta baja, el encapuchado se detuvo un momento y dijo:

–No tuve ocasión de darte las gracias por haberme salvado la vida.

–No lo hice por ti –cortó Christian con sequedad–, sino por ella.

–Lo sé. Pero me salvaste la vida de todos modos.

El muchacho se encogió de hombros, pero no respondió.

Cuando llegaron al enorme vestíbulo de la Torre de Drackwen, una alta e imponente figura les cerró el paso. Christian se detuvo en seco al pie de la escalera, aún blandiendo su espada, y le dirigió una mirada indescifrable.

–¿Adónde crees que vas, hijo mío? –siseó la voz de Ashran.

Christian no dijo nada. Tampoco se movió. Se quedó allí, en guardia, esperando.

–Entrégame a la muchacha, Kirtash, y no te mataré –dijo el Nigromante–. Aún puedo ser generoso.

Christian retrocedió un par de pasos.

–No, padre –dijo con suavidad–. Victoria no puede morir.

–¿Te atreves a desafiarme abiertamente?

Christian alzó la mirada con orgullo y dijo, simplemente:

–Sí.

–Entonces, muchacho, morirás con ella.

Ashran alzó las manos, y Christian y su compañero percibieron perfectamente el enorme poder que emanaba de ellas. El shek se volvió un momento y susurró:

–Intenta salir de la torre. Abriré la Puerta en el exterior. Llévate a Victoria lejos de aquí, a la Tierra.

–Pero... ¿y tú?

–Yo me quedaré a cubriros la retirada.

–¡No sobrevivirás!

–¿No querrás que Ashran te siga... hasta Limbhad, verdad?

El desconocido se estremeció bajo su capa. Pero Christian no le estaba prestando atención, porque Ashran lanzaba su ataque, y el muchacho alzó la espada para detenerlo. Algo los golpeó a los tres con una fuerza devastadora, pero se concentró sobre todo el filo de Haiass, y, cuando todo acabó, los tres fugitivos estaban intactos, aunque Christian temblaba, agotado, y su espada echaba humo, herida de gravedad. Con un soberano esfuerzo, el shek movió a Haiass con violencia... y volcó todo aquel poder hacia la entrada de la torre, que estaba cerrada a cal y canto. La puerta estalló en mil pedazos, dejando despejado el camino hacia la libertad.

–¡Vete! –pudo decir Christian, respirando entrecortadamente.

El encapuchado se volvió y vio, más allá de la entrada de la torre, una brecha brillante... que los conduciría a la salvación. Vaciló, no obstante.

–¡Vete! –insistió Christian–. ¡Ponla a salvo!

El otro asintió por fin y echó a correr hacia el exterior, llevando consigo a Victoria. Ashran los vio y se volvió hacia ellos, con un brillo de cólera destellando en sus ojos acerados. Levantó la mano y, con aquel simple gesto, se alzó un altísimo muro de fuego entre los fugitivos y la salida. El desconocido se detuvo en seco, a escasos centímetros de las llamas. Pero Christian, con un grito salvaje, lanzó a Haiass contra el muro de fuego. La espada dio un par de vueltas en el aire hasta atravesar las llamas, que quedaron instantáneamente congeladas. Ashran se volvió hacia Christian. Su mirada habría petrificado al héroe más poderoso, pero el joven la sostuvo sin pestañear. Sabía que iba a morir, ya lo había asumido y estaba preparado. Por eso no tenía miedo. Lo único que le preocupaba era ganar tiempo para que sus compañeros escaparan.

Se plantó entre Ashran y la salida de la torre, mientras el desconocido pronunciaba unas palabras en idioma arcano y el hielo se desmoronaba ante él. Ashran alzó las manos de nuevo. Ahora, Christian estaba desarmado y era vulnerable.

Pero se oyó otra vez la voz del encapuchado:

–¡Kirtash!

Y el muchacho alzó la mano para recoger la espada que su aliado le había lanzado. La empuñadura de Haiass voló directamente hasta su mano, y Christian blandió el arma justo a tiempo de detener el nuevo ataque de su padre.

La magia de Ashran se concentró en el filo de Haiass. Christian clavó los pies en el suelo, tratando de aguantar, pero su empuje era demasiado poderoso, y supo que no lo lograría.

Sin embargo, sintió una ondulación en el aire, y percibió que la brecha se cerraba tras él.

Victoria estaba a salvo.

Ashran lanzó un grito de frustración que hizo temblar la torre hasta sus raíces. Christian se estremeció. Vaciló y no pudo aguantar más. Haiass cayó al suelo con un sonido parecido al del cristal al quebrarse, y la magia de Ashran lo golpeó de lleno.

Christian fue lanzado hacia atrás y chocó contra la pared. Intentó levantarse, pero se sentía muy débil, y todo su ser reaccionó instintivamente ante el peligro.

Y su cuerpo se estremeció un momento y se transformó, casi al instante, en el de una enorme serpiente alada. Gritó, y fue un chillido de libertad, pero también de ira. Se enfrentó a Ashran haciendo vibrar su largo cuerpo anillado.

El Nigromante no pareció impresionado. Con un brillo de cólera en los ojos, lanzó una descarga mágica contra el shek, que chilló de nuevo, pero esta vez de dolor, mientras el poder del Nigromante sacudía todas y cada una de las células de su cuerpo.

La serpiente supo que no podía vencer a Ashran y que, si seguía intentándolo, moriría. Y el instinto lo llevó a batir las alas y salir volando hacia la ventana, dejando atrás su espada, olvidada en el suelo. Cuando atravesaba el ventanal, destrozando la vidriera, un nuevo ataque de Ashran le hizo lanzar otro alarido, que resonó en toda la Torre de Drackwen.

Por fin logró salir al aire libre, y abrió al máximo sus alas bajo la luz de las tres lunas. Pero pronto se dio cuenta de que no estaba a salvo, ni mucho menos.

Docenas de sheks lo miraban con el odio y el desprecio pintados en sus ojos irisados, y su acusación sin palabras golpeó su mente como una descarga eléctrica.

«Traidor...».

«... Vas a morir...».

Victoria abrió los ojos, mareada. Parpadeó un instante y tardó un poco en volver a la realidad. Lo primero que sintió fue el suave frescor del bosque, el murmullo del arroyo, la luz de las estrellas que brillaban sobre ella...

... y la energía.

Fluía a través de su cuerpo, no de forma violenta, sino amable, renovándola, reparándola, llenándola por dentro.

Estaba en Limbhad, bajo el sauce... en casa. Respiró hondo y, por un momento, pensó que todo lo que había pasado no había sido más que una pesadilla.

–Buenas noches, bella durmiente –dijo entonces una voz que ella conocía muy bien.

Victoria se volvió. Y vio a Jack, sentado junto a ella, sobre aquella raíz que tan cómoda le parecía. Sonreía con ternura, y a Victoria le pareció que llevaba siglos sin verlo.

Recordó todo entonces: el secuestro, su horrible encuentro con el Nigromante en la Torre de Drackwen, lo que le habían hecho, la huida desesperada...

No recordaba cómo habían salido de la torre, pero, por lo visto, lo habían conseguido. A Victoria se le llenaron los ojos de lágrimas y se echó a los brazos de Jack.

–¡Jack! Jack, estoy en casa, estás aquí, yo...

–Victoria... Victoria, estás bien...

–... te he echado mucho de menos...

–... pensé que no volvería a verte y, por un momento, yo...

–... no quiero volver a separarme de ti nunca más...

–... nunca más, Victoria...

Los dos hablaban a la vez, frases inconexas, incoherentes, susurradas al oído del otro mientras se abrazaban, se besaban y se acariciaban con ternura. Finalmente, acabaron fundidos en un abrazo. Nada ni nadie habría podido separarlos en aquel momento.

–Jack, Jack, Jack... –susurró Victoria mientras hundía los dedos en su cabello rubio; su nombre le parecía la palabra más mágica del mundo, y no se cansaba de pronunciarlo, una y otra vez.

–No puedo creer que hayas vuelto –murmuró él, besándola en la frente–. Me sentía tan impotente... te habías ido, y no tenía modo de llegar hasta ti...

–No sé cómo ha pasado –reconoció ella–. Ni siquiera sé cómo he vuelto aquí. Me ha traído Christian, ¿verdad?

–¿Christian? –repitió él, con una extraña expresión en el rostro–. No, Victoria. Christian no ha regresado contigo.

–Entonces, ¿quién...? –empezó ella, extrañada, pero se calló al ver una sombra junto al arroyo, que se había acercado en silencio y la observaba con emoción contenida.

–Hola, Vic –dijo él, y Victoria reconoció por fin su voz, y se llevó una mano a los labios, tan pálida como si acabara de ver un fantasma.

No podía ser verdad, tenía que ser un sueño, y sin embargo...

La sombra avanzó un poco más, y la clara luz de las estrellas de Limbhad le mostró el rostro de un joven de unos veinte años, moreno, de expresión amable y grandes ojos castaños y soñadores.

–Shail –susurró ella, sin acabar de creerlo todavía.

El joven sonrió y avanzó hasta ellos, sorteando las raíces del enorme sauce. Victoria se levantó con cierta dificultad, apoyándose en Jack. Shail abrió los brazos, y Victoria, tras una breve vacilación, se refugió en ellos.

El mago la estrechó con fuerza. Victoria suspiró con los ojos llenos de lágrimas, sin acabar de creer lo que estaba sucediendo. No era un fantasma. Era de verdad.

–Shail, has vuelto, estás... –se le quebró la voz y sollozó de pura alegría; tardó un poco en poder hablar de nuevo–. Pero... no lo entiendo, Shail, ¿cómo...? Pensábamos que tú... que Elrion...

–¿... me había matado? Y lo habría hecho, Vic, si su magia me hubiera alcanzado. Pero no lo hizo. Otro hechizo llegó antes.

–¿Qué?

Shail se separó de ella para mirarla a los ojos.

–Kirtash fue más rápido. Me salvó la vida.

Victoria parpadeó, perpleja. Todavía le costaba asimilar todo lo que estaba pasando.

–Pero... pero no lo entiendo... ¿Dónde has estado todo este tiempo, entonces?

Shail se rió y le revolvió el pelo con cariño.

–En Idhún, Vic. Kirtash me envió de vuelta a Idhún para salvarme la vida. Como podrás imaginar, como Ashran aún controlaba la Puerta interdimensional, no he podido regresar a Limbhad hasta ahora.

–Pero... pero... si te salvó la vida... ¿por qué no me dijo nada? Él...

–Sospecho que no estaba seguro de haberlo conseguido –replicó Shail poniéndose serio–. He pasado dos años en Idhún buscando la manera de regresar. Conseguí llegar hasta la Torre de Kazlunn y hablar con los magos que resisten todavía a Ashran y los suyos. Les conté todo lo que había pasado y... bueno, me enteré de un montón de cosas. Aunque algunas de ellas ya las sabía... y, lamentablemente, las supe demasiado tarde.

Le dirigió una mirada extraña. Victoria iba a preguntarle por esas cosas que había averiguado, pero el joven mago seguía hablando:

–La otra noche percibimos que Ashran intentaba revivir el poder de la Torre de Drackwen. Solo podía hacerlo de una forma: a través de ti. Supe que te había capturado y no paré hasta conseguir que los magos se decidiesen a atacar Alis Lithban. Era un ataque a la desesperada, pero teníamos que intentarlo.

–¿Tú estabas... estabas en el asedio a la torre?

–Sí. Y ya casi había perdido la esperanza, cuando vi a Kirtash en las almenas, y pensé... que tal vez él estaría dispuesto a ayudarte, una vez más. Por suerte, no me equivoqué. Él me permitió entrar en la torre y después fue a rescatarte.

–¡Entonces, eras tú! El tipo misterioso que nos ayudó a salir de allí.

La sonrisa de Shail se hizo más amplia. Se separó un poco más de Victoria para contemplarla bajo la luz de la suave noche de Limbhad.

–Has crecido mucho, Vic. Estás hecha toda una mujer.

Ella sonrió, pero enrojeció un poco y desvió la mirada.

–Dentro de poco cumpliré quince años –murmuró–. No sé si dentro de uno o dos días, porque he perdido un poco la noción del tiempo. Solo sé que este año, igual que el año pasado, el único regalo que quería era que volvieras... y pensaba que era un deseo imposible.

Shail volvió a abrazarla con fuerza. Después se apartó de ella y sonrió al ver que la chica regresaba inmediatamente junto a Jack. Casi pudo ver el fuerte lazo invisible que los unía cuando Victoria se apoyó en Jack, que la había cogido por la cintura. El mago los contempló con cariño.

–Cómo no me di cuenta antes –murmuró–. Si os vi una vez así, cuando no erais más que unas criaturas recién nacidas, hace quince años...

–¿Qué? –Victoria lo miró, confusa–. Shail, ¿de qué estás hablando?

–Sentaos –dijo Shail, muy serio–. Tengo que contaros una cosa, ¿de acuerdo?

Ellos obedecieron. Victoria se dio cuenta de que Jack desviaba la mirada.

–¿Jack? ¿Tú sabes de qué se trata?

El muchacho asintió, pero no la miró. Shail lo observó, pensativo.

–No, Jack, no lo sabes todo. Todavía no.

Jack se volvió hacia él y frunció el ceño.

–¿Qué quieres decir?

Shail se mordió el labio inferior, seguramente preguntándose por dónde empezar.

–Hace quince años –dijo por fin–, enviamos a otro mundo a un dragón y un unicornio para salvarlos de la ira de Ashran y hacer cumplir una profecía. Los recuerdo tendidos sobre una manta, en la Torre de Kazlunn, temblando de miedo, muy cerca el uno del otro. Recuerdo que el dragón se volvió para mirar a la unicornio, a la pequeña Lunnaris. La miró con esos ojos color verde esmeralda tan extraños que tenía. Y entonces abrió un ala para taparla, con cariño, con gentileza, como si quisiera decirle que él estaba a su lado, que la protegería de todo mal. Lunnaris levantó la cabeza y lo observó.

»Los magos estaban discutiendo sobre los aspectos técnicos del conjuro y no se dieron cuenta. Pero yo sí los vi, y supe que era un momento mágico, que las vidas y las almas de aquellas dos criaturas, tan diferentes y a la vez tan semejantes, habían quedado enlazadas para siempre.

»Hicieron el viaje interdimensional juntos, compartían un mismo destino... y lo sabían. Estaban condenados a volver a encontrarse.

»Alsan y yo cruzamos la Puerta inmediatamente después... pero el Nigromante se dio cuenta, y la cerró... justo en ese momento. Y nos cogió a nosotros en mitad del viaje entre dos mundos. Y allí nos quedamos, suspendidos en medio de ninguna parte, hasta que la Puerta se abrió de nuevo... cuando Kirtash la cruzó, diez años después. Para nosotros, atrapados entre dos dimensiones, no había pasado el tiempo, y por eso no nos dimos cuenta de que no llegábamos a la Tierra justo después que el dragón y el unicornio que enviábamos, sino muchos años más tarde. Pero esto no lo supe hasta que me puse en contacto con los magos de Kazlunn, hace dos años.

–Lo sé –asintió Jack–. Allegra nos lo ha contado.

–Allegra –sonrió Shail–; Aile Alhenai, una de las más poderosas hechiceras de la Torre de Kazlunn. Llegó a la Tierra en busca de Lunnaris, y debo decir que la encontró antes que yo. Porque la tuve a mi lado todo el tiempo y no me di cuenta de quién era hasta que una noche, en Alemania, vi a Kirtash hechizado por su mirada... por la mirada de un unicornio, del último unicornio. Y supe que era ella, y que no podía dejarla morir.

–No... –murmuró Victoria, comprendiendo–. No puede ser verdad.

Shail la cogió por los hombros y la miró a los ojos.

–Esto fue lo que me explicaron en la Torre de Kazlunn, Vic. No fue el cuerpo de Lunnaris lo que llegó a la Tierra, sino su espíritu... que encontró refugio en un cuerpo humano. En una niña recién nacida, a quien más tarde llamarían Victoria.

La verdad golpeó a Victoria como una maza. Clavó en Shail sus enormes ojos oscuros, llenos de miedo e incertidumbre.

–Qué... No es verdad. No puede ser verdad –repitió.

Jack le pasó un brazo por los hombros.

–Lo es, Victoria. Allegra nos lo contó, nos dijo que por eso te ha estado protegiendo todo este tiempo... Y Kir... Christian también lo sabía. ¿No lo entiendes? Tenía que matarte para que la profecía no se cumpliera... pero sabía que eres el último unicornio y que tu raza moriría contigo. Y por eso...

–... por eso, Jack –interrumpió Shail mirándolo fijamente–, entre otras cosas, quería matarte a ti. Si lo conseguía, evitaría también el cumplimiento de la profecía... sin necesidad de acabar con la vida de Victoria. Los sheks nunca han tenido nada en contra de los unicornios, pero su relación con los dragones ya es otro cantar.

Jack se quedó helado. Cuando entendió lo que estaba insinuando Shail, el mundo se detuvo a su alrededor y su corazón pareció dejar de latir un breve instante. Quiso preguntar algo, pero no fue capaz.

–La profecía habla de un dragón y un unicornio –siguió explicando el mago, lentamente–. Si uno de los dos muere, la profecía no se cumplirá. Dudo mucho que pudieras ocultarle a Kirtash tu verdadera identidad durante mucho tiempo, Jack. Los sheks y los dragones llevan odiándose desde hace milenios. Su instinto lo llevaba a luchar contra ti... aunque tú también fueras el último de tu especie.

–¡QUÉ! –exclamó Jack, atónito.

Shail esbozó una sonrisa incómoda.

–Te dije que no lo sabías todo, Jack. Si Lunnaris se reencarnó en un cuerpo humano, ¿qué te hace pensar que el dragón que la acompañaba no hizo lo mismo?

–No –dijo Jack temblando como una hoja–. No, te equivocas.

Llevaba mucho tiempo ansiando descubrir el secreto de su identidad, pero ahora se daba cuenta de que habría preferido no saberlo. Sin embargo, Shail seguía hablando, y Jack no tuvo más remedio que seguir escuchando.

–Piénsalo. Puedes blandir a Domivat, que fue forjada con fuego de dragón. Tienes poder sobre el fuego. Tienes un calor corporal superior al normal, y nunca te pones enfermo. Sueñas con volar. Detestas a las serpientes y, por extensión, a Kirtash –hizo una pausa y continuó–: No es de extrañar que tantos milenios de enfrentamiento contra los sheks hayan dejado esa huella indeleble en tu instinto, amigo.

Jack no lo soportó más. Cada palabra que pronunciaba Shail caía sobre él como una pesada losa, desvelando la verdad que habitaba en su corazón. Pero la luz de la verdad era demasiado brillante, y hacía demasiado daño.

–¡No es verdad! –chilló levantándose de un salto–. ¿Me oyes? ¡Estás mintiendo! ¡Yo soy humano, no soy...!

–... Un dragón –lo ayudó Shail.

–¡¡Cállate!! –rugió Jack–. ¡No tienes derecho a volver de entre los muertos para venir a decirme...!

–Yandrak –lo llamó entonces Victoria, y Jack se volvió, como movido por un resorte.

Ella no podía conocer el nombre del último dragón. Era un secreto entre Jack y Alexander. Pero Victoria lo miraba con un profundo brillo de reconocimiento en la mirada, y Jack se vio reflejado en los ojos de ella.

Y, por algún motivo, la verdad no resultaba tan dolorosa si la veía en los ojos de Victoria.

Jack se dejó caer contra el tronco del sauce, anonadado, como si se hubiese quedado sin fuerzas de pronto. Victoria buscó su calor, temblando, y él la rodeó con un brazo, sin pensar... y de pronto recordó a la pequeña unicornio a la que había protegido del miedo y del frío, cubriéndola con una de sus alas, mucho tiempo atrás.

Victoria pareció haber tenido la misma idea. Los dos se miraron, sorprendidos, y se encontraron el uno al otro en aquella mirada...

... Y recordaron la primera vez que sus ojos se habían cruzado, ojos de dragón, ojos de unicornio, un aciago día, en la Torre de Kazlunn, mientras los seis astros brillaban en el cielo, y ellos se preparaban para un viaje a lo desconocido, un viaje que los salvaría de la muerte, pero que los arrojaría en brazos de un destino terrible, en aras del cumplimiento de una profecía.

Se abrazaron con fuerza. Shail sabía que era un momento importante para ellos, y se apartó un poco para dejarles intimidad.

–Sabía que eras especial –susurró Victoria al oído de su amigo–. Sabía que te conocía desde siempre.

–No sé si quiero ser un dragón, Victoria –respondió él en voz baja.

–En cambio, yo no quiero que seas otra cosa. Porque si es verdad que yo soy Lunnaris... y tú eres Yandrak... eso me une a ti mucho más de lo que podría soñar. Aunque seamos tan diferentes, estábamos destinados el uno al otro. Desde el principio, ¿lo entiendes?

Jack asintió, comprendiendo lo que quería decir. La abrazó con fuerza. Ella no parecía demasiado sorprendida, y el muchacho supuso que, de alguna manera, Christian la había ido preparando para aquel momento, que Victoria ya intuía cuál era su verdadera identidad. En cambio, él...

Se volvió hacia Shail, que se había quedado un poco más lejos.

–Siento haberte gritado –murmuró, todavía temblando–. No quería echarte la culpa. Es solo que... es todo muy extraño. ¿Vosotros... lo sabíais ya?

–He estado hablando con Allegra y Als... Alexander mientras estabais aquí –explicó Shail–. Allegra descubrió quién eras hace apenas dos noches, Jack. Se lo acaba de decir a Alexander. No te lo dijeron porque estabas demasiado preocupado por la desaparición de Victoria, y no era el momento más indicado. Y bueno, yo... yo lo supe en cuanto los magos de Kazlunn me explicaron un par de cosas, y até cabos. Por desgracia, no estaba en situación de volver para decíroslo.

Ni Jack ni Victoria fueron capaces de hablar.

–No quiero echar más leña al fuego –prosiguió Shail–, pero debéis ir pensando en lo que eso significa...

–Ya sé lo que significa –cortó Jack, impaciente–. Significa que no somos humanos.

–No *del todo* humanos, Jack. Pero hay en vosotros algo de humano. Sois ambas cosas, ¿lo entendéis? Y gracias a vuestra parte... sobrehumana, por así decirlo, podréis formar parte de la profecía.

–¿La profecía? –repitió Victoria, despacio–. ¿Esa profecía que nos obliga a enfrentarnos a Ashran para derrotarlo o morir en el intento? –levantó la mirada y la clavó en Shail–. Ya he estado en Idhún, ya he visto a Ashran, y no quiero volver a pasar por esa experiencia.

–Eso es muy egoísta por tu parte –le reprochó Shail, muy serio–, sobre todo teniendo en cuenta que Kirtash se ha sacrificado para que...

–¿Qué? –cortó Victoria en voz alta–. ¿Que Christian ha hecho qué?

Shail la miró sin entender su reacción. Victoria se aferró a él, mirándolo con los ojos muy abiertos.

–¿Qué le ha pasado a Christian? –inquirió, con una nota de pánico en su voz–. ¿No cruzó la Puerta con nosotros?

Shail adivinó entonces qué era lo que estaba sucediendo.

–Ah... Vic –comprendió–. Él y tú... pero, entonces... –añadió, extrañado, mirando a Jack y Victoria–, vosotros dos...

Jack enrojeció un poco y desvió la mirada, azorado. Pero Victoria no estaba en condiciones de hablar de sus relaciones con ambos chicos.

–¿Qué le ha pasado a Christian, Shail? ¿Dónde está?

Shail eligió con cuidado las palabras:

–Él... abrió la Puerta... y se quedó atrás... para cubrirnos la retirada.

–¡QUÉ! ¿Lo dejaste atrás? ¡Shaaaail! –gimió, desesperada–. ¡Ashran lo matará!

Examinó con ansiedad el Ojo de la Serpiente, pero Shail la cogió del brazo y la obligó a mirarlo a los ojos.

–No podemos hacer nada, Victoria. Estaba escrito en la profecía.

–¿A qué te refieres?

–Es otra de las cosas que he averiguado en este tiempo. Es la parte que los Oráculos ocultaron y que casi nadie conoce, ni siquiera Ashran. La profecía dice que solo un dragón y un unicornio unidos derrotarán al Nigromante... y un shek les abrirá la Puerta. Eso ya ha ocurrido, ¿entiendes? Kirtash ya ha cumplido su papel en la profecía.

Hubo un pesado silencio, que Jack rompió de pronto:

–No, Shail. Si eso es cierto, esa parte aún no se ha cumplido. ¿No lo entiendes? Abrió la Puerta para Victoria, pero nosotros seguimos aquí, atrapados. Si él es el shek de la profecía, lo necesitamos todavía para regresar a Idhún.

Shail iba a responder cuando se oyó un sonido atronador que pareció partir el cielo en dos. Los tres se pusieron en pie de un salto y alzaron la mirada. Y vieron una especie de relámpago sutil y fluido como el mercurio que surcaba el cielo nocturno de Limbhad, errático y claramente desorientado.

–¡Es un shek! –exclamó Jack poniéndose en pie de un salto, dispuesto a correr en busca de Domivat–. ¡Han conseguido entrar en Limbhad!

–¡Espera, Jack! –lo detuvo Victoria–. ¡Es Christian!

–¿Qué? –Jack se detuvo y miró con más atención el cuerpo ondulante que cruzaba el cielo–. ¿Cómo lo sabes?

–¡Está herido! –gritó Victoria sin hacerle caso.

Echó a correr y los dos chicos la siguieron.

Vieron al shek cruzar el firmamento en su inestable vuelo, rizar su largo cuerpo de azogue y caer en picado sobre el bosque. Atravesaron a toda velocidad la explanada que rodeaba la casa, y allí se encontraron con Allegra y Alexander, que también habían oído el estruendo. Alexander había cogido las dos espadas, la suya y la de Jack, bien protegida en su vaina, y se la entregó al muchacho.

–¿Qué pasa? ¿Qué ha sido eso? –preguntó, ceñudo.

Pero nadie tenía tiempo para contestar.

Por fin llegaron al lugar donde el shek había aterrizado. Pero no vieron a lo lejos el flexible y esbelto cuerpo de una serpiente alada, sino la figura de un muchacho vestido de negro, tendido de bruces sobre la hierba, junto al bosque. Victoria fue a correr junto a él, pero Jack la retuvo cogiéndola del brazo.

–Espera.

–¡Pero, Jack! –protestó ella; trató de liberarse, pero Jack no la soltó–. ¡Está herido! ¿No lo entiendes?

Jack sacudió la cabeza.

–La última vez que lo vi, Victoria, acababa de engañarte para entregarte a Ashran. Y no sé lo que te han hecho en esa torre, pero, a juzgar por las cosas que murmurabas en sueños, no debió de ser nada agradable. ¿Me equivoco?

Victoria recordó lo mal que lo había pasado en la Torre de Drackwen, desvió la mirada y no dijo nada. Jack apretó los dientes.

–Si te ha hecho daño, juro que lo mataré.

–No, Jack. Cambió por mi culpa, ¿entiendes? Porque lo dejé solo. Pero, aun así... me ha salvado la vida. Deja que me acerque, por favor. Puedo curarlo si está herido.

–No, Victoria. Iré yo primero. Hablaré con él.

–Jaaack...

–Confía en mí, ¿vale? Mírame, Victoria. ¿Confías en mí?

Ella lo miró, y se sintió reconfortada por la sinceridad, la seriedad y la dulzura de sus ojos.

–Confío en ti, Jack.

–Bien. Entonces, espera aquí, ¿de acuerdo?

Victoria asintió. Jack se volvió y vio que Shail mantenía a Allegra y Alexander a una prudente distancia, como si quisiera dejar que Victoria, Christian y él mismo resolvieran solos sus propios asuntos. Respiró hondo y asintió. Así tenía que ser.

Se aproximó al shek y desenvainó a Domivat. Percibió que Victoria los miraba, preocupada. Pero le había dado un voto de confianza y esperaría.

Jack se inclinó junto a su enemigo. Christian alzó la mirada con esfuerzo. Jack vio que estaba gravemente herido. Se preguntó si debía sentir lástima o alguna clase de compasión, y recordó que, apenas unas horas antes, había jurado que mataría a aquel monstruo en cuanto volviera a tenerlo delante.

Por Victoria.

Los ojos azules del shek relucieron un instante al descubrir la llama de Domivat, pero no dijo nada. Esperó a que fuera Jack quien hablara, y este lo hizo:

–¿Qué has venido a hacer aquí?

Christian le dirigió una larga mirada.

–No estoy seguro –dijo finalmente, con esfuerzo–. Solo trataba de... escapar.

–¿Has venido a hacer daño a Victoria?

–No. Ya no.

–¿Has venido a matarme a mí?

Christian lo miró de nuevo, como si meditara la respuesta.

–Ya sabes quién eres –comprendió.

Jack dudó un momento; todavía no había asimilado del todo la idea de que en su interior latía el espíritu de Yandrak, el último dragón. Pero se acordó de que Victoria lo había reconocido, y asintió.

–Mátame, entonces –dijo el shek–. Nuestros pueblos... han estado enfrentados desde hace... incontables generaciones. Nosotros hemos acabado... con toda tu raza. Ahora... puedes vengarte. Estoy indefenso.

Jack cerró el puño con tanta fuerza que se clavó las uñas en la palma de la mano; aquel ser había hecho mucho daño a Victoria y, sin embargo, ella aún lo quería. Y eso le resultaba muy difícil de asimilar, más incluso que su condición de dragón.

Pero, cuando habló, su voz sonó tranquila y serena:

–Si vas a hacer daño a Victoria, si quieres llevártela, te mataré aquí y ahora. Si quieres enfrentarte a mí, entonces le diré a ella que te cure, y lucharemos, en igualdad de condiciones, cuando estés recuperado. A muerte, si lo prefieres.

Christian sonrió débilmente.

–Eso es noble –susurró con sus últimas fuerzas–, pero ya no quiero matarte. Ya no debo lealtad al Nigromante. Me he convertido... en un traidor y... por tanto... no tengo que obedecer sus órdenes. Es verdad que... mi instinto me pide a gritos que acabe... contigo. Pero Victoria te quiere, te necesita, y yo...

–Tú la quieres de verdad.

Christian no tenía ya fuerzas para contestar. Cerró los ojos, agotado.

Jack se quedó mirándolo y se mordió el labio inferior, inseguro. Entonces tomó una decisión.

El fuego de Domivat llameó un momento, y Victoria gimió, angustiada.

Pero Jack envainó su espada y tendió la mano a Christian, para ayudarlo a levantarse. Victoria se quedó quieta, sin acabar de creer lo que estaba sucediendo, y supo que guardaría aquella imagen en su corazón durante el resto de su vida: la imagen de Jack cargando con Christian, que avanzaba cojeando, con el brazo en torno a los hombros de su enemigo.

Victoria no pudo más. Corrió hacia ellos y los abrazó, y los tres parecieron, por un momento, un solo ser.

Alexander se volvió hacia Shail, como exigiendo una explicación.

–Déjalos, Alexander –murmuró el joven mago sacudiendo la cabeza–. Kirtash ya es uno de los nuestros.

–¿Cómo puedes estar tan seguro?

Fue Allegra la que contestó, con una sonrisa:

–Porque el Alma le ha franqueado el paso. ¿Cómo, si no, crees que ha podido entrar en Limbhad?

Christian abrió los ojos lentamente. Una cálida sensación recorría su cuerpo, regenerándolo, vivificándolo, desterrando de su organismo el mortífero veneno que le habían inoculado los colmillos de los otros sheks, antes sus aliados, su gente. Percibió algo muy suave rozándole la mejilla, y supo que era el pelo de Victoria, que estaba muy cerca de él. Hizo un esfuerzo por despejarse del todo.

Se encontró tendido en una cama, en una habitación circular. Victoria estaba junto a él, muy concentrada en su tarea, y no se dio cuenta de que se había despertado. Le había quitado el jersey negro y sus manos recorrían la piel del shek, sanando sus heridas. Christian entornó los ojos y pudo ver la luz de Victoria, aquella luz que brillaba en su mirada con más intensidad que nunca; también logró ver algo que a los humanos en general pasaría desapercibido: una chispa que despertaba de vez en cuando en la frente de la joven, como una pequeña estrella, en el lugar donde Lunnaris había alzado, orgullosa, su largo cuerno en espiral.

Victoria examinaba ahora una fea cicatriz que marcaba el brazo izquierdo de Christian.

–Esa me la hiciste tú –dijo él con suavidad, sobresaltándola–. En Seattle. Cuando peleamos junto al estadio, ¿te acuerdas?

Ella miró la cicatriz con más atención.

–¿Esto te lo hice yo? ¿Con el báculo?

Christian asintió.

–Han pasado tantas cosas desde entonces... –dijo ella–. Parece mentira, ¿verdad?

Él sonrió.

–Tú también sabes quién eres –dijo.

Victoria asintió.

–Tú te diste cuenta antes que nadie –murmuró–. Bueno, tú y mi abuela.

–Tu abuela –repitió Christian–. Si hubiera sabido desde el principio que era una hechicera idhunita exiliada, y de las poderosas, la habría matado sin vacilar. Pero se ocultó muy bien de mí.

–¿Cuánto hace que lo sabes?

–Lo sospechaba desde hacía tiempo, pero lo supe con certeza la noche en que te regalé a Shiskatchegg. Ella me sorprendió en la casa. Nos miramos, supe quién era...

–No le hiciste daño entonces.

–No. Porque te protegía, Victoria, y cualquiera que te quiera y te proteja merece mi respeto.

–Como Shail. Por eso le salvaste la vida. Porque demostró que estaba dispuesto a darlo todo por mí... por Lunnaris –se corrigió.

Christian no vio necesidad de responder.

–O como Jack –añadió ella en voz baja.

–He tratado de evitar la profecía –dijo Christian en voz baja–. No solo para salvaguardar el imperio de los sheks, sino también... porque no quería que te enfrentaras a mi padre. Podrías morir en la batalla, y yo no quiero tener que pasar por eso.

Los ojos azules de Christian se clavaron en los suyos. Por un momento, Victoria olvidó su traición, olvidó el dolor que había soportado por su causa, y le apartó el pelo de la frente con infinito cariño.

–Siento haberme quitado el anillo, Christian. Te lo dije en la torre, pero te lo repito ahora. Siento que tuvieras que pasarlo tan mal por mi culpa.

Él se encogió de hombros.

–También tú sufriste a manos mías –dijo–. Estamos en paz.

Pero no pidió perdón, y Victoria sabía por qué. Su ascendencia shek era parte de él, y no podía evitar ser como era. Sin embargo... al saberla al borde de la muerte en la torre, sus emociones humanas habían vuelto a salir a la luz.

–Esto –dijo entonces Victoria, señalando las heridas que marcaban el cuerpo de Christian–, ¿te lo ha hecho Ashran?

–Sí, en parte. Pero también fui atacado por los sheks –hizo una pausa y concluyó–: Ya no soy uno de ellos.

–¿Eres, pues, uno de nosotros? –inquirió la voz de Jack, desde la entrada.

Los dos se volvieron. El chico estaba de pie, con los brazos cruzados ante el pecho y la espalda apoyada en el marco de la puerta. Su expresión era seria y serena, pero sus ojos exigían una respuesta.

–¿Soy uno de vosotros? –le preguntó Christian, a su vez.

Jack sacudió la cabeza y avanzó hacia ellos.

–¿Fue Ashran quien te obligó a secuestrar a Victoria?

–En cierto modo. Él despertó mi parte shek, pero esa parte ya estaba ahí, es mi naturaleza. Así que... puede decirse que fuimos los dos.

–¿Podría volver a pasar? ¿Podrías volverte contra nosotros otra vez?

Christian sostuvo su mirada.

–Podría –dijo lentamente–, pero, incluso si mi parte shek me dominara de nuevo, ya no tendría nada contra Victoria. Soy un traidor a mi pueblo, ya no me aceptan entre ellos y, por tanto, mis intereses ya no son los suyos.

–Pero tu instinto te pide que luches contra mí. Porque me odias tanto como yo te odio a ti. Así que, en un momento dado, podrías intentar matarme otra vez.

–Sí.

Victoria miraba a uno y a otro, incómoda. Pero Jack sonrió y dijo, encogiéndose de hombros.

–Bien, asumiré el riesgo. Pero –le advirtió–, como vuelvas a hacer daño a Victoria, te mataré. ¿Me oyes?

Christian sostuvo su mirada. Pareció que saltaban chispas entre los dos, pero finalmente el shek sonrió también. Ninguno de los dos podía pasar por alto los siglos de odio y enfrentamiento entre sus respectivas razas y, sin embargo, había algo que ellos tenían en común y que servía de puente entre ambos: su amor por Victoria, un amor que podía enfrentarlos, pero también unirlos en una insólita alianza.

Porque, tiempo atrás, ella había pedido a Christian que perdonara la vida a Jack, y él lo había hecho... por ella.

Y porque aquella noche, Victoria también había suplicado por la vida de Christian... y Jack había preferido reprimir su odio antes que verla sufrir de nuevo.

Victoria los miró a los dos, intuyendo lo importante que era aquel momento para ellos tres. Cogió la mano de Christian y apoyó la cabeza en el hombro de Jack.

El contacto de Christian era electrizante, intenso, fascinante y turbador. En cambio, lo que Jack le transmitía era calidez, seguridad, confianza... y, por encima de todo, la pasión del fuego que ardía en su alma. Victoria supo que los necesitaba a ambos en su vida, que los había querido siempre y que, incluso si no hubiera llegado a encontrarse con ellos en el mundo al que habían sido enviados, los habría echado de menos, los habría añorado todas las noches de su vida, aun sin saber exactamente qué era lo que había perdido.

Cerró los ojos y sintió a Lunnaris en su interior, la pieza que faltaba para finalizar aquel rompecabezas que decidiría los destinos de Idhún.

Y, por primera vez en toda su vida, se sintió completa.

EPÍLOGO

Se abre la Puerta

JACK se acodó sobre la balaustrada y cerró los ojos, aspirando el aroma de la suave noche de Limbhad. Recordó la vez en la que había saltado al jardín desde allí, tratando de escapar; habían pasado más de dos años desde entonces, y su vida había cambiado radicalmente. Y los cambios no habían hecho más que empezar.

Hacía ya varias semanas que habían acogido a Christian en la Casa en la Frontera. En todo aquel tiempo, el shek se había ido recuperando lentamente de sus heridas, y Jack y Victoria habían intentado asumir que no tardarían en viajar a Idhún para desafiar al Nigromante... como había dictaminado la profecía.

Jack se sentía perdido y confuso. Victoria había aceptado bastante bien su condición de unicornio, pero no tenía ganas de regresar a Idhún para enfrentarse a Ashran. En cambio, él estaba deseando entrar en acción, visitar aquel mundo del que tanto había oído hablar, hacer pagar al Nigromante todo lo que le había hecho sufrir... pero no acababa de hacerse a la idea de que la esencia de Yandrak, el último dragón, habitase en su interior, a pesar de todos los indicios. Solo lo percibía claramente cuando se cruzaba con Christian por el pasillo. Entonces los dos se miraban, y aquel odio ancestral volvía a palpitar en sus corazones. Pero se limitaban a respirar hondo y seguir adelante.

Jack sabía por qué lo hacían. No solo porque la traición de Christian lo hubiese colocado en el bando de la Resistencia, sino también, sobre todo, por Victoria.

A Jack le costaba muchísimo soportar la presencia del shek en la casa. Y se notaba a las claras que, en lo que tocaba a Christian, el sentimiento era mutuo.

Tampoco Alexander lo había acogido con agrado, y hasta Allegra tenía sus reparos. Victoria seguía sintiendo algo muy intenso por el shek, pero daba la impresión de que algo en su interior se había enfriado desde su visita a la Torre de Drackwen. Ahora que Christian estaba ya bien, parecía que la muchacha temía quedarse a solas con él en la misma habitación. Y confiaba en él, pero no podía evitar tenerle algo de miedo, de todas formas, aunque fuera de manera inconsciente.

En resumen, Christian estaba en Limbhad, con la Resistencia, pero no era un miembro de pleno derecho. Resultaba difícil fiarse de él, después de todo lo que había pasado.

El joven lo tenía perfectamente asumido y no parecía que lo lamentara. Jack sabía que, cuando su estado se lo permitiera, se marcharía de allí y, probablemente, no volverían a verlo.

–Te he estado buscando –dijo de pronto la voz de Alexander tras él–. Quiero que nos reunamos todos en la biblioteca.

Jack desvió la mirada. Su relación con Alexander se había enfriado desde el regreso de Shail. Jack intuía que tarde o temprano tendrían que hablar de ello, y había estado evitando un encuentro a solas con él.

–¿También Christian? –murmuró.

–Especialmente él. Y, a propósito, ¿querrías ir a buscar a Victoria al bosque? Acabo de volver de allí, pero no la he encontrado.

–Porque se habrá transformado –musitó Jack.

–Eso pensaba.

–Bien, iré y...

–Espera –Alexander lo retuvo cuando pasaba por su lado–. ¿Se puede saber qué te pasa conmigo últimamente, chico? ¿Estás enfadado por algo?

Jack volvió bruscamente la cabeza. Los confusos sentimientos que albergaba su corazón pugnaban por salir a la luz, y finalmente no aguantó más y dijo, temblándole la voz:

–¿Por qué no me reconociste?

–¿Qué? –Alexander se quedó mirándolo, perplejo.

–Viniste a este mundo para buscar a Yandrak... para buscarme a mí. Me encontraste, me tenías delante de tus narices y no te diste cuenta. ¿Por qué? ¿Porque yo solo era una excusa para enfrentarte a Ashran y a los suyos? ¿O porque no soy en realidad el dragón que estabas buscando? ¿O tal vez porque todo lo que me contaste acerca de Yandrak no eran más que mentiras?

Alexander lo miró, comprendiendo. Los ojos de Jack estaban húmedos, y temblaba de rabia... y también de angustia.

–Jack –murmuró–, ¿qué quieres que te diga? ¿Que he estado ciego, que he sido un estúpido? ¿Es lo que quieres oír? Porque tienes razón.

Jack desvió la mirada, pero no dijo nada. Alexander lo cogió por los brazos y lo obligó a mirarlo de nuevo.

–Piensa lo que quieras, chico. Estás en tu derecho. Pero jamás te permitiré que dudes ni por un instante de que, desde el momento en que te vi salir del huevo, supe que consagraría mi vida a protegerte. Con profecía o sin ella. ¿Me oyes?

Jack tragó saliva. Quiso hablar, pero no fue capaz.

–Te vi nacer, Jack... Yandrak –prosiguió Alexander–. Solo yo estaba allí, y no sé en qué me convierte eso. ¿En tu padre adoptivo? ¿En tu padrino? Sea lo que sea, me sentí responsable por ti, aunque fueras de una raza tan distinta a la mía. Y no porque fueras parte de una profecía, no porque fueras el último de tu especie, sino sobre todo... porque estabas solo y no tenías a nadie más. Crucé esa Puerta para encontrarte, no lo dudes jamás. Puede que sea un poco obtuso para algunas cosas, y por eso no se me ocurrió pensar que el dragón que andaba buscando se había disfrazado de un aterrorizado chiquillo de trece años. Pero, en el fondo de mi corazón, lo sabía. Porque, de pronto, buscar a Yandrak ya no tuvo tanta importancia como acogerte a ti y enseñarte todo lo que sabía, para que pudieras valerte por ti mismo y Kirtash no volviera a amenazarte.

Jack le dio la espalda, incapaz de mirarlo a los ojos. Sintió que Alexander colocaba una mano sobre su hombro.

–¿Tienes miedo de ser lo que eres?

–Sí –reconoció Jack en voz baja–. Toda mi vida he buscado una explicación a lo que me pasaba y, ahora que la tengo... me parece demasiado extraña. Ni siquiera he podido transformarme en dragón todavía. Mientras que Victoria...

–Victoria ha tenido ayuda –le recordó Alexander.

–Pero no pienso pedir a Christian que me ayude a ser dragón –cortó Jack, horrorizado.

–No –concedió Alexander–. Sería muy raro.

Hubo un breve silencio.

–Por si te sirve de consuelo –añadió Alexander–, los dragones son criaturas magníficas. En el pasado, muchos los adoraron como a dioses.

Especialmente a los dragones dorados –hizo una pausa y añadió–: Me gustaría saber en qué clase de dragón te has convertido. Apuesto lo que quieras a que te sienta bien tu otra forma.

Jack sonrió.

–Pero... un cuerpo de dragón es tan diferente... a un cuerpo humano...

–Estás pensando en Victoria, ¿no es cierto? ¿De verdad crees que ella te querrá menos si te ve bajo tu verdadera forma?

Jack desvió la mirada, azorado.

–¿Cómo lo has adivinado?

Alexander lo observó, muy serio.

–Porque una vez yo pensé que mis amigos me rechazarían por no ser completamente humano –dijo–. Y salí huyendo. Y... ¿sabes una cosa? Me equivoqué.

Jack le lanzó una mirada de agradecimiento. Alexander sonrió.

–Chico, Victoria sigue sintiendo algo por Kirtash, a pesar de que ya lo ha visto transformado en una serpiente... muy fea, por cierto. ¿Qué te hace pensar que no le vas a gustar si te ve como dragón? Te recuerdo que no sería la primera vez.

–Tal vez... tal vez tengas razón.

–Ya verás cómo sí. Y ahora vete a buscarla, ¿de acuerdo? Lo estás deseando.

Jack asintió, sonriendo. Le dio un fuerte abrazo a su amigo y salió corriendo.

–¡No os olvidéis de la reunión! –le recordó Alexander.

Jack hizo una seña para indicarle que lo tenía en cuenta, pero no se detuvo ni volvió la cabeza.

No tardó en internarse en el bosque, y fue directamente al sauce. Pero Victoria no estaba allí. Y, sin embargo, se respiraba su esencia. El bosque parecía brillar con una luz propia, todo parecía mucho más hermoso que de costumbre.

Tragando saliva, Jack recorrió la espesura, buscando a Victoria.

Finalmente la vio junto al arroyo y, como tantas otras veces, sintió que se le cortaba la respiración.

Se había transformado en unicornio, y sus pequeños y delicados cascos hendidos parecían flotar por encima de la hierba. Su piel emitía un suave resplandor perlino, y sus crines se deslizaban sobre su delicado cuello como hilos de seda. Su largo cuerno en espiral era tan blanco que parecía desafiar a las más oscuras tinieblas. Y sus ojos...

Jack jamás conseguía encontrar una manera de describir sus ojos. Trató de apartar la mirada, pero no lo consiguió.

–Hola, Victo... Lunnaris –se corrigió.

Ella avanzó hacia él, y Jack sintió que se le aceleraba el corazón. Nunca permitía que nadie la viera cuando estaba transformada. Ni siquiera Christian.

Y, sin embargo, se había dejado sorprender por Jack varias veces, a propósito. El muchacho sabía que era un regalo, una especie de símbolo de la complicidad que los unía a ambos. Jack se preguntó por primera vez si ella deseaba verlo a él transformado en dragón... o no quería... o simplemente le daba igual.

El unicornio estaba justo junto a él, y el muchacho, fascinado, alzó la mano para tocarla. Pero ella retrocedió ágilmente. Jack sonrió. Podía verla como unicornio, pero no tocarla. Era una de las nuevas reglas no escritas.

Y, por desgracia, no era la única.

Lunnaris se transformó lentamente en una chica de quince años, de bucles oscuros y de expresivos ojos castaños que parecían demasiado grandes para su rostro moreno y menudo. Ladeó la cabeza y lo miró, casi de la misma forma en que lo había hecho el unicornio.

–Hola, Victoria –dijo Jack–. Te estaba buscando.

–Bueno, pues me has encontrado –sonrió ella–. ¿Era por algo en especial?

–Alexander quiere que nos reunamos todos en la biblioteca.

Victoria frunció el ceño. Sabía lo que eso significaba.

Caminaron juntos hacia la casa. Jack se mantuvo a una prudente distancia para no rozarla. Era otra de las reglas. Después de transformarse, Victoria tardaba un poco en volver a acostumbrarse a su cuerpo humano, y no le gustaba que la tocaran.

Jack reflexionó sobre ello. El amor que Victoria sentía hacia ellos dos, hacia Jack y Christian, parecía haberse intensificado en aquel tiempo, afianzándose y haciéndose más sereno y seguro, pero también más fuerte. Lo notaba en sus ojos cuando la miraba.

Y, sin embargo, cada vez lo manifestaba menos de forma física. Ya no buscaba tanto el contacto de ellos dos, ni los abrazos, ni las caricias. Eso desconcertaba a Jack, y habría llegado a creer que ella ya no lo quería, de no ser por lo que leía en sus ojos y en su sonrisa cuando estaban juntos. El muchacho no estaba seguro de que le gustara el cambio.

Recorrieron el trayecto en silencio, hasta que Jack dijo:

–Tendremos que volver a Idhún muy pronto.

Ella desvió la mirada.

–Lo sé. He estado pensando y, ¿sabes...?, aunque no quiero hacerlo, sé que en el fondo no puede ser tan malo si estoy contigo.

Jack sintió que se derretía. Ese tipo de comentarios, pronunciados con infinito cariño y absoluta sinceridad, le indicaban que ella lo quería con locura todavía. Y, sin embargo...

–A mí tampoco me hace mucha gracia –confesó–. Pero te prometo que cuidaré de ti, Victoria.

Ella lo miró y sonrió.

–Al revés, tendré que cuidar yo de vosotros. Porque, en cuanto me descuide, estaréis peleando otra vez.

Jack comprendió que estaba hablando de Christian; desvió la mirada y carraspeó, incómodo.

–No creo que él nos acompañe, Victoria.

Sabía lo que iba a ver en sus ojos: sorpresa, miedo, dolor... Victoria temía a Christian todavía, pero no soportaba la idea de separarse de él. Jack estaba empezando a acostumbrarse al hecho de que tendría que compartir a la mujer de su vida con su peor enemigo. Pero todavía resultaba duro de todos modos. Muy duro.

–Pero... pero... no puedo dejarlo atrás –susurró ella, aterrada.

–¿Vas a obligarlo a regresar a Idhún? ¿A enfrentarse a su gente, que lo considera un traidor, y a su padre... de nuevo? No puedes pedirle eso.

Victoria inspiró hondo y cerró los ojos.

–No, tienes razón –murmuró–. No puedo pedirle eso.

–Estará mejor aquí, Victoria. Y si... Cuando volvamos –se corrigió–, estará esperándote.

Jack dudaba en el fondo que volvieran a ver al shek a su regreso, pero sabía que aquella idea reconfortaría a su amiga; ya se enfrentaría a la verdad cuando regresara.

Cuando entraron en la biblioteca, ya estaban todos allí. Alexander y Shail, y Allegra, y Christian, que estaba de pie, cerca de la puerta, en un rincón en sombras, con los brazos cruzados y la espalda apoyada contra la pared, en ademán aparentemente relajado, pero, como siempre, en tensión.

–Siento el retraso –murmuró Victoria, consciente de que era culpa suya.

Alexander fue directamente al grano:

–Ha llegado la hora de volver –dijo–. ¿Estáis preparados?

Jack inspiró hondo y dijo.

–Yo, sí.

Victoria tuvo que coger su mano para reunir el valor suficiente y asentir con la cabeza. Miró de reojo a Christian, sin embargo, pero este no reaccionó.

–Necesitaremos que alguien nos abra la Puerta interdimensional –dijo Shail a media voz, y todas las miradas se volvieron en dirección al shek.

Él alzó la cabeza.

–Todavía no he decidido lo que voy a hacer.

–Entiendo –asintió Shail–. Es tu gente y...

–No se trata de eso –cortó Christian; miró a Jack y Victoria... especialmente a Victoria–. La profecía dice que solo vosotros dos tenéis alguna posibilidad de derrotar a Ashran. Pero no asegura que vayáis a hacerlo.

–¿Qué quieres decir? –preguntó Jack frunciendo el ceño.

–Gracias al poder que extrajo Victoria de Alis Lithban, la Torre de Drackwen es ahora inexpugnable –explicó el shek–. Ashran os conoce, está sobre aviso. No va a ser sencillo llegar hasta él.

»Y una vez allí, ¿qué? ¿Qué pasará si vence él? ¿Arriesgaríais la vida de Victoria por una posibilidad entre cien? ¿Y si ella muere en el intento? ¿Cómo soportaríais la idea de haber acabado con el último de los unicornios... solo para expulsar de Idhún a los sheks?

La pregunta los cogió a todos por sorpresa. Se miraron unos a otros, confusos.

Jack sonrió para sus adentros. Christian no lo había mencionado para nada, y él sabía por qué. Para el shek, la extinción de los dragones no sería ninguna tragedia. El muchacho no podía culparlo; él se sentía de la misma manera con respecto a los sheks.

–Estás hablando de los sheks que provocaron la muerte de todos los dragones y los unicornios –le recordó Allegra con cierta dureza.

Christian le dirigió una breve mirada y sacudió la cabeza.

–Estoy hablando de los sheks que han pasado varios siglos en un mundo de tinieblas –dijo despacio– y que se han aferrado a su única posibilidad de regresar a casa como a un clavo ardiendo.

–No me hagas reír –soltó Jack–. Nosotros no exterminamos a tu gente como hicisteis vosotros con...

Calló, perplejo. Al decir «nosotros» no estaba pensando en la Resistencia, sino en los dragones en general.

Christian lo miró con cierto destello burlón en sus ojos azules.

–Ya os he dicho que eso, en el fondo, me da igual. Pero una vez juré que protegería a Victoria de toda amenaza, y es lo que voy a hacer. No voy a abrir la Puerta. Es mi última palabra.

Sus palabras cayeron sobre la Resistencia como una losa, y ninguno reaccionó a tiempo de evitar que el muchacho saliese de la sala sin una palabra.

–¡No puedo creerlo! –estalló Alexander–. ¡Esto es...!

–Hablaré con él –dijo Victoria, y echó a correr tras el joven.

Jack se apresuró a seguirla, y la alcanzó en el pasillo.

–Espera. ¿Estás segura de lo que haces? ¿Quieres que vaya contigo?

Ella lo miró.

–No, Jack. Esta vez, no. Es algo entre él y yo.

A Jack se le revolvieron las tripas, pero, en el fondo, lo comprendía, de modo que asintió, no sin esfuerzo. Victoria sonrió y se puso de puntillas para besarlo suavemente en los labios. Jack se quedó sin aliento. Hacía días que ella no hacía algo así, y cerró los ojos, disfrutando al máximo de aquella sensación, bebiendo de ella, tratando de transmitirle todo lo que sentía a través de aquel contacto. Suspiró cuando se separaron, pero ella no volvió a besarlo. Se acercó a él otra vez para decirle al oído, en voz baja:

–Pase lo que pase, Jack, no olvides nunca que te quiero... con locura.

Él asintió y la miró con infinito cariño. Victoria sonrió de nuevo y se marchó, pasillo abajo. Y sintió que una parte de su ser se iba con ella.

Victoria atravesó la explanada y llegó al bosquecillo. Percibió la presencia de Christian, pero no lo vio, y sabía que solo había una manera de encontrarse con él: dejar que fuera él quien la encontrase a ella. De modo que fue hasta su sauce y se sentó entre las raíces, como solía hacer. Y no tardó en distinguir la oscura y esbelta silueta del shek de pie, junto a ella.

–Has venido sola –observó él en voz baja.

–Alguna vez tenía que decidirme a hacerlo, ¿no?

Christian asintió, pero no se movió. Comprendía exactamente cómo se sentía Victoria. Aquel encuentro bajo el sauce les recordaba las reuniones en la parte trasera de la mansión de Allegra, que ambos, y especialmente Victoria, evocaban con cariño. Pero era inevitable pensar que, la última vez que ella había corrido a su encuentro, él la había traicionado para entregarla al Nigromante... con todo lo que había sucedido después.

–No voy a abrir esa Puerta, Victoria. No quiero que vayas a Idhún.

–Tampoco yo quería ir, Christian, pero he estado pensando mucho. Podría haber sido una chica normal, pero no, soy un unicornio, y he sufrido por ello mucho, muchísimo. Si abandonara ahora, todo esto no habría valido la pena; habría sufrido... para nada, ¿entiendes? El miedo, el odio, incluso el amor que siento por ti y por Jack... quiero que todo tenga un sentido. Y me consuela saber que, si he pasado por todo esto, es porque se espera de mí que vaya a salvar el mundo. Sé que no parece un gran consuelo, pero es mejor que pensar que lo he soportado por nada, por un simple capricho del destino.

No estaba segura de haberse expresado bien, pero Christian asintió y dijo:

–Comprendo.

Victoria se dio cuenta entonces de que él se había sentado junto a ella, en la misma raíz que Jack solía ocupar. Pero no de la misma manera. Mientras que a Jack le gustaba tumbarse cuan largo era, con la espalda apoyada en el tronco, en actitud distendida, Christian se había sentado vuelto hacia ella, mirándola fijamente, con la cabeza ligeramente inclinada, de modo que sus ojos destellaban a través del flequillo. Parecía alerta, como un felino. Victoria no recordaba haberlo visto nunca relajado, y esto la inquietaba y la fascinaba a la vez.

–Tienes que abrirnos la Puerta, Christian –le pidió ella–. Para que todo acabe cuanto antes, ¿entiendes? Y podamos estar juntos.

Él negó con la cabeza.

–Sabes que nunca estaremos juntos.

Ella se volvió hacia él y lo miró fijamente a los ojos.

–¿Y puedes pensar, siquiera por una milésima de segundo, que voy a dejarte marchar? –susurró, muy seria.

En los ojos de hielo del shek apareció una chispa de calor.

–Tienes que hacerlo –dijo sin embargo–. Piensa en Jack. Sé por qué ya casi no nos tocas, ni a él ni a mí. Sé que tiene que ver, en parte, por tu esencia de unicornio, que acaba de despertar, pero sobre todo... porque no quieres caldear el ambiente, ¿verdad? Te estás conteniendo para no provocar más tensión de la que ya hay.

Victoria vaciló y desvió la mirada, sintiendo que nunca podría esconderle nada a Christian.

–Y en cuanto a Jack –prosiguió él–, ¿cuánto tiempo crees que podrá soportar mi presencia? Es una prueba demasiado dura para él. No puedes pedirle que acepte tu relación conmigo, como si nada. No después de todo lo que ha pasado.

Victoria se mordió el labio inferior, pensativa. Pero entonces recordó las palabras de Jack acerca de Christian: «¿Vas a obligarlo a regresar a Idhún? ¿A enfrentarse a su gente, que lo considera un traidor, y a su padre... de nuevo? No puedes pedirle eso». Y pensó que no era casual que los dos hubieran hablado en términos tan semejantes. Tenía que ser una señal. ¿De qué? Victoria no lo sabía, pero sí intuía que, pasara lo que pasase, tenían que permanecer juntos. Los tres.

–Creo que lo subestimas –dijo–. Es más fuerte de lo que crees. Recuerda que es un dragón.

Christian entrecerró los ojos.

–Lo siento –se disculpó Victoria–. He pronunciado la palabra tabú. Has puesto la misma cara que pone Jack cuando menciono cualquier cosa que tenga que ver con las serpientes.

Christian percibió que se estaba burlando de él, de ambos en realidad, y la miró sin saber si sentirse ofendido, divertido o sorprendido.

–No bromees con eso –le advirtió, muy serio.

Victoria no insistió.

–Bien –murmuró–. Te lo voy a pedir una vez más, Christian. Ábrenos la Puerta. Deja que vayamos a cumplir con nuestro destino.

Él sacudió la cabeza.

–¿Y puedes pensar, siquiera por una milésima de segundo, que voy a dejarte marchar? –contraatacó.

Sabía lo que le iba a decir ella, y estaba preparado. O, al menos, eso creía. Porque, cuando Victoria lo miró a los ojos, supo que había quedado atrapado en su luz para siempre.

–Entonces, ven con nosotros a Idhún. Sé que no tengo derecho a pedirte esto, pero... no soporto la idea de perderte. Y sé que, si volvemos a casa algún día, a pesar de lo que diga Jack, tú ya no estarás aquí para recibirme. Por favor, Christian. No me dejes ahora. No estoy preparada.

Christian titubeó.

–Juegas con ventaja –murmuró–. Sabes que no puedo negarte nada cuando me miras de esa forma.

Victoria sonrió. Pero Christian alzó la cabeza y la miró, resuelto.

–Abriré la Puerta si es lo que quieres, Victoria. Te dejaré marchar. Pero no iré contigo.

Ella abrió la boca para decir algo, pero Christian no había terminado de hablar.

–No soy parte de la Resistencia. No tiene sentido que vaya con vosotros. Solo estropearía las cosas. De todas formas –añadió–, sabes que me tienes siempre contigo. Mientras lleves puesto ese anillo... ese anillo que te protegió de mí en la Torre de Drackwen.

Victoria se volvió hacia él, sorprendida.

–¿El anillo...? ¿Qué quieres decir?

Pero Christian no dio más explicaciones. Se levantó, y Victoria lo imitó.

–Volvamos –dijo él–. Tienes un viaje que preparar.

Ella asintió. Titubeó un momento y, finalmente, se acercó a Christian, le cogió el rostro con las manos y lo besó con dulzura. Casi logró sorprenderlo, y eso no era algo a lo que el shek estuviera acostumbrado. Pero ambos disfrutaron del beso, intenso y electrizante, como todos los que intercambiaban. Victoria se separó de él, sonriendo.

–Es lo justo –dijo ella, pero no añadió nada más.

De todas formas, Christian comprendió exactamente lo que quería decir. Sacudió la cabeza y sonrió.

Se habían reunido en la explanada que se abría entre la casa y el bosque, y habían reunido en sus bultos solo lo estrictamente necesario. Eran seis, seis, como los astros de Idhún, como los seis dioses de la luz: Shail, Alexander, Jack, Victoria, Christian y Allegra. Pero uno de ellos no los acompañaría a través de la Puerta, y el corazón de Victoria sangraba por ello.

Christian abrió la brecha interdimensional sin grandes problemas. Todos contemplaron la brillante abertura que los conduciría al mundo que habían abandonado tanto tiempo atrás.

Alexander fue el primero en cruzar, seguido de Allegra. Shail se quedó un momento junto a la brecha y miró a los tres muchachos, indeciso.

–Ahora vamos –lo tranquilizó Jack.

Shail asintió y atravesó la Puerta.

Jack y Victoria se miraron. Jack asintió, y Victoria se volvió hacia donde estaba Christian, un poco más lejos, y con un aspecto más sombrío de lo habitual. Le tendió la mano.

–Ven conmigo –susurró mirándolo a los ojos.

Pero él retrocedió un paso.

–No, Victoria –le advirtió.

Los dos cruzaron una mirada llena de emoción contenida. Victoria leyó en los ojos de Christian el intenso dolor que le producía aquella separación, pero también entendió que él no quería unirse a un grupo en el que no era bien recibido. «Pero yo te necesito», trató de decirle, aunque sabía que era inútil y que no lograría convencerlo.

–No pensaba que nos dejarías tirados de esa manera –intervino Jack entonces–. ¿Sabes lo que cuesta impedir que Victoria se meta en líos? Contaba contigo para vigilarla.

Tanto Christian como Victoria se volvieron hacia él, desconcertados. Pero Jack ladeó la cabeza y los miró sonriendo.

–Además –añadió–, está el hecho de que no eres gran cosa sin esa espada que has perdido, ¿no?

En los ojos de Christian apareció un destello de interés.

–Es cierto, Haiass.

–Habrá que recuperarla –comentó Jack.

–Cierto. Habrá que recuperarla.

–No pensamos hacerlo por ti, ¿sabes? Ya nos has metido en muchos líos, así que esperamos que te ocupes de tus cosas tú solito.

Christian le dirigió una mirada indescifrable.

–Voy a atravesarte con ella de parte a parte, ¿lo sabías?

–Primero tendrás que recobrarla y, sinceramente, espero que lo hagas. Matarte no tendrá ninguna emoción si no eres capaz de defenderte, aunque solo sea durante cinco minutos.

Victoria miraba a uno y a otro como si viera un partido de tenis.

Christian avanzó entonces un paso y cogió la mano de la muchacha. Cuando esta lo observó, sorprendida, el shek se encogió de hombros y dijo solamente:

–Tengo que recuperar mi espada.

Pero sus ojos la miraban con cariño, y Victoria supo entonces que él estaba dispuesto a seguirla hasta el fin del mundo, y más allá, con espada o sin ella. Sonrió y, con la mano que le quedaba libre, cogió la de Jack.

Y los tres atravesaron la Puerta interdimensional, en dirección a su destino, un mundo bañado por la luz de tres soles y tres lunas, un mundo que los estaba esperando... que los había estado esperando desde siempre.